MIDDLE SCHOOL

ENGLISH 2

평가문제집 2-1

민찬규 교과서편

이책의 구성과 특징

자기 주도 학습이 가능한 단계별 프로그램

기본 학습 – 실력 확인 – 실전 평가 – 리뷰노트

❶ 기본 학습

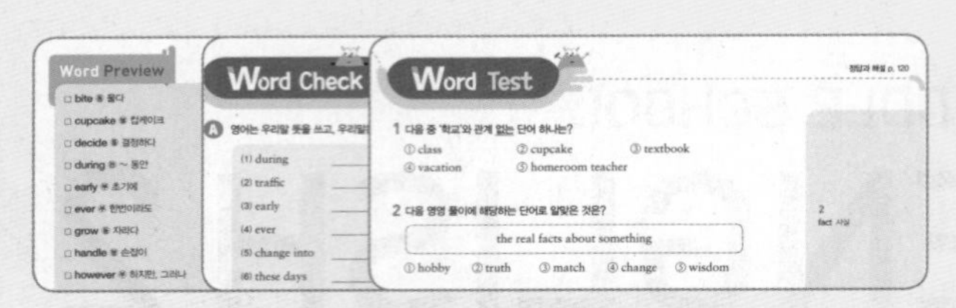

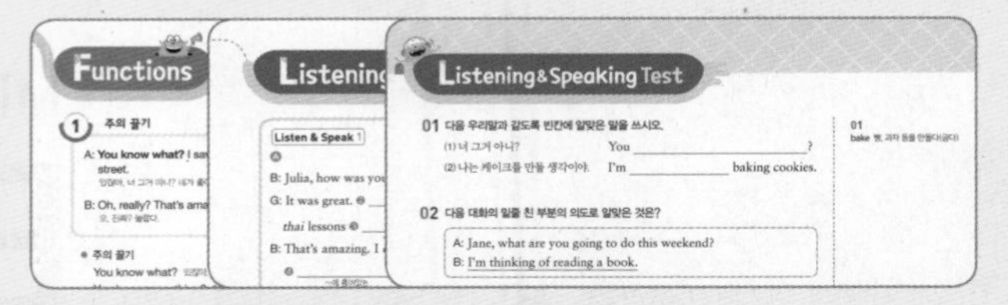

Word Preview ▶ Word Check ▶ Word Test

- 단원의 주요 단어와 숙어를 미리 살펴보고, 기본적인 영영 풀이 문제와 다양한 확인 문제를 통해서 점검합니다.

Functions ▶ Listening Scripts ▶ Listening & Speaking Test

- 단원의 주요 의사소통 기능을 다양한 상황에 맞는 대화문으로 학습하며 비슷한 표현이나 관련 표현까지 익힐 수 있습니다.
- 교과서의 듣기 대본 내용을 확인하고, 주요 의사소통 기능을 다양한 확인 문제를 통해서 점검합니다.

❷ 실력 확인

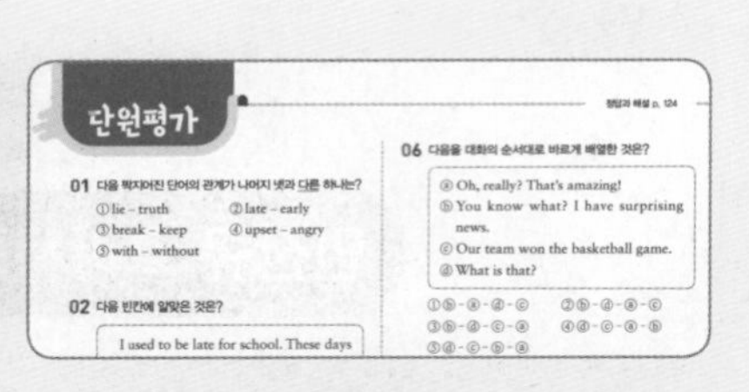

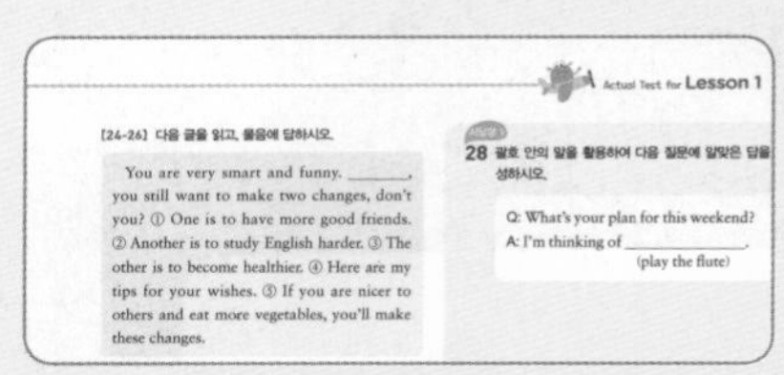

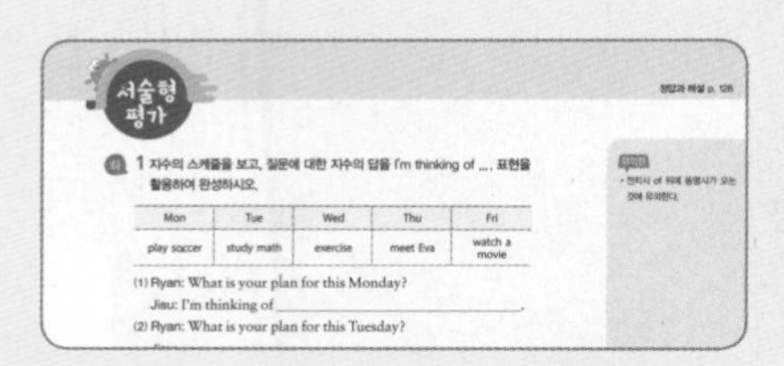

단원 평가 / 서술형 평가

- 단원의 전체 내용을 다양한 문제를 통해서 종합적으로 점검합니다.
- 단원평가 문제 뿐만 아니라, 서답형 문제와 서술형 평가 문제도 따로 제시하여 수행평가를 철저하게 대비할 수 있습니다.

Grammar ▶ Grammar Check ▶ Grammar Test

- 단원의 주요 언어 형식(문법)을 핵심 설명과 다양한 예문으로 학습합니다.
- 주요 언어 형식을 학교 기출 문제 유형 기준으로, 다양한 확인 문제를 통해서 점검합니다.

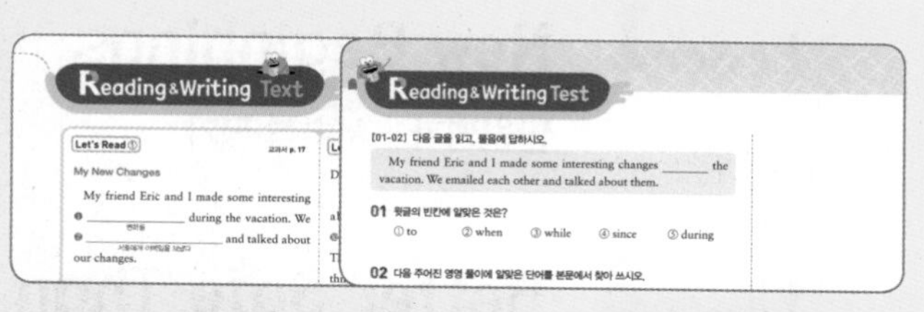

Reading & Writing Text ▶ Reading & Writing Test

- 교과서 본문(Let's Read)과 쓰기(Let's Write) 예시글의 표현을 확인하고 복습합니다.
- 교과서 본문과 쓰기 예시글의 내용을 다양한 확인 문제를 통해서 점검합니다.

❸ 실전 평가

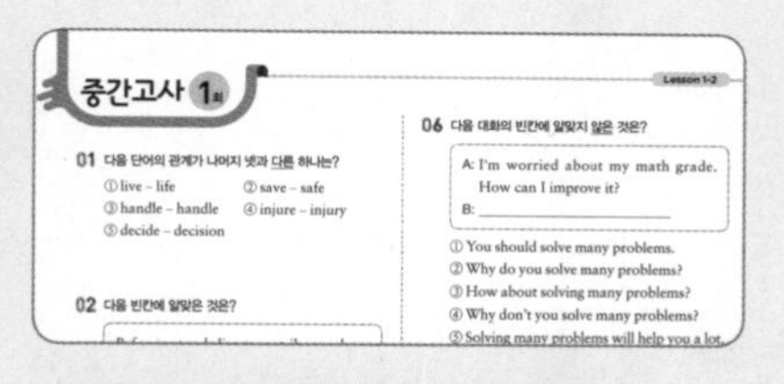

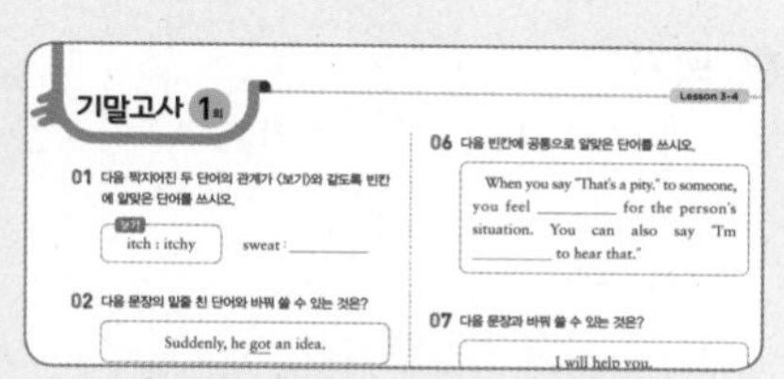

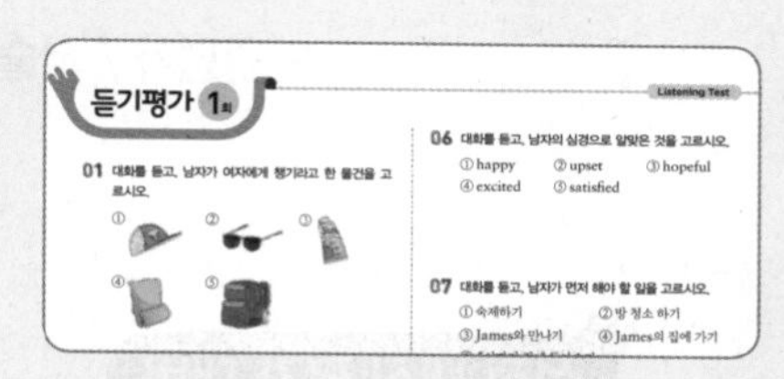

중간고사 / 기말고사 / 듣기평가

- 다양한 종합 문제를 통해서 학교 지필평가를 대비할 수 있습니다.
- 4회로 구성된 실전 듣기평가 문제를 통해 시·도 교육청 및 교내 듣기평가를 대비할 수 있습니다.

❹ 리뷰노트

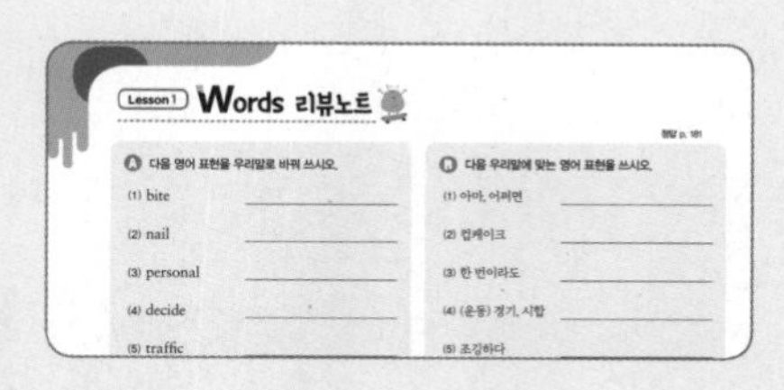

Words 리뷰노트

단원의 주요 단어와 숙어를 다시 한번 복습합니다.

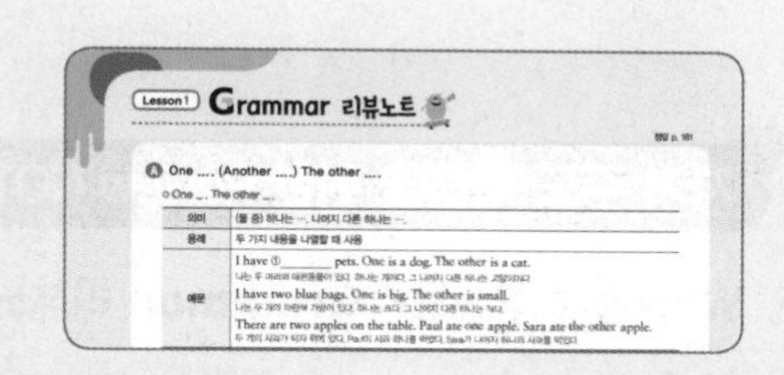

Grammar 리뷰노트

단원의 주요 언어 형식(문법)을 한눈에 이해할 수 있도록 표와 예문을 통해 정리하고 그에 따른 간단한 확인 문제로 복습합니다.

Middle School English 2-1

Middle School
English 2-2 Preview

Lesson 5 I Don't Have a Clue

[Functions] • 설명 요청하기 Can you explain how to use the buttons?
• 열거하기 First, fold the paper in half. Second, turn it over. Then, draw a face.

[Forms] • 수동태 The cheese was eaten by a mouse.
• 조동사의 수동태 Bright stars can be seen at night.

Lesson 6 We're Here to Dance

[Functions] • 의견 표현하기 In my opinion, he really enjoys dancing.
• 확실성 정도 표현하기 I'm sure you'll feel great

[Forms] • so ... that ~ 구문 The dance is so popular that everybody learns it.
• 원급 비교 The dancers looked as beautiful as flowers.

Lesson 7 Magic or Science?

[Functions] • 질문하기 Which sport do you want to learn?
• 희망·기대 표현하기 I can't wait to see the difference.

[Forms] • 가주어, 진주어 구문 It is ~ to .... It's exciting to watch a magic show.
• How come ... ? 구문 How come the water rose into the glass?

Lesson 8 Call It Courage

[Functions] • 알고 있는지 묻기 Have you heard of the Gobi Desert?
Have you heard about the soccer match on Saturday?
• 격려하기 Don't give up!

[Forms] • 사역동사 My mom made me clean my room.
• 접속사 Although가 있는 부사절 Although it was raining, I played soccer.

자기 주도 학습을 위한

Study DIARY

오늘은 얼마나 공부했는지 공부한 날짜를 적어 보세요.

	Lesson 1	Lesson 2	Lesson 3	Lesson 4
Word Preview				
Word Check				
Word Test				
Functions				
Listening Scripts				
Listening & Speaking Test				
Grammar				
Grammar Check				
Grammar Test				
Reading & Writing Text				
Reading & Writing Test				
단원 평가				
Words 리뷰노트				
Grammar 리뷰노트				

중간고사 1회		듣기평가 1회	
중간고사 2회		듣기평가 2회	
기말고사 1회		듣기평가 3회	
기말고사 2회		듣기평가 4회	

New Beginnings

새로운 시작

Functions
- 주의 끌기 **You know what?**
- 의도 표현하기 **I'm thinking of** learning taekwondo.

Forms
- 부정대명사 I have two pets. **One** is a dog. **The other** is a cat.
- If 조건절 **If** you exercise every day, you **will** become healthier.

Word Preview

알고 있는 단어나 표현에 ☑표 하세요.

- □ **bite** 동 물다
- □ **cupcake** 명 컵케이크
- □ **decide** 동 결정하다
- □ **during** 전 ~ 동안
- □ **early** 부 초기에
- □ **ever** 부 한번이라도
- □ **grow** 동 자라다
- □ **handle** 명 손잡이
- □ **however** 부 하지만, 그러나
- □ **hobby** 명 취미
- □ **hold** 동 붙잡다, 잡다
- □ **jog** 동 조깅하다
- □ **lie** 동 거짓말하다 명 거짓말
- □ **match** 명 (운동) 경기, 시합
- □ **maybe** 부 아마, 어쩌면
- □ **miss** 동 그리워하다
- □ **nail** 명 손톱
- □ **personal** 형 개인의, 개인적인
- □ **traffic** 명 교통
- □ **truth** 명 진실
- □ **upset** 형 속상한
- □ **vacation** 명 방학
- □ **wisdom** 명 지혜
- □ **without** 전 ~ 없이
- □ **be into** 빠져 있다
- □ **break a bad habit** 나쁜 습관을 버리다
- □ **change into** ~으로 변하다
- □ **each other** 서로
- □ **hear from** ~으로부터 소식을 듣다
- □ **homeroom teacher** 담임 선생님
- □ **It's time to** ~할 때다
- □ **keep a diary** 일기를 쓰다
- □ **little by little** 조금씩
- □ **make changes** 변화를 이루다
- □ **not ... anymore** 더 이상 …하지 않다
- □ **these days** 요즈음에

정답과 해설 p. 120

A 영어는 우리말 뜻을 쓰고, 우리말은 영어로 쓰시오.

(1) during	______	(7) 아마, 어쩌면	______
(2) traffic	______	(8) 하지만, 그러나	______
(3) early	______	(9) 속상한	______
(4) ever	______	(10) 그리워하다	______
(5) change into	______	(11) 조금씩	______
(6) these days	______	(12) 변화를 이루다	______

B 영영 풀이에 해당하는 단어를 〈보기〉에서 골라 쓰시오.

보기 grow vacation handle bite wisdom

(1) ______________ : a part of something that is designed to be held in one's hand

(2) ______________ : to become larger or greater in some way

(3) ______________ : the ability to use one's experience and knowledge to make decisions

(4) ______________ : a period of time that a person spends away from school or work

(5) ______________ : to use teeth to cut into something

C 우리말과 일치하도록 빈칸에 알맞은 말을 쓰시오.

(1) 너는 내게 종종 거짓말하기 때문에 나는 너를 신뢰할 수 없어.

➲ I can't trust you because you often __________ to me.

(2) 내 목표는 영어로 일기를 쓰는 것이다.

➲ My goal is to __________ __________ __________ in English.

(3) 이것은 그냥 나의 개인적인 의견이다.

➲ This is just my __________ opinion.

(4) 일어날 시간이다.

➲ It's __________ __________ get up.

(5) 나는 매일 아침 조깅을 한다.

➲ I __________ every morning.

(6) 나는 더 이상 숙제하는 것을 미루지 않는다.

➲ I don't put off doing my homework __________.

정답과 해설 p. 120

1 다음 중 '학교'와 관계 없는 단어 하나는?

① class ② cupcake ③ textbook
④ vacation ⑤ homeroom teacher

2 다음 영영 풀이에 해당하는 단어로 알맞은 것은?

the real facts about something

① hobby ② truth ③ match ④ change ⑤ wisdom

3 다음 괄호 안에서 알맞은 말을 고르시오.

(1) We cannot live (with / without) water.

(2) These days, I am (into / about) baking bread.

(3) We said hello to (other / each other).

4 다음 빈칸에 알맞은 말을 〈보기〉에서 골라 쓰시오.

보기	handle hold decide

(1) We didn't ____________ the destination of our school field trip.

(2) She turned the ____________ and opened the door.

(3) Can I ____________ your hand?

[5-6] 다음 빈칸에 공통으로 들어갈 말을 쓰시오.

5
- He dropped the plate and it ____________ into pieces.
- I ____________ the bad habit of putting off my homework.

6
- We hope to ____________ from you.
- If you ____________ the news, you will be glad.

7 우리말과 일치하도록 빈칸에 알맞은 말을 쓰시오.

- 나의 나쁜 습관은 손톱을 물어뜯는 것이다.

➲ My bad habit is ____________ ____________ ____________.

2
fact 사실

3
say hello to ~에게 인사하다

4
destination 목적지

5
plate 접시
piece 조각
put off ~을 미루다

6
hope 희망하다
glad 기쁜

Functions

1 주의 끌기

A: **You know what?** I saw your favorite singer in the street.
있잖아. 너 그거 아니? 네가 좋아하는 가수를 길에서 봤어.

B: Oh, really? That's amazing.
오, 진짜? 놀랍다.

핵심 POINT
- You know what?은 주의를 끌기 위한 표현으로 '있잖아.' 또는 '너 그거 아니?'라는 뜻이다.
- You know what? 뒤에 강조하여 말하고자 하는 사실이 언급된다.

● **주의 끌기**

You know what? 있잖아. 너 그거 아니?
You know something? 있잖아. 너 그거 아니?

e.g. A: You know what? His team won first prize in the school soccer league.
너 그거 아니? 그의 팀이 학교 축구 리그에서 1등 상을 받았어.
B: Oh, really? That's amazing! 오 진짜? 놀랍다!

A: You know something? I went to Busan during the vacation.
있잖아. 나는 방학 동안 부산에 갔어.
B: Oh, really? That sounds great. 오 진짜? 좋았겠네.

2 의도 표현하기

A: What is your plan for this weekend?
너의 이번 주말 계획은 무엇이니?

B: **I'm thinking of** watching a movie.
나는 영화 보려고 생각 중이야.

핵심 POINT
- I'm thinking of ....는 의도나 계획을 나타낼 때 쓰는 표현으로 '나는 …할 생각이다.'라는 뜻이다.
- of 뒤에 명사(구)나 동명사가 온다.

❶ **의도·계획 묻기**

What is your plan for ...? 너의 … 계획은 무엇이니?
What are you going to do? 너는 무엇을 할 거니?

❷ **의도·계획 표현하기**

I'm thinking of .... 나는 …할 생각이야.
I'm planning to .... 나는 …할 계획이야.
I'm going to .... 나는 …할 거야.

I'm planning to와 I'm going to 뒤에 동사원형을 쓴다.

e.g. A: What is your plan for this weekend? 너의 이번 주말 계획은 무엇이니?
B: I'm thinking of reading a book. 나는 책을 읽을 생각이야.

A: What are you going to do this weekend? 너는 이번 주말에 무엇을 할 거니?
B: I'm planning to ride my bike. 나는 자전거를 탈 계획이야.

Listening Scripts

○ 우리말에 알맞은 표현을 빈칸에 써 봅시다.

Listen & Speak 1 교과서 p. 12

Ⓐ

B: Julia, how was your ❶ ____________ (겨울 방학)?

G: It was great. ❷ ____________ (너 그거 아니)? I took *muay thai* lessons ❸ ____________ (~ 동안) the vacation.

B: That's amazing. I didn't know that you were ❹ ____________ (~에 흥미있는) *muay thai*.

G: Yes. It was really fun.

B: Really? I want to try it.

Ⓑ

G: You know what, Tim? Mr. Smith is my ❺ ____________ (담임 선생님) this year.

B: That's great, Jimin. His science class last year was a lot of fun.

G: Who's your homeroom teacher this year?

B: It's Ms. Kim. She's a new teacher.

G: What does she ❻ ____________ (가르치다)?

B: She teaches art.

Listen & Speak 2 교과서 p. 13

Ⓐ

G: Minsu, Sujin and I are ❼ ____________ (~할 생각이다) starting a club.

B: Really? What kind of club?

G: We want to ❽ ____________ (~에 대해 배우다) stars and planets. So, we're thinking of starting a space science club.

B: Sounds good. How often are you going to meet?

G: Maybe ❾ ____________ (일주일에 한 번).

B: I see. Where will you meet?

G: In Room 101. Minsu, do you want to ❿ ____________ (우리 동아리에 가입하다)?

B: Yes, I'm interested in space, too.

Ⓑ

B: Mom, I made *bulgogi* at school today. I'm thinking of cooking *bulgogi* for dinner.

W: That sounds great, Alex.

B: Do we have any vegetables at home, Mom? What about beef?

W: We have some vegetables, but we don't have beef. I'll buy some for you ⓫ ____________ (집에 오는 길에).

B: Great.

Real Life Communication 교과서 p. 14

Ⓐ

Emily: You know what, Junsu? I'm ⓬ ____________ (~할 생각이다) taking a painting class.

Junsu: Really? Why did you ⓭ ____________ (결심하다) to take a painting class, Emily?

Emily: ⓮ ____________ (왜냐하면) I want to go to an art high school.

Junsu: Are you thinking of becoming an artist in the future?

Emily: I hope so. I'm interested in painting pictures.

Junsu: That's great. I hope your wish ⓯ ____________ (실현되다).

Emily: Thanks. I'll ⓰ ____________ (내 최선을 다하다).

Answers

❶ winter vacation ❷ You know what ❸ during ❹ interested in ❺ homeroom teacher ❻ teach ❼ thinking of ❽ learn about ❾ once a week ❿ join our club ⓫ on my way home ⓬ thinking of ⓭ decide ⓮ Because ⓯ comes true ⓰ do my best

Listening & Speaking Test

01 다음 우리말과 같도록 빈칸에 알맞은 말을 쓰시오.

(1) 너 그거 아니? You ______________________?

(2) 나는 케이크를 만들 생각이야. I'm ______________ baking cookies.

02 다음 대화의 밑줄 친 부분의 의도로 알맞은 것은?

A: Jane, what are you going to do this weekend?
B: <u>I'm thinking of reading a book.</u>

① 사과하기 ② 음식 주문하기 ③ 의도·계획 표현하기
④ 좋아하는 것 묻기 ⑤ 기대 표현하기

03 다음 대화의 괄호 안에서 알맞은 것을 고르시오.

A: You know what? I'm (going / thinking) of learning Spanish.
B: Why did you decide to do that?
A: Because I want (to live / living) in Spain.

04 다음 대화의 빈칸에 알맞지 않은 것은?

A: What's your plan for this weekend?
B: ______________________________

① I'm going to a theater now. ② I'm going to play soccer.
③ I'm planning to study math. ④ I'm thinking of playing games.
⑤ I'm thinking of going to the beach.

05 다음 대화 중 자연스럽지 않은 것은?

① A: Do you have any plans for Parents' Day?
B: I'm thinking of writing a letter.

② A: You know what? Mr. Kim is my homeroom teacher.
B: Oh, really? Good for you.

③ A: You know what? Our team lost the game yesterday.
B: I'm sorry to hear that.

④ A: You know what? I had a surprise party for my friend.
B: Oh, really? That's so sweet.

⑤ A: What did you do last weekend?
B: I'm thinking of riding my bike.

01
bake 빵, 과자 등을 만들다(굽다)

03
Spanish 스페인어

05
surprise party 깜짝 파티
sweet 상냥한, 다정한

06 다음 대화의 흐름상 어색한 것은?

① A: You know what? I'm thinking of keeping a diary in English.
② B: Why did you decide to do that?
③ A: Because I want to write well in English.
④ B: I'm glad to hear from you.
⑤ A: I hope my English writing ability will improve.

07 다음 대화를 순서대로 바르게 배열하시오.

A: Minsu, Sujin and I are thinking of starting a history club.
☐ Yes, I'm interested in history, too.
☐ Sounds good. How often are you going to meet?
☐ Maybe once a week. Do you want to join our club?

08 다음 대화의 밑줄 친 부분과 바꿔 쓸 수 있는 것은?

A: What is your plan for this Friday?
B: I'm thinking of going out for pizza.

① I went out for pizza.
② I'm going to make pizza.
③ I made this pizza for you.
④ I'm planning to go out for pizza.
⑤ I like to eat pizza on Friday evenings.

[09-10] 다음 대화를 읽고, 물음에 답하시오.

Emily: You know what, Junsu? I'm ___ⓐ___ taking a painting class.
Junsu: Why did you decide to take a painting class, Emily?
Emily: Because I want to go to an art high school.
Junsu: Are you ___ⓑ___ becoming an artist in the future?
Emily: I hope so. I ___ⓒ___ painting pictures.
Junsu: That's great. I hope your wish comes true.

09 위 대화의 빈칸 ⓐ와 ⓑ에 공통으로 들어갈 말로 알맞은 것은?

① plan for　② going to　③ decide to
④ thinking of　⑤ planning to

10 위 대화의 빈칸 ⓒ에 들어갈 말로 알맞지 않은 것은?

① like　② hate　③ love　④ am into　⑤ am interested in

06
keep a diary 일기를 쓰다
improve 향상되다

07
club 동아리
be interested in ~에 관심이 있다
once 한 번
join 가입하다

08
go out 외출하다

09-10
take a class 수업을 듣다
wish 소원
come true 실현되다

Grammar

1 one, the other / one, another, the other

I have two pets. **One** is a dog and **the other** is a cat.
나는 두 마리의 애완동물이 있다. 한 마리는 개이고 나머지 한 마리는 고양이이다.

I have two sisters. **One** is Jessie and **the other** is Kate.
나는 두 명의 여동생이 있다. 한 명은 Jessie이고 나머지 한 명은 Kate이다.

There are three books on the desk. **One** is a novel, **another** is a comic book and **the other** is a magazine.
책상 위에 세 권의 책이 있다. 하나는 소설책이고, 또 다른 것은 만화책이며, 나머지 하나는 잡지이다.

핵심 POINT

- one, the other는 두 가지 대상을 가리킬 때 사용하며, '하나는, 나머지 다른 하나는'이라는 뜻이다.
- one, another, the other는 세 가지 대상을 가리킬 때 사용하며, '하나는, 또 다른 하나는, 나머지 하나는'이라는 뜻이다.
- 부정대명사의 종류로는 one, another, other, some, any, every, each, both, all 등이 있다.

❶ **두 가지 대상을 가리킬 때: one, the other**

e.g. I have two blue bags. One is big and the other is small.
나는 두 개의 파란색 가방이 있다. 하나는 크고 나머지 하나는 작다.

He has two balls. One is a soccer ball and the other is a basketball.
그는 두 개의 공이 있다. 하나는 축구공이고 나머지 하나는 농구공이다.

❷ **세 가지 대상을 가리킬 때: one, another, the other**

e.g. There are three colors in the U.S. flag. One is red, another is white, and the other is blue.
미국 국기에는 세 가지 색깔이 있다. 하나는 빨간색이고 다른 것은 흰색이고 나머지 하나는 파란색이다.

2 If 조건절

If you hear the news, you **will** be surprised.
네가 그 소식을 들으면 너는 놀랄 것이다.

If I finish my homework early, I **will** play baseball.
내가 숙제를 일찍 끝내면 나는 야구를 할 것이다.

You'll become healthier **if** you exercise more often.
네가 더 자주 운동을 하면 더 건강해질 것이다.

핵심 POINT

- 조건을 나타낼 때 사용하며, '~하면 …할 것이다'라는 뜻이다.
- if절은 주절의 앞이나 뒤에 모두 올 수 있다.
- 조건을 나타내는 if절에서는 현재 시제로 미래의 의미를 나타낸다.

❶ **If절의 위치**

e.g. If you go by a taxi, it will take 5 minutes.
= It will take 5 minutes if you go by taxi. 네가 택시를 타면 5분이 걸릴 것이다.

If절이 주절보다 앞에 올 때는 if절 끝에 콤마(,)를 쓴다.

❷ **If 조건절에서의 미래 시제 표시**

e.g.
- If there is a fire, the alarm will ring. (○) 불이 나면 경보가 울릴 것이다.
  If there will be a fire, the alarm will ring. (×)
- If it rains tomorrow, I will eat *pajeon*. (○) 내일 비가 오면 나는 파전을 먹을 것이다.
  If it will rain tomorrow, I will eat *pajeon*. (×)

Grammar Check

정답과 해설 p. 121

A 괄호 안에서 알맞은 것을 고르시오.

(1) There are two questions. One is easy and (other / the other) is difficult.

(2) There are two people in this room. One is a boy and (another / the other) is a girl.

(3) I'll get up if my alarm (rings / will ring).

(4) (Will / Do) you go to the party if they invite you?

(5) If it (will be / is) sunny tomorrow, I will go on a picnic to the Han River.

B 빈칸에 알맞은 말을 〈보기〉에서 찾아 쓰시오.

보기	one	another	the other	some	others

(1) There are twins. ____________ is named Sam and ____________ is named Ian.

(2) There are two pencils in this box. ____________ is long and ____________ is short.

(3) There are three smartphones on the table. One is Paul's, ____________ is Sarah's and ____________ is Katy's.

C 괄호 안에 주어진 단어를 알맞은 형태로 빈칸에 쓰시오. (필요에 따라 형태를 바꾸지 않을 수 있음.)

(1) If you jog every morning, you ______________ healthier. (get)

(2) If you don't want to go alone, I ______________ with you. (go)

(3) If you ______________ this book, you will get a free bookmark. (buy)

D 문장에서 어법상 어색한 부분을 찾아 고쳐 쓰시오.

(1) You'll be late for school if you won't get up now.

________________ ➜ ________________

(2) I got two gifts from my friends. One was from Jane and others was from Mike.

________________ ➜ ________________

(3) She is surprised if you have a party for her.

________________ ➜ ________________

(4) If I don't hear from you tomorrow morning, I give you a call.

________________ ➜ ________________

(5) I have two puppies. One has long hair and another has short hair.

________________ ➜ ________________

Grammar Test

정답과 해설 p. 122

1 다음 빈칸 ⓐ와 ⓑ에 들어갈 말끼리 바르게 짝지어진 것은?

> I have two aunts. ____ⓐ____ is a nurse and ____ⓑ____ is a teacher.

① One – other ② One – another ③ One – the other
④ Another – other ⑤ Another – the other

2 다음 밑줄 친 be의 형태로 알맞은 것은?

> If it be cold tomorrow, I will stay home and watch TV.

① be ② is ③ will be
④ was ⑤ is going to be

3 다음 빈칸에 공통으로 들어갈 알맞은 말은?

> • She has two cats. One is black and ________ is white.
> • There are three girls in the photo. One has green eyes, another has blue eyes and ________ has brown eyes.

① one ② other ③ another
④ the other ⑤ the others

4 다음 중 어법상 어색한 문장은?

① I will be proud of you if you finish your project.
② If we hurry up, we won't be late for the meeting.
③ You will lose the game if you don't do your best.
④ If you leave now, you'll get home in five minutes.
⑤ I will tell her the truth if I will meet her tomorrow.

5 다음 중 어법상 올바른 문장은?

① She has two bags. One is old and two is new.
② If you will try harder, you will get a good grade.
③ If I will finish my homework, I will play computer games.
④ If I will have time this fall, I will go camping with my family.
⑤ He has two sons. One lives in Seoul and the other lives in Busan.

1
aunt 이모, 숙모

2
stay 머물다

4
be proud of ~을 자랑스러워하다
meeting 회의
truth 사실

5
try hard 열심히 노력하다
good grade 좋은 성적

Reading & Writing Text

○ 우리말에 알맞은 표현을 빈칸에 써 봅시다.

Let's Read ① 교과서 p. 17

My New Changes

My friend Eric and I made some interesting ❶ ______ (변화들) during the vacation. We ❷ ______ (서로에게 이메일을 보냈다) and talked about our changes.

Let's Read ② 교과서 p. 18

Dear Eric,

It's a beautiful spring in Seoul. The last winter vacation was a great time for me. I made two ❸ ______ (개인적인) changes during the vacation. One is my new ❹ ______ (취미). It's making cupcakes. Making my own cupcakes is a lot of fun. ❺ ______ (나머지 하나의) change is ❻ ______ (버린 것) one of my bad habits. In the past, I often bit my ❼ ______ (손톱들). Now I don't anymore. I feel great about those changes. If you try to ❽ ______ (몇몇 변화를 이루다), I'm sure you'll feel great like me. I hope to ❾ ______ (~으로부터 소식을 듣다) you soon.

Your friend, Junho

Let's Read ③ 교과서 p. 19

Dear Junho,

In Sydney, it's fall in March. You talked about your changes in your email. Now, ❿ ______ (~할 때다) talk about my new changes. These days, I'm into 3D printing. I printed two things with a 3D printer. One is a model of my dream car. If ⓫ ______ (교통이 혼잡하다), it will ⓬ ______ (~으로 변하다) a flying car. The other is a special cup for my grandfather. He can't ⓭ ______ (그의 컵을 잡다) well because he's sick. My special cup has three ⓮ ______ (손잡이들), so it is ⓯ ______ (잡기 쉬운). My grandfather is very happy. ⓰ ______ (그건 그렇고), I want to try your cupcakes some day, Junho. Take care.

Best wishes, Eric

Let's Write 교과서 p. 22

Dear me,

You are very smart and funny. However, you still want to make two changes, don't you? One is to have more good friends. The other is to become ⓱ ______ (더 건강한). Here are my tips for your ⓲ ______ (소원들). If you are nicer to others and eat more vegetables, you'll make these changes.

Love, *Me*

Answers

❶ changes ❷ emailed each other ❸ personal ❹ hobby ❺ The other ❻ breaking ❼ nails ❽ make some changes ❾ hear from ❿ it's time to ⓫ the traffic is heavy ⓬ change into ⓭ hold his cup ⓮ handles ⓯ easy to hold ⓰ By the way ⓱ healthier ⓲ wishes

Reading & Writing Test

[01-02] 다음 글을 읽고, 물음에 답하시오.

My friend Eric and I made some interesting changes ________ the vacation. We emailed each other and talked about them.

01 윗글의 빈칸에 알맞은 것은?

① to ② when ③ while ④ since ⑤ during

02 다음 주어진 영영 풀이에 알맞은 단어를 본문에서 찾아 쓰시오.

the act of becoming different

[03-05] 다음 글을 읽고, 물음에 답하시오.

Dear Eric,

It's a beautiful spring in Seoul. (①) The last winter vacation was a great time for me. I made two personal changes during the vacation. ___ⓐ___ is my new hobby. It's making cupcakes. (②) Making my own cupcakes is a lot of fun. ___ⓑ___ change is breaking one of my bad habits. (③) Now I don't anymore. I feel great about those changes. (④) If you try to make some changes, I'm sure you'll feel great like me. (⑤) I hope to hear from you soon.

Your friend, Junho

03-05
personal 개인적인
break a bad habit 나쁜 습관을 버리다
not ... anymore 더 이상 …하지 않다
hear from ~으로부터 소식을 듣다

03 윗글의 내용에 언급되지 않은 것은?

① 현재 서울의 계절
② 준호의 변화
③ 준호의 새로운 취미
④ 준호의 나쁜 습관
⑤ 준호의 겨울 방학 계획

04 윗글의 빈칸 ⓐ, ⓑ에 들어갈 말끼리 바르게 짝지어진 것은?

① One – Two
② One – The other
③ The other – Another
④ Another – The other
⑤ Others – The others

05 윗글의 ①~⑤ 중 주어진 문장이 들어갈 위치로 알맞은 곳은?

In the past, I often bit my nails.

① ② ③ ④ ⑤

[06-09] 다음 글을 읽고, 물음에 답하시오.

Dear Junho,

In Sydney, it's fall in March. You talked about your changes in your email. Now, it's time to talk about my new changes. These days, I'm into 3D printing. I printed two things with a 3D printer. One is a model of my dream car. ⓐ (heavy, is, the, if, traffic), it will change into a flying car. The other is a special cup for my grandfather. He can't hold his cup well ____ⓑ____ he's sick. My special cup has three handles, so it is easy to hold. My grandfather is very happy. By the way, I want to try your cupcakes some day, Junho. Take care.

Best wishes, Eric

06-09
model 모형
change into ~으로 변하다
handle 손잡이

06 윗글의 내용과 일치하지 않는 것은?

① Eric made some changes.
② Eric is interested in 3D printing.
③ Eric made a model of his dream car with a 3D printer.
④ Eric's special cup is for his grandfather.
⑤ Eric has already tried Junsu's cupcakes.

07 윗글의 괄호 ⓐ에 주어진 단어를 재배열하여 문장을 완성하시오.

➲ ________________________________

08 윗글의 빈칸 ⓑ에 알맞은 것은?

① but ② while ③ though ④ because ⑤ however

09 윗글의 내용과 일치하도록 본문의 단어를 사용하여 글을 완성하시오.

Eric made ________ things with a 3D printer. One is a model of his ________ ________ and the other is a special ________ with three ________.

10 다음 글을 읽고 밑줄 친 ①~⑤ 중 어법상 어색한 것을 찾아 바르게 고쳐 쓰시오.

You are very smart and funny. However, you still want ① to make two changes, don't you? ② One is to have more good friends. ③ Another is to become healthier. Here are my tips for your wishes. If you ④ are nicer to others and eat more vegetables, you ⑤ will make these changes.

________________ ➲ ________________

10
still 여전히

단원평가

정답과 해설 p. 124

01 다음 짝지어진 단어의 관계가 나머지 넷과 다른 하나는?

① lie – truth　② late – early
③ break – keep　④ upset – angry
⑤ with – without

02 다음 빈칸에 알맞은 것은?

> I used to be late for school. These days I get up early, so I don't go to school late ________.

① more　② less　③ always
④ before　⑤ anymore

03 다음 영영 풀이에 알맞은 단어는?

> to use teeth to cut into something

① beat　② bite　③ break
④ decide　⑤ slice

04 다음 두 문장의 빈칸에 공통으로 알맞은 말을 쓰시오.

> • If I don't leave now, I'll ________ my plane.
> • We'll ________ you so much. I hope to see you soon.

자주 출제

05 다음 주어진 문장과 의미가 가장 비슷한 것은?

> I'm thinking of cleaning my desk.

① I want to clean my desk.
② I already cleaned my desk.
③ I was about to clean my desk.
④ I am planning to clean my desk.
⑤ I am not sure if I cleaned my desk.

06 다음을 대화의 순서대로 바르게 배열한 것은?

> ⓐ Oh, really? That's amazing!
> ⓑ You know what? I have surprising news.
> ⓒ Our team won the basketball game.
> ⓓ What is that?

① ⓑ - ⓐ - ⓓ - ⓒ　② ⓑ - ⓓ - ⓐ - ⓒ
③ ⓑ - ⓓ - ⓒ - ⓐ　④ ⓓ - ⓒ - ⓐ - ⓑ
⑤ ⓓ - ⓒ - ⓑ - ⓐ

07 다음 대화 중 자연스럽지 않은 것은?

① A: What's your plan for the vacation?
B: I'm thinking of learning piano.
② A: You know what? I won first prize in the speech contest.
B: Congratulations! That's amazing!
③ A: What are you going to do this weekend?
B: I am thinking of meeting some friends.
④ A: I'm going to start a soccer club.
B: I don't know.
⑤ A: You know what? BTS ranked number 1 on the Billboard chart.
B: Oh, my god! That's amazing!

[08-09] 다음 대화를 읽고, 물음에 답하시오.

> A: You know what, Junsu? ______ⓐ______
> B: Really? Why did you decide to take a painting class, Emily?
> A: Because I want to go to an art high school.
> B: Are you thinking of becoming an artist in the future?
> A: I hope so. I'm interested in painting pictures.
> B: That's great. I hope your wish comes true.
> A: Thanks. I'll do my best.

08 주어진 단어를 재배열하여 대화의 빈칸 ⓐ에 들어갈 문장을 완성하시오.

> painting class, thinking, taking, a, of, I'm

➡ ______________________

09 대화의 내용과 일치하는 것은?

① Junsu decided to take a painting class.
② Junsu took a painting class with Emily.
③ Emily is interested in painting pictures.
④ Junsu and Emily will join a painting class.
⑤ Emily wants to be an art teacher.

[10-11] 다음 밑줄 친 부분 중 어법상 어색한 것을 고르시오.

10

> ① If ② it ③ will be sunny tomorrow, I ④ will go to the park and ⑤ walk my dog.

11

> I bought three skirts. ① One is for my younger sister, ② another ③ is for my mother, and ④ the others is for ⑤ myself.

12 빈칸 ⓐ와 ⓑ에 들어갈 말끼리 바르게 짝지어진 것은?

> There are two chairs in the room. ___ⓐ___ is behind the table and ___ⓑ___ is in front of the door.

① One – two
② One – the other
③ One – other
④ Another – the other
⑤ Another – the others

13 다음 주어진 단어를 어법에 맞게 바꿔 빈칸에 쓰시오.

> He wants to become healthy. If he ________ (exercise) every day, he will.

자주 출제

14 다음 중 어법상 올바른 것을 모두 고르면?

① If school finishes early today, I go shopping with my mother.
② I got two cards. One was from my teacher and another was from my friend.
③ If you will hear the news, you'll be sad.
④ You'll get healthier if you exercise more.
⑤ I have three pets. One is a dog, another is a cat and the other is a rabbit.

[15-16] 다음 글을 읽고, 물음에 답하시오.

> My friend Eric and I ⓐ 방학 동안 흥미로운 변화를 이루었다. We emailed each other and talked about our changes.

15 주어진 단어를 배열하여 윗글의 밑줄 친 ⓐ의 의미가 되도록 영작하시오.

> interesting the vacation changes during some made

➡ ______________________

____

★중요

16 윗글의 다음에 이어질 내용으로 알맞은 것은?

① Eric과 나의 꿈
② Eric과 나의 계획
③ Eric과 나의 취미
④ Eric과 나의 친구
⑤ Eric과 나의 변화

[17-20] 다음 글을 읽고, 물음에 답하시오.

Dear Eric,

It's a beautiful spring in Seoul. The last winter vacation was a great time for me. I made two personal changes during the vacation. One is my new hobby. It's making cupcakes. Making my own cupcakes is a lot of fun. The other change is breaking one of my bad habits. In the past, I often bite my nails. Now I don't anymore. I feel great about those changes. If you try to make some changes, I'm sure you'll feel great like me. I hope to hear from you soon.

Your friend, Junho

17 윗글의 종류로 알맞은 것은?

① play ② letter ③ diary
④ speech ⑤ newspaper

18 윗글의 밑줄 친 bite의 형태로 적절한 것은?

① bite ② biting ③ bitten
④ bit ⑤ bites

19 윗글의 내용과 일치하지 않는 것은?

① It's spring in Seoul.
② During the winter vacation, Junho made two changes.
③ Before the winter vacation, Junho's hobby was making cupcakes.
④ Junho had a bad habit of biting his nails.
⑤ Junho feels great about his changes.

20 윗글의 단어를 사용하여 대화를 완성하시오.

Q: What are the two changes Junho made during the vacation?
A: One is his new ________ and the other is ________ one of his bad habits.

[21-23] 다음 글을 읽고, 물음에 답하시오.

Dear Junho,

In Sydney, it's fall in March. You talked about your changes in your email. Now, it's time to talk about my new changes. These days, I'm into 3D printing. I printed two things with a 3D printer. One is a model of my dream car. ⓐ 교통이 혼잡하면 그것은 날 수 있는 차로 변한다. (it, is, if, will, a flying car, heavy, the traffic, change into) (①) He can't hold his cup well because he's sick. (②) My special cup has three handles, so it is easy to hold. (③) My grandfather is very happy. (④) By the way, I want to try your cupcakes some day, Junho. (⑤) Take care.

Best wishes, Eric

21 윗글을 읽고 답할 수 없는 질문은?

① What season is it in Sydney in March?
② What is Eric into these days?
③ What did Eric make with the 3D printer?
④ Why did Eric make a special cup with three handles?
⑤ What else will Eric make with the 3D printer?

고난도

22 윗글의 밑줄 친 ⓐ의 우리말과 일치하도록 괄호 안에 주어진 단어를 순서대로 배열하여 문장을 완성하시오.

○ ____________________________

23 윗글의 ①~⑤ 중 다음 문장이 들어갈 위치로 알맞은 곳은?

The other is a special cup for my grandfather.

① ② ③ ④ ⑤

[24-26] 다음 글을 읽고, 물음에 답하시오.

> You are very smart and funny. ________, you still want to make two changes, don't you? ① One is to have more good friends. ② Another is to study English harder. ③ The other is to become healthier. ④ Here are my tips for your wishes. ⑤ If you are nicer to others and eat more vegetables, you'll make these changes.

24 윗글의 빈칸에 알맞은 것은?

① And　② Also　③ Then
④ However　⑤ For example

고난도

25 윗글의 ①~⑤ 중 전체 흐름과 관계 없는 문장은?

①　②　③　④　⑤

26 윗글의 제목으로 알맞은 것은?

① How to Become Healthier
② How to Be Nice to Others
③ Things to Do to Become Healthier
④ Things to Do to Have More Friends
⑤ Things to Do to Make Changes in Your Life

27 ⓐ~ⓒ에 들어갈 change의 올바른 형태를 쓰시오.

- Things do not ___ⓐ___; we ___ⓑ___.
  – **Henry David Thoreau, USA**
- ___ⓒ___ in all things is sweet.
  – **Aristotle, Greece**

ⓐ ________ ⓑ ________ ⓒ ________

서답형 1

28 괄호 안의 말을 활용하여 다음 질문에 알맞은 답을 완성하시오.

Q: What's your plan for this weekend?
A: I'm thinking of ______________.
(play the flute)

서답형 2 고난도

29 다음 그림을 설명하는 글을 완성하시오.

There are two students. One is a boy and ________ is a girl. The girl is walking two dogs. ________ is black and ________ is brown.

서답형 3

30 우리말과 일치하도록 괄호 안에 주어진 말을 활용하여 문장을 완성하시오.

네가 일찍 잠자리에 들면 너는 더 괜찮아질 것이다.
(get better, go to bed early)

➲ If ______________________________
______________________________.

정답과 해설 p. 126

하 **1** 지수의 스케줄을 보고, 질문에 대한 지수의 답을 I'm thinking of .... 표현을 활용하여 완성하시오.

Mon	Tue	Wed	Thu	Fri
play soccer	study math	exercise	meet Eva	watch a movie

(1) Ryan: What is your plan for this Monday?
Jisu: I'm thinking of ______________________.

(2) Ryan: What is your plan for this Tuesday?
Jisu: ______________________

(3) Ryan: What is your plan for this Wednesday?
Jisu: ______________________

(4) Ryan: What is your plan for this Friday?
Jisu: ______________________

유의점
• 전치사 of 뒤에 동명사가 오는 것에 유의한다.

중 **2** 다음 그림을 보고, 방의 모습을 설명하는 문장을 완성하시오.

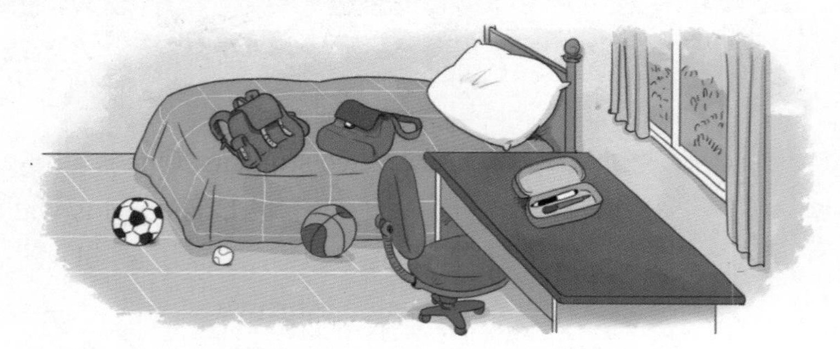

(1) There are two pens in the pencil case. One is ________ and ____________.

(2) There are two bags on the bed. One is ____________ and ____________.

(3) There are three balls. One is ______________, ______________, and ______________.

유의점
• 2가지 대상을 가리킬 때는 one, the other를 사용함에 유의한다.
• 3가지 대상을 가리킬 때는 one, another, the other를 사용함에 유의한다.

상 **3** 다음에 주어진 상황을 상상하여 자신의 생각을 쓰시오.

(1) If I see my favorite singer, ______________________.

(2) If I have time tomorrow, ______________________.

(3) I will praise you if you ______________________.

(4) I'll be glad if my best friend ______________________.

유의점
• if절에서는 미래 의미를 나타낼 때 현재 시제를 사용함에 유의한다.

Better Safe Than Sorry

Lesson 2

후회하는 것보다 안전한 것이 낫다

Functions

- 걱정 표현하기 — **I'm worried about** my leg.
- 충고하기 — **You should** clean your room.

Forms

- what/how to — I don't know **what to** do.
- 주격 관계대명사 — Here are some tips **which** can be helpful.

Word Preview

알고 있는 단어나 표현에 ☑표 하세요.

□ **avoid** ⓢ 방지하다, 피하다	□ **late** ⓗ 늦은	□ **slippery** ⓗ 미끄러운
□ **break** ⓢ 깨다	□ **low** ⓗ 낮은	□ **sore** ⓗ 아픈
□ **disaster** ⓜ 재난	□ **medicine** ⓜ 약	□ **stairs** ⓜ 계단
□ **earthquake** ⓜ 지진	□ **might** ⓙ …할 가능성이 있다	□ **strike** ⓢ 발생하다
□ **empty** ⓗ 비어 있는	□ **pole** ⓜ 기둥, 장대	□ **survive** ⓢ 살아남다, 생존하다
□ **example** ⓜ 예시, 예	□ **prepare** ⓢ 준비하다, 대비하다	□ **wet** ⓗ 젖은
□ **flood** ⓜ 홍수	□ **program** ⓜ 프로그램	□ **wipe** ⓜ 닦아내는 천 또는 솜 ⓢ 닦다
□ **follow** ⓢ 따르다	□ **protect** ⓢ 보호하다	□ **a little** 약간
□ **forget** ⓢ 잊어버리다	□ **safety** ⓜ 안전	□ **get out of** …에서 나가다
□ **helmet** ⓜ 헬멧	□ **serious** ⓗ 심각한	□ **hold on to** 꼭 잡다, …에 매달리다
□ **hurt** ⓢ 다치게 하다, 아프다	□ **shake** ⓢ 흔들리다 ⓜ 흔들림	□ **stay away from** …에서 떨어져 있다
□ **injury** ⓜ 상처, 부상	□ **situation** ⓜ 상황	□ **take cover** 숨다

정답과 해설 p. 127

A 영어는 우리말 뜻을 쓰고, 우리말은 영어로 쓰시오.

(1) late	______	(7) 닦다	______
(2) protect	______	(8) 프로그램	______
(3) situation	______	(9) ~할 가능성이 있다	______
(4) prepare	______	(10) 상처, 부상	______
(5) strike	______	(11) 기둥, 장대	______
(6) hold on to	______	(12) 약간	______

B 영영 풀이에 해당하는 단어를 〈보기〉에서 골라 쓰시오.

보기 survive forget empty break helmet

(1) ______________ : a hard hat that people wear to protect their heads

(2) ______________ : to continue to live or exist in spite of danger

(3) ______________ : containing nothing

(4) ______________ : to separate into pieces as a result of a shock

(5) ______________ : to be unable to think of or remember something

C 우리말과 일치하도록 빈칸에 알맞은 말을 쓰시오.

(1) 너는 안전 규칙을 따라야만 한다.

○ You should follow the ______________ rules.

(2) 그 개에서 떨어져 있어! 그가 너를 물 수 있어.

○ ______________ ______________ from the dog! He can bite you.

(3) 이 건물에는 엘리베이터가 없다. 우리는 계단을 이용해야 한다.

○ There is no elevator in this building. We have to take ______________.

(4) 알파고는 AI 진보의 완벽한 예이다.

○ Alpha Go is a perfect ______________ of the progress of AI.

(5) 부상 때문에 두 명이 팀에서 빠졌다.

○ Two people dropped out of the team because of ______________.

(6) 지진이 발생하면 책상 아래로 숨어라.

○ When an earthquake strikes, ______________ ______________ under a desk.

정답과 해설 p. 127

1 다음 중 나머지를 모두 포함할 수 있는 단어는?

① flood ② storm ③ tornado
④ earthquake ⑤ disaster

2 다음 영영 풀이에 해당하는 단어로 알맞은 것은?

covered with water or another liquid

① wet ② low ③ late ④ sore ⑤ serious

3 다음 괄호 안에서 알맞은 말을 고르시오.

(1) Hold (on / from) to this rope when you cross the bridge.

(2) When an earthquake happens, you should get (out / in) of the building.

(3) Stay (away / into) from dangerous materials.

4 다음 빈칸에 알맞은 말을 〈보기〉에서 골라 쓰시오.

보기	follow slippery shake

(1) Don't run on the floor. It's very __________.

(2) When an earthquake strikes, things can __________.

(3) We should __________ the school rules.

[5-6] 다음 빈칸에 공통으로 들어갈 말을 쓰시오.

5
- Oh, my feet __________! I can't walk.
- His words __________ my feelings.

6
- They took a different road to __________ the heavy traffic.
- He started to __________ me because he was angry with me.

7 우리말과 일치하도록 빈칸에 알맞은 단어를 쓰시오.

이 약을 물과 함께 먹어라, 그러면 좀 나아질 것이다.
➲ Take this __________ with water, and you'll feel better.

3
rope 줄
dangerous 위험한
material 물질

4
floor 바닥
strike 발생하다
rule 규칙

5
feeling 감정

6
heavy traffic 교통 혼잡

Functions

1 걱정 표현하기

A: Sujin, what's wrong?
수진아 무슨 일이야?

B: **I'm worried about** my cold.
나는 감기가 걱정이야.

핵심 POINT
- I'm worried about ....은 걱정을 나타내는 표현으로 '나는 …을 걱정하고 있다.'라는 뜻이다.
- about 뒤에는 걱정하는 내용에 해당하는 명사(구)가 온다.

❶ 걱정 묻기

What's wrong? 무슨 일이야?
Why the long face? 왜 표정이 안 좋니?

❷ 걱정 표현하기

I'm worried about the exam. 나는 시험에 대해 걱정하고 있다.
I'm worried about my leg. 나는 내 다리에 대해 걱정하고 있다.

e.g. A: Hey, what's wrong? You look worried 이봐, 무슨 일이야? 걱정하는 것처럼 보여.
B: I'm worried about the math quiz on Monday. 나는 월요일에 있는 수학 시험에 대해 걱정하고 있어.
A: Why don't you practice more questions? 문제를 더 연습해 보는 게 어때?

A: Why the long face? 왜 표정이 안 좋니?
B: I'm worried about my sore throat. 나의 인후통(목 아픔)이 걱정이야.
A: You should take some medicine. 너는 약을 먹어야 해.

2 충고하기

A: I'm going to ride my bike tomorrow.
나는 내일 자전거를 탈거야.

B: **You should** wear a helmet.
너는 헬멧을 써야 해.

핵심 POINT
- You should ....는 충고를 할 때 쓰는 표현으로 '너는 …해야 해.'라는 뜻이다.
- should 뒤에는 충고하는 내용에 해당하는 동사원형이 온다.

● 충고하기

You should work out. 너는 운동을 해야 해.
Why don't you work out? 너는 운동하는 게 어때?
How about working out? 운동하는 게 어때?

You should와 Why don't you 뒤에는 동사원형이 오고, How about 뒤에는 동명사가 온다.

e.g. A: It's snowing a lot outside. 밖에 눈이 많이 내린다.
B: You should wear boots. 너는 부츠를 신어야 해.

A: I'm worried about my headache. 나는 두통이 걱정이야.
B: Why don't you take a rest? 휴식을 취하는 게 어때?

Listening Scripts

○ 우리말에 알맞은 표현을 빈칸에 써 봅시다.

Listen & Speak 1

교과서 p. 28

Ⓐ

B: Yujin, what's wrong?

G: I'm ❶ ______________ (~을 걱정하고 있다) my leg. It hurts a lot.

B: Why don't you ❷ ______________ (의사에게 가 보다)?

G: I'm going to go after school today.

B: I hope you feel better soon.

G: I hope so, too.

Ⓑ

B: What are you watching?

G: It's a program about earthquakes.

B: Sounds interesting. I'm worried about earthquakes these days.

G: Me, too. This program has some ❸ ________ (도움이 되는) tips.

B: Really? What does it say?

G: When things ❹ ______________ (흔들리기 시작하다), you need to ❺ ______________ (숨다) under a table.

B: Oh, I didn't know that.

Listen & Speak 2

교과서 p. 29

Ⓐ

B: Dad, I'm going out to play basketball with Minu.

M: Did you ❻ ______________ (청소를 끝내다) your room?

B: No, not yet. Can I do it later?

M: No. You ❼ ______________ (청소해야 해) your room first.

B: Okay. I'll clean my room and then play basketball.

M: Good. ❽ ______________ (~할 것을 잊지 마) be home by six o'clock.

B: Okay.

Ⓑ

G: What time is the movie?

B: It starts at 4:30.

G: Oh, no. We only have 20 minutes left. Let's run!

B: No! You might ❾ ________ (넘어지다) and hurt yourself. You should ❿ ______________ (계단에서 걷다).

G: You're right. We can be ⓫ ______________ (약간 늦은).

B: Yes. Better safe ⓬ ______________ (후회하는 것보다).

Real Life Communication

교과서 p. 30

Ⓐ

Brian: There was a ⓭ ______________ (큰 화재) at the city library yesterday.

Mina: Yes, I heard about it. I was worried about the people there.

Brian: Don't worry. Everybody was okay. They all ⓮ ______________ (안전 규칙을 지켰다).

Mina: Really? What are the rules?

Brian: You need to cover your nose and mouth ⓯ ______________ (젖은 수건으로). Then stay low and escape.

Mina: Oh, I didn't know that.

Brian: You should ⓰ ________ that ________ (…을 명심하다). It might be helpful some day.

Answers

❶ worried about ❷ go see a doctor ❸ helpful ❹ start to shake ❺ take cover ❻ finish cleaning ❼ should clean ❽ Don't forget to ❾ fall ❿ walk on the stairs ⓫ a little late ⓬ than sorry ⓭ big fire ⓮ followed the safety rules ⓯ with a wet towel ⓰ keep, in mind

Listening & Speaking Test

01 다음 우리말과 일치하도록 빈칸에 알맞은 말을 쓰시오.

(1) 그녀는 나의 부러진 다리를 걱정한다.

She is ______________________ my broken leg.

(2) 너는 점심 먹기 전에 손을 씻어야 해.

You should ______________________ before having lunch.

02 다음 대화의 밑줄 친 부분의 의도로 알맞은 것은?

A: I want to wake up early, but I can't. What should I do?
B: <u>You should set your alarm.</u>

① 동의하기 ② 주문하기 ③ 감사하기
④ 사과하기 ⑤ 충고하기

03 다음 대화의 괄호 안에서 알맞은 것을 고르시오.

A: I'm worried (about / at) bus accidents.
B: When you take a bus, you should (fasten / fastened) your seatbelt.

04 다음 대화의 빈칸에 알맞지 않은 것은?

A: I'm worried about my bad cold.
B: You should ______________________.

① take a rest ② go see a doctor
③ get plenty of sleep ④ follow the safety rules
⑤ take some medicine

05 다음 대화 중 자연스럽지 않은 것은?

① A: The floor is slippery.
B: You should watch your step.

② A: I'm going to go hiking.
B: You should bring a cap.

③ A: I'm worried about my speech test.
B: I'm afraid I can't.

④ A: I'm worried about the typhoon.
B: You should stay inside.

⑤ A: I'm worried about my pimples.
B: You should not touch them.

01
broken leg 부러진 다리
lunch 점심

02
sunrise 일출
set an alarm 알람을 맞추다

03
accident 사고
fasten 매다
seatbelt 안전벨트

05
floor 바닥
slippery 미끄러운
speech 말하기
typhoon 태풍
pimple 여드름

06 다음 대화에서 어색한 부분을 한 군데 찾아 바르게 고쳐 쓰시오.

Minsu: I hurt my fingers when I peeled an apple.
Sujin: You should watching your hands when you use a knife.

06
hurt 다치다
peel 껍질을 까다

07 다음 대화를 순서대로 바르게 배열하시오.

A: The movie starts at 5:00.
□ You're right. We can be a little late.
□ No! You should not run on the stairs.
□ Oh, no. We only have 10 minutes left. Let's run!

07
a little 약간
left 남은

08 다음 대화의 밑줄 친 부분과 바꿔 쓸 수 있는 것은?

A: I'm worried about my toothache. It hurts a lot.
B: You should go to the dentist.

① Let's go to the dentist.
② I forgot to go to the dentist.
③ I'm afraid of the dentist.
④ Why do you have toothache?
⑤ How about going to the dentist?

08
toothache 치통
dentist 치과 의사

[09-10] 다음 대화를 읽고, 물음에 답하시오.

Brian: There was a big fire at the city library yesterday.
Mina: Yes, I heard about it. I was ____ⓐ____ the people there.
Brian: Don't worry. Everybody was okay. They all followed the ⓑ safety rules.
Mina: Really? What are the rules?
Brian: You need to cover your nose and mouth with a wet towel. Then stay low and escape.

09-10
follow 따르다
safety rule 안전 규칙
escape 탈출하다

09 위 대화의 흐름상 빈칸 ⓐ에 알맞은 것은?

① afraid of
② interested in
③ worried about
④ curious about
⑤ happy about

10 위 대화의 밑줄 친 ⓑ safety rules에 해당하는 것으로 적절하지 않은 것은?

① 젖은 수건으로 코 덮기
② 젖은 수건으로 입 덮기
③ 낮은 자세로 가기
④ 높은 자세로 뛰어 가기
⑤ 밖으로 탈출하기

Grammar

1 what/how to

The teacher told us **what to** bring for the field trip.
선생님은 우리에게 소풍을 위해 무엇을 가져와야 하는지 말씀해 주셨다.

I learned **how to** make ice cream.
나는 아이스크림을 어떻게 만드는지를 배웠다.

핵심 POINT
- 'what + to부정사'는 '무엇을 …할지'라는 의미이다.
- 'how + to부정사'는 '어떻게 …할지' 또는 '…하는 방법'이라는 의미이다.
- 'what/how + to부정사'는 명사구로 문장에서 주어, 목적어, 보어 역할을 한다.

❶ what + to부정사: 무엇을 …할지

e.g. I don't know what to do for the midterm test. 중간고사를 위해 무엇을 해야 할지 모르겠다.

She knows what to say. 그녀는 무엇을 말할지 안다.

❷ how + to부정사: 어떻게 …할지, …하는 방법

e.g. How to live is the most important question in life. 어떻게 살지가 인생에서 가장 중요한 문제이다.

I want to learn how to play tennis. 나는 테니스 치는 방법을 배우고 싶다.

2 주격 관계대명사

I called my friend **who** lives in Canada.
나는 캐나다에 사는 나의 친구에게 전화했다.

This is the store **which** is open 24 hours a day.
이곳은 24시간 동안 여는 가게이다.

I saw the dog and the boy **that** were in the park.
나는 공원에 있는 강아지와 소년을 봤다.

핵심 POINT
- 두 문장을 한 문장으로 연결할 때, 중복되는 명사가 뒤에 나오는 절의 주어 역할을 하면서 주격 관계대명사를 사용한다.
- 주격 관계대명사절은 주어가 빠진 형태가 된다.
- 주격 관계대명사는 선행사에 따라 who, which, that을 쓰고, 생략할 수 없다.

❶ 관계대명사 who: 선행사가 사람일 때 사용

e.g. I know the man. + He is standing by the car.

→ I know the man who is standing by the car. 나는 차 옆에 서 있는 남자를 안다.

❷ 관계대명사 which: 선행사가 사물 또는 동물일 때 사용

e.g. Kiwis are birds. They live in New Zealand.

→ Kiwis are birds which live in New Zealand. 키위는 뉴질랜드에 사는 새이다.

❸ 관계대명사 that: 선행사가 사람, 사물, 동물일 때 사용

❹ 주격 관계대명사절의 동사는 선행사의 수에 일치시킨다.

e.g. Heaven helps those who help themselves. (○) 하늘은 스스로 돕는 사람을 돕는다.

Heaven helps those who helps themselves. (×)

Grammar Check

정답과 해설 p. 129

A 괄호 안에서 알맞은 것을 고르시오.

(1) I'm not sure about what (do to / to do).

(2) Yuna taught children how (skating / to skate) well.

(3) John is a boy (who / which) likes to play soccer.

(4) Did you see the house (who / which) has a large pool?

(5) Cindy is a girl who (ask / asks) many questions in class.

B 괄호 안에 주어진 단어들을 재배열하여 문장을 완성하시오.

(1) Minsu doesn't know ______________________________.
(do, next, to, what)

(2) I taught my grandfather ______________________________.
(use, his smartphone, how, to)

(3) I am thinking about ______________________________.
(to, order, what, tomorrow)

C 주어진 두 문장을 관계대명사 who나 which를 사용하여 한 문장으로 연결하시오.

(1) I watched a man. He was walking his dog.

____

(2) There are seven colors. They make up a rainbow.

____

(3) I sat on a bench. It looked like a big whale.

____

D 다음 문장에서 어법상 어색한 부분을 찾아 바르게 고쳐 쓰시오.

(1) There is a glass who is full of hot water.

______________ → ______________

(2) There are people which survive natural disasters.

______________ → ______________

(3) You should eat food that are good for your health.

______________ → ______________

Grammar Test

정답과 해설 p. 129

1 다음 대화의 빈칸에 들어갈 단어로 올바른 것은?

A: Heejin, there will be a special class in the sixth period.
B: What's it about?
A: ________ to do if fire breaks out at school.

① What ② Which ③ When ④ Where ⑤ How

1
period (학교의) 교시
break out 발생하다

2 다음 두 문장을 주격 관계대명사를 사용하여 바르게 연결한 것은?

I like friends. They share their things with others.

① I like friends they who share their things with others.
② I like friends who they share their things with others.
③ I like friends they share their things with others.
④ I like friends who share their things with others.
⑤ I like friends share their things with others.

2
share 나누다

3 다음 빈칸에 들어갈 말로 알맞은 것은?

I don't know how ________ to City Hall.

① get ② got ③ gets ④ getting ⑤ to get

4 다음 중 어법상 어색한 문장은?

① I know the dog that saved a baby.
② I know the twin sisters who is popular at school.
③ The book is about the man who invented the telephone.
④ James knows some boys who are interested in cars and drones.
⑤ I am planning to visit my cousins who live in New York this summer vacation.

4
save 구하다
twin 쌍둥이
popular 인기 있는
invent 발명하다
drone 드론

5 다음 중 어법상 올바른 문장은?

① It's time to decide what do to for her birthday.
② The documentary is about what to doing in a flood.
③ She knows two girls who knows how to make pasta.
④ Could you tell us how get high scores in the final exam?
⑤ I went to Jeju Island which is famous for its beautiful nature.

5
documentary 다큐멘터리
flood 홍수
final exam 기말고사

Reading & Writing Text

○ 우리말에 알맞은 표현을 빈칸에 써 봅시다.

Let's Read ①

교과서 p. 33

Prepare for the Shake

Do you know what to do when an ❶ ______________ (지진이 발생하다)? Take this quiz and think about ❷ ______________ (어떻게 안전할 수 있을지) during this kind of ❸ ______________ (자연재해).

1. When things start to shake, run outside quickly. (×)
2. ❹ ______________ (…에서 떨어져라) windows. (○)
3. Use the stairs to get out of buildings. (○)
4. When you are outside, ❺ ______________ (…을 꼭 잡다) a pole or a tree. (×)

Let's Read ②

교과서 p. 34

How did you do on the quiz? Can you ❻ ______________ (지진에서 생존하다) safely? Here are some safety tips which can be helpful in an earthquake. Let's check them ❼ ______________ (하나씩) and learn what to do.

Don't run outside when things are shaking. Find a table or a desk and ❽ ______________ (숨다) under it. You can hold on to the legs to ❾ ______________ (너 스스로를 보호하다). Also, stay away from windows. They can ❿ ______________ (깨지다) during an earthquake and hurt you.

Let's Read ③

교과서 p. 35

You can go outside when the shaking stops. ⓫ ______________ (…에서 나가기 위해서) buildings, don't use the elevator. Take the stairs. It's ⓬ ______________ (훨씬 더 안전한). Once you are outside, find an empty space that is far from buildings. There may be people who want to hold on to a pole or a tree, but think again. That's a bad idea because it can ⓭ ______________ (…에 떨어지다) you.

Earthquakes can strike anytime. They can be scary experiences for everyone. So learn how to be safe in an earthquake. You can ⓮ ______________ (부상을 방지하다) and protect yourself. ⓯ ______________ (이 팁들을 따라라) and be safe!

Let's Write

교과서 p. 38

There are many situations which can be ⓰ ______________ (위험한). Here are some tips. Let's learn ⓱ ______________ (무엇을 할지) and be safe! A ⓲ ______________ (젖은 바닥) can be dangerous. People might ⓳ ______________ (미끄러지고 넘어지다). So you should ⓴ ______________ (물을 닦다) on the floor.

Answers

❶ earthquake strikes ❷ how to be safe ❸ natural disaster ❹ Stay away from ❺ hold on to ❻ survive an earthquake
❼ one by one ❽ take cover ❾ protect yourself ❿ break ⓫ To get out of ⓬ much safer ⓭ fall on ⓮ avoid injuries
⓯ Follow these tips ⓰ dangerous ⓱ what to do ⓲ wet floor ⓳ slip and fall ⓴ wipe up the water

Reading & Writing Test

[01-02] 다음 글을 읽고, 물음에 답하시오.

Do you know ⓐ 무엇을 할지 when an earthquake strikes? Take this quiz and think about ⓑ 어떻게 해야 안전할지 during this kind of natural disaster.

1. When things start to shake, run outside quickly. (○/×)
2. Stay away from windows. (○/×)
3. Use the stairs ⓒ get out of buildings. (○/×)

01 윗글의 밑줄 친 ⓐ, ⓑ의 의미가 되도록 주어진 단어를 재배열하시오.

ⓐ ____________________ (to, what, do)

ⓑ ____________________ (be, to, how, safe)

02 윗글의 밑줄 친 ⓒ get의 형태로 올바른 것은?

① get ② got ③ gotten ④ to get ⑤ getting

[03-05] 다음 글을 읽고, 물음에 답하시오.

Here are some safety tips which can be helpful in an earthquake. Let's check them one ___ⓐ___ one and learn what to do.

Don't run outside when things are shaking. Find a table or a desk and take cover under it. You can hold ___ⓑ___ to the legs to protect yourself. Also, stay away from windows. They can break during an earthquake and hurt you.

03 윗글의 빈칸 ⓐ, ⓑ에 알맞은 단어끼리 바르게 짝지어진 것은?

① by – in ② by – to ③ by – on
④ on – by ⑤ on – to

04 윗글의 내용과 일치하는 것은?

① When things are shaking, you should run outside.
② Taking cover under a table can be helpful in an earthquake.
③ To protect yourself, you should stay way from desks.
④ You can hold on to a window to protect yourself.
⑤ The table will break during an earthquake.

05 윗글의 내용과 일치하도록 다음 문장을 완성하시오.

You should stay away from windows during an earthquake because they can ____________ and ____________ you.

01-02
earthquake 지진
strike 발생하다
disaster 재해
quickly 빨리

03-05
take cover 숨다
protect 보호하다

[06-08] 다음 글을 읽고, 물음에 답하시오.

You can go outside when the shaking ① stops. To get out of buildings, don't use the elevator. Take the stairs. It's much ② safely. Once you are outside, find an empty space ________________. There may be people ③ that want to hold on to a pole or a tree, but ④ think again. That's a bad idea because ⑤ it can fall on you.

06-08
stairs 계단
pole 기둥, 장대

06 윗글의 밑줄 친 ①~⑤ 중 어법상 어색한 것을 바르게 고쳐 쓰시오.

________________ ➡ ________________

07 주어진 단어를 재배열하여 윗글의 빈칸에 알맞은 말을 완성하시오.

from that is buildings far

➡ ________________________________

08 다음은 윗글의 내용을 재구성한 것이다. 빈칸에 알맞은 단어를 쓰시오.

These are some tips you should follow in an earthquake. To get out of buildings, you should use the __________ instead of __________. When you are outside, you need to find an __________ space. Also, holding on to a pole or a tree is a bad idea because it can fall on you.

08
instead of … 대신에

09 다음 글의 밑줄 친 They가 가리키는 것을 찾아 쓰시오.

Earthquakes can strike anytime. They can be scary experiences for everyone. So learn how to be safe in an earthquake. You can avoid injuries and protect yourself. Follow these tips and be safe!

09
anytime 언제든
experience 경험
avoid 피하다, 방지하다
injury 부상, 상처

10 다음 글의 밑줄 친 ①~⑤ 중 글의 흐름상 알맞지 않은 것은?

There are many situations which can be ① dangerous. Here are some ② tips. Let's learn what to do and be ③ safe! A wet floor can be dangerous. People might ④ slip and fall. So you ⑤ should not wipe up the water on the floor.

10
situation 상황
wet 젖은
floor 바닥
wipe 닦다

단원평가

정답과 해설 p. 131

01 다음 중 짝지어진 단어의 관계가 나머지와 다른 하나는?

① safe – safety
② quick – quickly
③ happy – happily
④ serious – seriously
⑤ possible – possibly

02 다음 빈칸에 알맞은 것은?

> When an earthquake ________s, things start to shake and fall down.

① take ② wipe ③ avoid
④ strike ⑤ forget

03 다음 영영 풀이에 알맞은 단어는?

> to keep someone or something from being harmed

① hurt ② break ③ shake
④ protect ⑤ prepare

04 다음 두 문장의 빈칸에 공통으로 알맞은 단어를 쓰시오.

> • You should ________ away from windows in an earthquake.
> • I am going to ________ up late tonight to do my homework.

05 다음 대화에서 어법상 어색한 부분을 한 군데 찾아 바르게 고쳐 쓰시오.

> A: I'm worried about my broken finger. It hurts a lot.
> B: Why don't you going see a doctor?

________ → ________

06 다음 대화를 순서대로 바르게 배열하시오.

> ☐ Oh, you should get plenty of sleep.
> ☐ Okay, I'll try.
> ☐ I stayed awake all night.
> ☐ I'm worried about your red eyes. What happened to you?

07 다음 대화 중 자연스럽지 않은 것은?

① A: I'm going to ride a bike.
B: You should wear a helmet.
② A: It'll be sunny tomorrow.
B: Don't forget to bring your sunglasses.
③ A: I'm worried about my sore throat.
B: You should take some medicine.
④ A: My battery is dead.
B: How about charging your phone?
⑤ A: I'm worried about my low score.
B: Don't forget to bring your textbook.

[08-09] 다음 대화를 읽고, 물음에 답하시오.

> Brian: There was a big fire at the city library yesterday.
> Mina: Yes, I heard about it. I was worried about the people there.
> Brian: Don't worry. Everybody was okay. They all followed the safety rules.
> Mina: Really? What are the rules?
> Brian: You need to cover your nose and mouth with a wet towel. Then stay low and escape.
> Mina: Oh, I didn't know that.
> Brian: ⓐ (that, keep, should, in, you, mind)

08 위 대화의 괄호 ⓐ에 주어진 단어를 재배열하여 문장을 쓰시오.

→ ________________

09 위 대화의 내용과 일치하지 않는 것은?

① There was a big fire.
② Mina was worried about the people there.
③ People survived because they followed the safety rules.
④ You should stay inside when a fire breaks out.
⑤ You should cover your nose with a wet towel when there is a fire.

자주 출제

10 다음 두 문장을 연결할 때 빈칸에 알맞은 것은?

> There is a boy. He is riding a bike.
> → There is a boy _____ is riding a bike.

① who ② what ③ whom
④ which ⑤ whose

11 다음 두 문장의 빈칸에 공통으로 알맞은 것은?

> • Semi is a famous programmer _____ designs smartphone applications.
> • I bought a chair _____ is made of wood.

① who ② whom ③ that
④ which ⑤ whose

고난도

12 빈칸 ⓐ, ⓑ에 알맞은 단어끼리 바르게 짝지어진 것은?

> A: Could you tell me ___ⓐ___ to speak English like a native speaker?
> B: You can watch English movies to learn words ___ⓑ___ are used in real life.

① what – that ② what – which
③ how – that ④ how – what
⑤ how – who

13 다음 중 어법상 올바른 문장은?

① I have a friend which loves cooking.
② Do you know what to get a good grade?
③ He is the man who to come from England.
④ Soccer is a game that are popular in Korea.
⑤ I will tell you how to be a famous Youtuber.

고난도

14 우리말과 일치하도록 주어진 단어를 활용하여 문장을 완성하시오.

> what how to to take pack

> 나는 해외에 갈 때 무엇을 가져가야 하는지와 그것들을 작은 가방에 어떻게 쌀지를 배웠다.
> ○ I learned ______________ when I go abroad and ______________ those things into a small bag.

[15-16] 다음 글을 읽고, 물음에 답하시오.

> Do you know what to do when an earthquake strikes? Take this quiz and think about how to be safe during ⓐ this kind of natural disaster.
> 1. When things start to shake, run outside quickly. (○/×)
> 2. Stay away from windows. (○/×)
> 3. Use the stairs to get out ___ⓑ___ buildings. (○/×)
> 4. When you are outside, hold on ___ⓒ___ a pole or a tree. (○/×)

15 윗글의 밑줄 친 ⓐ this kind of natural disaster가 의미하는 것을 본문에서 찾아 두 단어로 쓰시오.

○ ______________________________

16 윗글의 빈칸 ⓑ, ⓒ에 알맞은 단어끼리 바르게 짝지어진 것은?

① in – of ② in – to ③ of – to
④ of – in ⑤ of – from

[17-19] 다음 글을 읽고, 물음에 답하시오.

Can you ① survive from an earthquake safely? Here are some safety tips ② that can be helpful in an earthquake. Let's check (A) them one by one and learn what ③ to do.

Don't run outside ④ when things are shaking. Find a table or a desk and take cover under it. You can hold on to the legs to protect yourself. Also, stay away from windows. (B) They can break during an earthquake and ⑤ hurt you.

17 윗글의 ①~⑤ 중 어법상 어색한 것을 찾아 고쳐 쓰시오.

__________ ➡ __________

18 윗글의 밑줄 친 (A), (B)가 각각 가리키는 것을 찾아 쓰시오.

(A) __________ (B) __________

19 윗글의 제목으로 알맞은 것은?

① Safety Tips for Staying Home
② Dangerous Natural Disasters
③ What to Pack in an Earthquake
④ How to Be Safe in an Earthquake
⑤ How to Survive Dangerous Situations

[20-21] 다음 글을 읽고, 물음에 답하시오.

(①) You can go outside when the shaking stops. (②) To get out of buildings, don't use the elevator. (③) It's much safer. (④) Once you are outside, find an empty space that is far from buildings. (⑤) 기둥이나 나무를 꼭 잡고 싶어 하는 사람들이 있을 수 있다, but think again.

20 윗글의 ①~⑤ 중 다음 문장이 들어갈 위치로 가장 적절한 것은?

Take the stairs

고난도

21 윗글의 밑줄 친 우리말과 일치하도록 주어진 두 문장을 하나로 연결하시오.

- There may be people.
- The people want to hold on to a pole or a tree.

➡ ______________________________

22 다음 글에서 글의 흐름과 관계 없는 문장은?

① Earthquakes can strike anytime. ② They can be scary experiences for everyone. ③ So learn how to be safe in an earthquake. ④ You can't avoid injuries and protect yourself. ⑤ Follow these tips and be safe!

[23-24] 다음 글을 읽고, 물음에 답하시오.

There are many situations which can be dangerous. Here are some tips. Let's learn ___ⓐ___ to do and be safe! A wet floor can be dangerous. People might slip and fall. So you should ___ⓑ___ up the water on the floor.

★중요

23 윗글의 빈칸 ⓐ에 알맞은 것은?

① how ② what ③ when
④ which ⑤ where

24 윗글의 빈칸 ⓑ에 알맞은 것은?

① put ② use ③ pour
④ wipe ⑤ take

[25-26] 다음 글을 읽고, 물음에 답하시오.

Wang Youqiong, a 60-year-old woman, survived the earthquake that hit China in 2008. People found her about 8 days after the earthquake struck. She ⓐ <u>drink</u> rain water and tried very hard to survive.

Darlene Etienne, a 16-year-old girl, survived the earthquake that hit Haiti in 2010. People found her 15 days after the earthquake struck. They think that she possibly survived by ⓑ <u>drink</u> bath water.

25 윗글의 제목으로 알맞은 것은?

① What Is an Earthquake?
② Safety Rules for Earthquakes
③ What to Do in an Earthquake
④ How to Prepare for an Earthquake
⑤ People Who Survived Earthquakes

26 윗글의 밑줄 친 ⓐ, ⓑ의 drink를 각각 알맞은 형태로 고쳐 쓰시오.

ⓐ ______________ ⓑ ______________

고난도

27 According to the passage, which item is <u>not</u> in the survival bag?

Here are the items for our survival bag. We packed some food and water. We need them to survive. We also packed some matches that might be helpful in disasters. We put medicine in the bag, too. We might need it for injuries.

① hat ② food ③ water
④ matches ⑤ medicine

서답형 1

28 다음 그림에 어울리는 고민과 그에 대한 조언을 쓰시오.

CAUTION
SLIPPERY FLOOR

A: I'm worried about the ______________.
It's dangerous.
B: You should ______________________
on the floor.

서답형 2 고난도

29 다음 표를 보고 유진이가 할 수 있는 일과 할 수 없는 일에 관한 문장을 완성하시오.

Yujin	can ...	can't ...
play the violin	○	
make sandwiches		○
help her brother do his homework	○	

(1) Yujin knows ______________ the violin.
(2) Yujin ______________________
sandwiches.
(3) Yujin ______________________
to help with her brother's homework.

서답형 3

30 주어진 두 문장에서 중복되는 대상에 밑줄을 긋고, 두 문장을 관계대명사를 사용하여 한 문장으로 연결하시오.

We saw the movie. It was very boring.

→ ______________________________

하 1 다음 온라인 고민 상담 카페의 댓글을 보고 문장을 완성하시오.

Minji: I have a sore throat. What should I do?
↳ Dr. Jin: How about having some hot tea?

Jina: The midterm exam is coming. I don't know what to do.
↳ Mr. Study: Why don't you make a plan first?

Minho: I don't know how to make friends. Could you give me some advice?
↳ Ms. Friend: How about saying hello to your classmates before they do?

(1) **Minji** Problem: She is worried ________________.
Solution: She should ________________.

(2) **Jina** Problem: She is worried ________________.
Solution: She should ________________.

(3) **Minho** Problem: He is worried ________________.
Solution: He should ________________.

유의점
- 전치사 about 뒤에 (동)명사를 쓰는 것에 유의한다.

중 2 다음 주어진 말을 활용하여 학급에서 지킬 규칙을 완성하시오.

don't use bad words	respect friends
be full of happiness	have positive energy

(1) We will be students ________________.

(2) We will try to make a class ________________.

유의점
- 두 문장을 연결하기 위해 선행사에 알맞은 관계대명사를 사용한다.
- 선행사의 수에 맞게 관계대명사 절의 동사를 변형한다.

상 3 what/how + to부정사 표현을 활용하여 〈보기〉와 같이 질문에 답하시오.

보기 Q: Can you play the violin?
A: Yes, I know how to play it.

(1) Q: Can you figure skate?
A: ________________

(2) Q: Can you write your name in English?
A: ________________

(3) Q: Did you decide on a subject to study for the midterm exam?
A: ________________

유의점
- what과 how의 의미 차이를 생각한다.

Happy Others, Happier Me

Lesson 3

행복한 다른 사람들, 더 행복한 나

Functions
- 도움 제안하기 **Let me help you.**
- 칭찬에 답하기 **I'm glad you like(d)** it.

Forms
- 목적격 관계대명사 Here are two stories **which** I read yesterday.
- ~에게 …하라고 요청하다 She **asked** him **to** do the job.

Word Preview

알고 있는 단어나 표현에 ☑표 하세요.

- □ **arrow** 명 화살표
- □ **coin** 명 동전
- □ **communication** 명 의사소통
- □ **confusing** 형 혼란스러운
- □ **disappear** 동 사라지다
- □ **easily** 부 쉽게
- □ **effort** 명 노력
- □ **enough** 형 충분한
- □ **few** 형 소수의, 거의 없는
- □ **grade** 명 학년
- □ **mean** 동 의미하다
- □ **mentee** 명 멘티, 조력을 받는 사람
- □ **mentor** 명 멘토, 조력자
- □ **nobody** 대 아무도 …않다
- □ **pay phone** 명 공중전화
- □ **plastic bag** 명 비닐봉지
- □ **prevent** 동 막다
- □ **public** 형 공공의
- □ **return** 동 반납하다
- □ **secret** 명 비밀 형 비밀의
- □ **sign** 명 표지판
- □ **soap** 명 비누
- □ **stick** 동 붙이다
- □ **success** 명 성공
- □ **town** 명 소도시, 마을
- □ **trust** 동 신뢰하다
- □ **check out** (책을) 대출하다
- □ **come up with** (생각이) 떠오르다
- □ **get in line** 줄을 서다
- □ **give it a try** 시도하다
- □ **give out** …을 나눠 주다
- □ **on time** 정각에
- □ **put up** …을 설치하다
- □ **thanks to** … 덕분에
- □ **turn down** …을 줄이다
- □ **waste time** 시간을 낭비하다

정답과 해설 p. 134

A 영어는 우리말 뜻을 쓰고, 우리말은 영어로 쓰시오.

(1) enough	______	(7) … 덕분에	______
(2) pay phone	______	(8) 쉽게	______
(3) effort	______	(9) 소도시, 마을	______
(4) stick	______	(10) 의미하다	______
(5) soap	______	(11) 비닐봉지	______
(6) get in line	______	(12) 시간을 낭비하다	______

B 영영 풀이에 해당하는 단어를 〈보기〉에서 골라 쓰시오.

보기 few confusing public arrow coin

(1) ______________ : a small piece of metal that is used as money

(2) ______________ : not many; a small number of

(3) ______________ : open to all the people of an area

(4) ______________ : difficult to understand

(5) ______________ : a mark that is used to show direction

C 우리말과 일치하도록 빈칸에 알맞은 말을 쓰시오.

(1) 아무도 내일 무슨 일이 일어날지 모른다.

➲ __________ knows what will happen tomorrow.

(2) 그는 벽에 포스터를 설치하였다.

➲ He __________ __________ a poster on the wall.

(3) 그녀는 그에게 조언을 하기 위해 그의 멘토가 되기로 결심했다.

➲ She decided to be his __________ to give him advice.

(4) 골프에서 그녀의 성공은 그녀 노력의 결과였다.

➲ Her __________ in golf was the result of her efforts.

(5) 네 비밀을 누구에게도 절대 말하지 않을게.

➲ I will never tell your __________ to anyone.

(6) 일주일에 5권 이상의 책을 대출할 수 없습니다.

➲ You can't __________ __________ more than five books a week.

Word Test

정답과 해설 p. 134

1 다음 중 짝지어진 단어의 관계가 나머지와 다른 하나는?

① prevent – stop
② success – failure
③ mentor – mentee
④ confusing – clear
⑤ disappear – appear

2 다음 영영 풀이에 해당하는 단어로 알맞은 것은?

known by only a small number of people and kept hidden from others

① few ② public ③ secret ④ enough ⑤ confusing

3 다음 괄호 안에서 알맞은 것을 고르시오.

(1) You can (run / turn) down the music if you want to.

(2) Suddenly, I came up (for / with) an idea to solve the problem.

(3) You're always late for meetings. Please be (on / onto) time next time.

4 다음 빈칸에 알맞은 것을 〈보기〉에서 골라 쓰시오.

보기 grade trust return communication

(1) I am in the second ________ of middle school.

(2) English is a tool for ________ around the world.

(3) You are supposed to ________ this book by next week.

[5-6] 다음 빈칸에 공통으로 알맞은 말을 쓰시오.

5
- The ________ on the wall said, 'No Smoking.'
- People think that a broken mirror is a ________ of bad luck.

6
- He asked the class president to ________ out the papers.
- I'm not good at solving puzzles, but I'll ________ it a try.

7 우리말과 일치하도록 빈칸에 알맞은 말을 쓰시오.

- 당신은 이 정보를 신뢰해도 됩니다.
  ⊙ You can ________ this information.

2
hidden 숨겨진

4
tool 도구
be supposed to …하도록 되어 있다, …할 의무가 있다

5
mirror 거울

6
class president 반장

Functions

1 도움 제안하기

A: Can anybody help me?
누가 나 좀 도와줄 수 있니?

B: **Let me help you.**
내가 도와줄게.

핵심 POINT
- Let me help you.는 도움을 제안하는 표현으로 '내가 도와줄게.'라는 뜻이다.
- Let me help you.의 응답으로는 Thanks. / Thank you for your help. 등의 감사 표현이 올 수 있다.

❶ 도움 제안하기

Let me help you. 내가 도와줄게.
Let me give you a hand. 내가 도와줄게.
Can/May I help you? 내가 도와줄까?

Let이 '…하게 하다'의 의미로 사용될 때 그 뒤에는 목적격과 목적격 보어로 동사원형이 온다.

❷ 도움 제안에 답하기

Thanks. 고마워.
Thanks for helping me. 나를 도와줘서 고마워.
Thank you for your help. 네 도움에 고마워.

e.g. A: Let me help you. 내가 도와줄게.
B: Thanks for helping me. 나를 도와줘서 고마워.

A: I'm not good at writing. What should I do? 나는 글쓰기를 잘 하지 못해. 어떻게 해야 할까?
B: Let me give you a hand. 내가 도와줄게.
A: Thanks. 고마워.

2 칭찬에 답하기

A: I really like your present. Thank you.
나는 네 선물이 정말 마음에 들어. 고마워.

B: **I'm glad you like** it.
네 마음에 든다니 기뻐.

핵심 POINT
- I'm glad you like(d) ....는 칭찬에 답하는 표현으로 '네 마음에 든다니(들었다니) 기뻐.'라는 뜻이다.
- 말하는 시점에 따라 like의 시제를 현재나 과거로 적절히 바꾸어 쓴다.

● 칭찬에 답하기

I'm glad you like(d) it. 네 마음에 든다니(들었다니) 기뻐.
You're welcome. 천만에.
My pleasure. 내 기쁨이야.

e.g. A: The story that you told me yesterday was wonderful. 어제 네가 나에게 해 준 이야기는 멋졌어.
B: I'm glad you liked it. 네 마음에 들었다니 기뻐.

A: Thanks for the useful tips. 유용한 조언들 고마워.
B: My pleasure. 내 기쁨이지.

Listening Scripts

○ 우리말에 알맞은 표현을 빈칸에 써 봅시다.

Listen & Speak 1 교과서 p. 44

Ⓐ

B: Hojun and I planned to give out free stickers today, but I think he forgot.

G: Really? ❶ ______________ (내가 너를 도와줄게) then. Why are you going to give out stickers?

B: It's ❷ ________ (…의 일부) our volunteer club activity.

G: I see. What does this sticker mean?

B: It means that when we smile at each other, the world will become a ❸ __________ (더 나은 곳).

G: That's a wonderful idea.

Ⓑ

B: Jimin, what are all these things in the box?

G: They're for my mentee at the children's center. I'm going to ❹ ______________ (그녀에게 내 오래된 책을 주다) today.

B: Do you teach her every weekend?

G: Yes. I feel happy when I teach her.

B: You are a good ❺ ________ (멘토). Oh, the box looks heavy. Let me help you.

G: Thanks.

Listen & Speak 2 교과서 p. 45

Ⓐ

B: Mom, this is for you. I ❻ ____________ (그것을 ~으로 만들었다) plastic bags.

W: That's very cute, Alex. How did you know that I needed a new basket?

B: You talked about it when we were having dinner ❼ ____________ (지난번).

W: How nice! I really like this basket. It has many different colors.

B: ❽ ______________ (마음에 드신다니 저는 기뻐요) it.

Ⓑ

G: I read a story about a special boy in India. Do you ❾ ____________ (듣기를 원하다) about it?

B: Sure. Why is he special, Yujin?

G: Many children in his town couldn't go to school and had to work. So he ❿ ________ (그들을 가르쳤다) in his house every day.

B: That's a great story.

G: I'm glad you like it.

Real Life Communication 교과서 p. 46

Ⓐ

Emily: Welcome back, Brian. Are you feeling better?

Brian: Yes, thanks. I tried to study ⓫ ________ (내 스스로) in the hospital, but it was hard.

Emily: Let me help you. ⓬ ____________ (가입하는 게 어때) my study group?

Brian: Did you start a study group? That's wonderful.

Emily: Thanks. I think that we can ⓭ ________ (더 잘 배우다) when we ⓮ ____________ (서로를 가르치다).

Brian: I agree. I'll ⓯ ________ (열심히 노력하다) to be a good member. Thanks for helping me.

Emily: You're welcome. I'm glad you like my idea.

Answers

❶ Let me help you ❷ part of ❸ better place ❹ give her my old books ❺ mentor ❻ made it with ❼ the other day ❽ I'm glad you like ❾ want to hear ❿ taught them ⓫ on my own ⓬ Why don't you join ⓭ learn better ⓮ teach each other ⓯ try hard

Listening & Speaking Test

01 다음 우리말과 일치하도록 빈칸에 알맞은 단어를 쓰시오.

(1) 내가 도와줄게.

_________ me _________ you.

(2) 네 마음에 든다니 기뻐.

I'm _________ you _________ it.

02 다음 대화의 밑줄 친 부분의 의도로 알맞은 것은?

> A: My puppy is sick. What can I do?
> B: <u>Let me help you.</u> I'll give you and your puppy a ride to pet hospital.

① 친구 초대하기 ② 도움 제안하기 ③ 도움 거절하기
④ 도움에 감사하기 ⑤ 칭찬에 응답하기

03 다음 대화의 괄호 안에서 알맞은 것을 고르시오.

> A: Thanks (to / with) your idea, I have finished my project. Thanks.
> B: You're (pleasure / welcome).

04 다음 대화의 빈칸에 알맞지 <u>않은</u> 것은?

> A: I'm having trouble moving these boxes.
> B: ______________________________

① Can I help you? ② May I help you?
③ Can you help me? ④ Let me help you.
⑤ Let me give you a hand.

05 다음 대화 중 자연스럽지 <u>않은</u> 것은?

① A: Thank you for being my mentor.
B: My pleasure.

② A: You're cooking. I'll give you a hand.
B: I'm glad I can help you.

③ A: I'm not sure what volunteer work to start doing.
B: Let me help you.

④ A: The book you gave me was touching.
B: I'm happy you liked it.

⑤ A: Thanks for your advice. You're such a good mentor.
B: You're welcome. I'll always help you.

02
give ... a ride …를 태워 주다

04
have trouble 어려움을 겪다

05
volunteer 자원봉사
touching 감동적인

정답과 해설 p. 135

06 다음 두 문장의 의미가 같도록 빈칸에 알맞은 단어를 쓰시오.

Let me give you a helping hand. → Let me ________ you.

07 다음 대화에서 어색한 부분을 찾아 바르게 고쳐 쓰시오.

A: I hurt my right arm and can't write anything.
B: Let me giving you a hand. I'll write for you.

________ → ________

08 다음 대화의 밑줄 친 표현과 바꿔 쓸 수 없는 것은?

A: I could overcome my sadness thanks to your advice. Thanks.
B: I'm glad you liked my advice.

① You're welcome.
② My pleasure.
③ Don't mention it.
④ Don't be sad about it.
⑤ I'm happy to hear that.

08
overcome 극복하다
sadness 슬픔

[09-10] 다음 대화를 읽고, 물음에 답하시오.

A: Jimin, what are all these things in the box?
B: They're for my mentee at the children's center. I'm going to give her my old books today.
A: Do you teach her every weekend?
B: Yes. I feel happy when I teach her.
A: You are a good mentor. Oh, the box looks heavy. Let me help you.
B: Thanks.

09 다음 문장의 빈칸에 알맞은 단어를 위 대화에서 찾아 쓰시오.

Jimin is a ________ to a girl at the children's center.

10 위 대화의 내용과 일치하는 것은?

① Jimin is carrying an empty box.
② Jimin likes giving her mentee help.
③ Jimin teaches her mentee every Friday.
④ Jimin's mentee works at the children's center.
⑤ Jimin plans to give her old toys to her mentee.

10
empty 빈

Grammar

1 목적격 관계대명사

I know the girl **who(m)** he is smiling at.
나는 그가 보면서 미소 짓고 있는 저 소녀를 안다.

I read the book **which** you recommended yesterday.
나는 네가 어제 추천한 그 책을 읽었다.

I accidentally broke the dishes **that** my mother bought yesterday.
나는 실수로 엄마가 어제 산 그릇을 깨뜨렸다.

핵심 POINT

- 두 문장을 한 문장으로 연결할 때, 중복되는 명사가 뒤 문장의 목적어 역할을 하면서 목적격 관계대명사를 사용한다.
- 관계대명사절은 목적어가 빠지고 주어, 동사 순서대로 쓴다.
- 목적격 관계대명사는 선행사에 따라 who(m), which, that을 쓰고, 생략할 수 있다.

❶ **관계대명사 who(m): 선행사가 사람일 때 사용**

e.g. Do you know the girl? + He is pointing at her.

→ Do you know the girl who(m) he is pointing at? 너는 그가 가리키고 있는 소녀를 아니?

선행사는 관계대명사 앞에 나오는 명사로, 두 문장에서 중복되는 요소이다.

❷ **관계대명사 which: 선행사가 사물 또는 동물일 때 사용**

e.g. My family ate cookies. + My sister made them.

→ My family ate cookies which my sister made. 우리 가족은 언니가 만든 쿠키를 먹었다.

❸ **관계대명사 that: 선행사가 사람, 사물, 동물일 때 사용**

❹ **목적격 관계대명사는 생략 가능**

2 ~에게 …하라고 요청하다

We **asked** the boy **to speak** quietly.
우리는 소년에게 조용히 말하라고 요청했다.

I didn't **ask** them **to go** to the library.
나는 그들에게 도서관에 가라고 요청하지 않았다.

Did you **ask** her **to finish** her homework?
너는 그녀에게 숙제를 끝내라고 요청했니?

핵심 POINT

- '~에게 …하라고 요청하다'의 의미를 표현할 때는 동사 ask 뒤에 행동을 할 대상을 목적격으로 쓰고, 그 목적격의 행동을 나타내는 목적격 보어로 to부정사를 쓴다.

● **목적격 보어로 to부정사를 취하는 동사**

- want ~ to ... (~가 …할 것을 원하다)

  e.g. I want you to do your homework now. 나는 지금 네가 숙제를 할 것을 원한다.

- tell ~ to ... (~에게 …하라고 말하다)

  e.g. I will tell him to follow the class rules. 나는 그에게 학급 규칙을 따르라고 말할 것이다.

- allow ~ to ... (~가 …하는 것을 허락하다)

  e.g. His parents didn't allow him to stay out late. 그의 부모님은 그가 늦게까지 밖에 있는 것을 허락하지 않았다.

Grammar Check

정답과 해설 p. 136

A 다음 괄호 안에서 알맞은 것을 고르시오.

(1) I got a present (whom / that) I wanted to have.

(2) Brian made a study group (which / who) everyone wants to join.

(3) My parents asked (me / I) to clean my room yesterday.

(4) Will you allow me (going / to go) there?

B 선행사에 밑줄을 긋고, 관계대명사에 동그라미 표 하시오.

(1) I ran into a girl who my brother liked.

(2) The news which he read in the paper was shocking.

(3) I remember the taste of the cake that my dad baked for me.

C 다음 괄호 안에 주어진 단어를 활용하여 우리말과 일치하도록 문장을 완성하시오.

(1) 나는 네가 여기에 머무르기를 원한다.

→ I ______________________ here. (want, stay)

(2) 나에게 학교 축제에서 춤추라고 부탁하지 마.

→ Don't ______________________ at the school festival. (ask, dance)

(3) 그는 내가 조금 일찍 나가도 된다고 허락했다.

→ He ______________________ a little bit earlier. (leave, allow)

D 다음 문장에서 어법상 어색한 부분을 찾아 바르게 고쳐 쓰시오.

(1) The person which I respect most is my teacher.

____________ → ____________

(2) This is part of a letter whom my friend wrote to me.

____________ → ____________

(3) That is a painting who Leonardo da Vinci finished in 1489.

____________ → ____________

(4) Mrs. Smith told his to wait a moment.

____________ → ____________

(5) Do you want me write them down on that paper?

____________ → ____________

Grammar Test

정답과 해설 p. 136

1 다음 대화의 빈칸에 알맞은 것은?

A: I need to print out this file now. What should I do?
B: I think you should go to Mike. He will allow you ________ the computer and printer.

① use ② used ③ to use ④ using ⑤ are used

2 다음 빈칸에 들어갈 말로 알맞은 것은?

What was the name of the restaurant ________ we visited with Susan the other day?

① that ② who ③ whom
④ what ⑤ whose

3 다음 빈칸에 알맞지 않은 것은?

He ________ me to join the club.

① let ② allowed ③ wanted
④ told ⑤ asked

4 다음 중 밑줄 친 부분을 생략할 수 없는 문장은?

① The dog that I always meet on the road is very cute.
② A friend who I met two years ago sent me an email.
③ I like English activities which I can do with my friends.
④ He has a yearbook that he made to remember his class.
⑤ The people who took part in the contest numbered over 1,000.

5 다음 중 어법상 올바른 문장은?

① That's the engine whom he invented.
② The elementary school he attended is in Seoul.
③ The teacher doesn't want us talking loudly in class.
④ My friend asked I to do the group project with her.
⑤ Did you ask your teacher's to correct your homework?

1
print out 출력하다

2
the other day 지난날, 지난번

4
yearbook 졸업 앨범
take part in …에 참가하다

5
engine 엔진
attend 다니다, 출석하다

Reading & Writing Text

○ 우리말에 알맞은 표현을 빈칸에 써 봅시다.

Let's Read ① 교과서 p. 49

Small but Great Ideas

Here are two stories ❶ ______________ (내가 읽은) yesterday. Do you want to ❷ ______________ (…에 대해 듣다) them?

1. Call Someone You Love
2. Be a Mentor
3. The Red Arrow Man
4. The Happy Refrigerator Project
5. Secret Steps

Let's Read ② 교과서 p. 50

Call Someone You Love

New York had many ❸ ______________ (공중전화들) on its streets. However, nobody really used them. One day, a man ❹ ______________ (한 아이디어가 떠올랐다). He stuck coins to one of the phones. He also ❺ ______________ (표지판을 설치했다) that said, "Call Someone You Love." Soon, many people were using the phone. When they were talking to ❻ ______________ (그들이 사랑하는 누군가), they didn't stop smiling. His idea became a ❼ ______________ (큰 성공). During the day, all the coins disappeared. The man was very happy because his small idea ❽ ______________ (~에게 행복을 주었다) many people.

Let's Read ③ 교과서 p. 51

The Red Arrow Man

❾ ______________ (몇 년 전에), the maps at bus stops in Seoul ❿ ______________ (매우 혼란스러웠다). They didn't have enough information. People had to ⓫ ______________ (다른 이들에게 설명해 달라고 요청하다) the maps. "Where is this bus stop on the map? Does this bus go to Gwanghwamun?" Many people often took the wrong bus and ⓬ ______________ (그들의 시간을 낭비했다).

One day, a young man decided to solve this problem. He bought lots of red arrow stickers. Every day he rode his bicycle around the city and ⓭ ______________ (스티커를 붙였다) on the bus maps. ⓮ ______________ (아무도 그에게 요청하지 않았다) to do this. He just wanted to help others. ⓯ ______________ (… 덕분에) his effort, people could understand the maps easily and save time.

Let's Write 교과서 p. 54

Be a Mentor!

My name is Semi and I'm in the second grade. I want to help my mentee ⓰ ______________ (그녀의 숙제를). I can meet my mentee after school. I'll ask my mentee ⓱ ______________ (제시간에 올 것을). I think a good mentor can be a good friend. So I want to become a good friend ⓲ ______________ (내 멘티가 신뢰할 수 있는).

Answers

❶ which I read ❷ hear about ❸ pay phones ❹ came up with an idea ❺ put up a sign ❻ someone whom they loved ❼ big success ❽ gave happiness to ❾ A few years ago ❿ were very confusing ⓫ ask others to explain ⓬ wasted their time ⓭ stuck the stickers ⓮ Nobody asked him ⓯ Thanks to ⓰ with her homework ⓱ to be on time ⓲ whom my mentee can trust

Reading & Writing Test

01 다음 밑줄 친 ①~⑤ 중 어법상 어색한 것을 찾아 바르게 고쳐 쓰시오.

> Here ①are two stories ②whom I read yesterday. Do you want ③to hear about ④them?
> 1. Call Someone ⑤Whom You Love   2. Be a Mentor

______________ → ______________

[02-03] 다음 글을 읽고, 물음에 답하시오.

> New York had many pay phones on its streets. However, nobody really used ⓐthem. One day, a man came up with an idea. He stuck coins ___(A)___ one of the phones. He also put ___(B)___ a sign that said, "Call Someone You Love."

02-03
pay phone 공중전화
come up with (생각이) 떠오르다
coin 동전

02 윗글의 밑줄 친 ⓐthem이 가리키는 것을 본문에서 찾아 쓰시오. ________

03 윗글의 빈칸 (A), (B)에 들어갈 말끼리 바르게 짝지어진 것은?

① to – to ② to – up ③ to – with
④ up – with ⑤ with – up

[04-05] 다음 글을 읽고, 물음에 답하시오.

> Soon, many people were ①using the phone. When they were talking to someone whom they loved, they didn't ②stop smiling. His idea became a big ③problem. During the day, all the coins disappeared. The man was very ___(A)___ because his small idea gave ④happiness to ⑤many people.

04-05
disappear 사라지다

04 윗글의 밑줄 친 ①~⑤ 중 문맥상 어색한 것은?

① ② ③ ④ ⑤

05 윗글의 빈칸 (A)에 들어갈 남자의 심정으로 알맞은 것은?

① bored ② angry ③ nervous
④ worried ⑤ happy

[06-07] 다음 글을 읽고, 물음에 답하시오.

A few years ago, the maps at bus stops in Seoul were very ___(A)___. They didn't have enough information. People had to ask others to explain the maps. "___________(B)___________"

06 윗글의 빈칸 (A)에 알맞은 것은?

① clear ② usual ③ colorful
④ confusing ⑤ interesting

07 윗글의 빈칸 (B)에 알맞은 것은?

① Do you usually take the #5 bus?
② Does this bus go to Gwanghwamun?
③ Where is the nearest bus stop from here?
④ Where can I recharge my transportation card?
⑤ Will you take a taxi if you go to Gwanghwamun?

[08-09] 다음 글을 읽고, 물음에 답하시오.

One day, a young man decided ①to solve this problem. He bought lots of red arrow stickers. Every day he rode his bicycle around the city and ②stuck stickers on the bus maps. Nobody asked him ③to doing (A) this. He just wanted ④to help others. Thanks to his effort, people could understand the maps ⑤easily and save time.

08 윗글의 밑줄 친 ①~⑤ 중 어법상 어색한 것을 바르게 고쳐 쓰시오.

_______________ → _______________

09 윗글의 밑줄 친 (A) this가 의미하는 것을 우리말로 쓰시오.

____

10 다음 글의 빈칸에 알맞은 것은?

My name is Semi and I'm in the second grade. I want to help my mentee with her homework. I can meet my mentee after school. I'll ask my mentee to be on time. I think a good ________ can be a good friend. So I want to become a good friend whom my mentee can trust.

① student ② mentee ③ mentor
④ family ⑤ classmate

07-08
map 지도
bus stop 버스 정류장
explain 설명하다

07
recharge 재충전하다
transportation 교통

08-09
arrow 화살표
thanks to … 덕분에
effort 노력

단원평가

01 다음 중 짝지어진 단어의 관계가 나머지와 다른 하나는?

① tip – advice ② trust – believe
③ on time – late ④ confusing – unclear
⑤ pay phone – public phone

02 다음 빈칸에 알맞은 것은?

From this library, you can check _______ up to five books per week.

① at ② in ③ to ④ out ⑤ with

03 다음 영영 풀이에 알맞은 것은?

to place something so that it stands up

① stick ② prevent
③ disappear ④ put up
⑤ turn down

04 다음 두 문장의 빈칸에 공통으로 알맞은 단어를 쓰시오.

• I must __________ these books to the library.
• My family bought __________ tickets to London.

05 다음 대화의 빈칸에 알맞은 것은?

A: Happy Mother's Day! This is for you.
B: It's very nice! Thank you.
A: ______________________________

① Sorry to hear that.
② I'm so happy you like it.
③ I think I can help you out.
④ You'll do it better next time.
⑤ I'm glad that you bought it for me.

06 다음 대화의 밑줄 친 부분과 바꿔 쓸 수 없는 것은?

A: I'm having trouble printing photos.
B: Let me help you.

① Can I help you? ② Am I helping you?
③ I'll help you. ④ I can help you.
⑤ Let me give you a helping hand.

07 다음 주어진 말 다음에 이어질 대화를 자연스럽게 배열하시오.

A: Excuse me. Can you tell me how to get to Gwanghwamun?
□ Thanks for helping me.
□ No problem. I'm glad I could help you.
□ Take the #42 bus and get off at the Gwanghwamun stop.

(　　) – (　　) – (　　)

[08-09] 다음 대화를 읽고, 물음에 답하시오.

A: This is for you, Mom. I made it with plastic bags in my art class.
B: That's very cute, Alex. How did you know that I needed a new basket?
A: You talked about it with dad when we were having dinner the other day.
B: How nice! I really like this basket. It has many different colors.
A: I'm glad you like it.

08 위 대화에서 대화하고 있는 두 사람의 관계로 알맞은 것은?

① teacher – student ② mother – son
③ mentor – mentee ④ clerk – customer
⑤ boss – worker

09 위 대화를 읽고 대답할 수 없는 질문은?

① What did Alex make?
② What did they eat for dinner?
③ What was the present made of?
④ Where did Alex make the present?
⑤ How did B feel about Alex's present?

10 다음 문장에서 관계대명사 that이 들어갈 위치로 알맞은 곳은?

> Jack sold (①) two paintings (②) he painted (③) a year ago (④) to a man (⑤) with grey hair.

★중요
11 다음 우리말과 일치하도록 주어진 말을 활용하여 빈칸에 알맞은 말을 쓰시오.

> 의사 선생님은 나에게 휴식을 취하라고 말했다.
> ➔ The doctor told ________________.
> (take a rest)

자주 출제
12 다음 두 문장을 한 문장으로 연결할 때 빈칸에 알맞은 말을 쓰시오.

> • Dave knows a girl.
> • I met the girl at the movie theater.

➔ Dave knows the girl ________________
________________.

13 다음 중 어법상 어색한 문장은?

① The food I want to eat is spaghetti.
② My dad asked me to come home early.
③ He's a person whom that I respect a lot.
④ Juwon found his bicycle which he lost a week ago.
⑤ How about reading the posts that he uploaded to the school website?

고난도
14 다음 중 빈칸에 to가 들어갈 수 없는 것은?

① I want you ______ be more careful.
② I heard you ______ shout a minute ago.
③ She told Kevin ______ eat more vegetables.
④ She allowed me ______ wait inside the store.
⑤ The teacher asked him ______ speak more loudly.

[15-17] 다음 글을 읽고, 물음에 답하시오.

> New York had many pay phones on its streets. ___(A)___, nobody really used them. (①) He stuck coins to one of the phones. (②) He also put up a sign that said, "Call Someone You Love." (③) ___(B)___, many people were using the phone. (④) When they were talking to someone whom they loved, they didn't stop smiling. (⑤) His idea became a big success.

15 윗글의 ①~⑤ 중 주어진 문장이 들어가기에 알맞은 곳은?

> One day, a man came up with an idea.

16 윗글의 빈칸 (A), (B)에 알맞은 말끼리 바르게 짝지어진 것은?

① Then – Soon
② Then – Again
③ However – Soon
④ However – Again
⑤ Therefore – Soon

17 윗글의 내용과 일치하는 것은?

① There weren't many pay phones in New York.
② Pay phones in New York were popular.
③ The man stuck bills to the pay phones.
④ Many people in New York called someone they loved.
⑤ The man's idea failed.

[18-20] 다음 글을 읽고, 물음에 답하시오.

A few years ago, the maps at bus stops in Seoul (A) [was / were] very confusing. They didn't have enough information. People had to ask others (B) [explain / to explain] the maps. "Where is this bus stop on the map?" Many people often took the w________ bus and wasted their time. One day, a young man decided (C) [solving / to solve] ⓐ this problem.

★중요

18 윗글 (A), (B), (C)의 각 네모 안에서 어법상 알맞은 것끼리 짝지어진 것은?

	(A)		(B)		(C)
①	was	…	explain	…	solving
②	was	…	explain	…	to solve
③	was	…	to explain	…	to solve
④	were	…	to explain	…	solving
⑤	were	…	to explain	…	to solve

19 윗글의 빈칸에 알맞은 단어를 주어진 철자로 시작하여 쓰시오.

○ w________________

고난도

20 윗글의 밑줄 친 ⓐ this problem에 해당하지 않는 것은?

① The bus maps in Seoul were difficult to understand.
② Taking the wrong bus often happened to many people.
③ There wasn't enough information about the maps at bus stops.
④ Many people wrote complaints on the bus maps.
⑤ People had to ask questions to understand the bus maps.

[21-23] 다음 글을 읽고, 물음에 답하시오.

① To solve the problem of the bus maps, a young man bought lots of red arrow stickers. ② Every day he rode his bicycle around the city and stuck the stickers on the bus maps. ③ People wanted him to decorate the maps. ④ Nobody asked him to do this. ⑤ He just wanted to help others. Thanks to his effort, people could understand the maps easily.

21 윗글의 ①~⑤ 중 글의 흐름과 관계 없는 문장은?

22 Why did the man stick on the red arrow stickers?

① People told him to do it.
② He wanted to use up the red arrow stickers.
③ There weren't enough maps at bus stops.
④ He wanted to help people understand the maps more easily.
⑤ He thought the maps would be more beautiful with the stickers.

23 윗글의 주제로 알맞은 것은?

① Bad news travels fast.
② It never rains but it pours.
③ The first step is the hardest.
④ Small but great ideas can help others.
⑤ Love your work and find the work you love.

24 다음 글의 빈칸에 알맞은 것은?

A few days ago, a volunteer group put a refrigerator outside. It had a sign that said, "A Happy Refrigerator." It will help people in need. They can get ________ from the refrigerator.

① a book
② computers
③ fresh food
④ warm clothes
⑤ newspapers

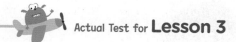

25 다음 글에 소개된 도서관의 장점으로 알맞은 것은?

Little Free Library

Do you enjoy reading? Is a big library hard to visit? Then these little libraries are good news for you. You can check out books from the little libraries in the streets and return them anytime.

① 규모가 크다.
② 대출 비용이 싸다.
③ 거리에서 대출할 수 있다.
④ 재미있는 독서 캠페인을 연다.
⑤ 회원 가입을 하지 않아도 된다.

[26-27] 다음 글을 읽고, 물음에 답하시오.

My name is Taewon and I'm in the second grade. I want to be a mentor to someone ①who is in the same grade. I want ②to help my mentee with his/her school life. I can meet my mentee on weekends. I'll ask my mentee ③to be understanding. I think a good mentor can be a good friend. So I hope ④to become a good friend ⑤which my mentee likes a lot.

26 윗글의 내용과 일치하지 않는 것은?

① 도울 대상: 2학년 학생
② 도울 내용: 학교생활
③ 멘티를 만날 시기: 주말
④ 멘티에게 바라는 점: 좋은 친구 되기
⑤ 자신의 소망: 멘티가 좋아하는 멘토 되기

★중요

27 윗글의 밑줄 친 ①~⑤ 중 어법상 어색한 부분을 찾아 바르게 고쳐 쓰시오.

________ → ________

서술형 1

28 그림을 보고, 다음 대화의 빈칸에 알맞은 말을 평서문으로 쓰시오.

A: Are you having any problems opening the bottle? ________________

B: Thanks for helping me.

서답형 2 고난도

29 다음 두 문장을 한 문장으로 바꿔 쓰시오.

(1) · I have a friend.
· Many people like him.
→ ________________

(2) · The pasta was delicious.
· I cooked the pasta.
→ ________________

서답형 3

30 다음 대화를 읽고, 주어진 단어를 활용하여 대화의 상황을 한 문장으로 요약하시오.

Mom: Your room is so dirty. Please clean it.
Tom: Okay. I'll do it right now.

→ Mom ________ ________ ________ ________ his room. (ask)

하 **1** 다음 문장을 목적격 관계대명사를 사용하여 완성하시오.

(1) A good friend is a person ______________________.

(2) The movie ______________________ was very interesting.

(3) Kimchi is a food ______________________.

> 유의점
> • 선행사에 맞는 목적격 관계대명사를 이용하는 것에 유의한다.

중 **2** 다음 질문에 알맞은 답을 완전한 문장으로 쓰시오.

(1) Q: What do your parents ask you to do?
A: ______________________

(2) Q: What does your homeroom teacher want you to do?
A: ______________________

(3) Q: What does your best friend tell you to do?
A: ______________________

> 유의점
> • 질문의 내용을 파악하고 자신의 대답을 생각한 후, '~에게 …을(하라고) 요청하다/원하다/말하다' 구문의 형식을 생각해 본다.

상 **3** 다음을 읽고, 주어진 단어를 활용하여 대화를 완성하시오.

> Mike is a mentor to his classmate, Jisun. Jisun has problems with her study plan for the exam. Mike gives pieces of advice to Jisun and she feels really thankful for his help. And Mike is very glad to help his mentee.

Mike: How are things going with your study plan?
Jisun: I have no idea what to do first.
Mike: (1) ______________________ (let, help) Why don't you read this book? It's about how to organize your schedule.
Jisun: (2) ______________________ (thank, advice)
Mike: No problem. (3) ______________________ (glad, like)

For a Healthy Summer

Lesson 4

건강한 여름을 위해

Functions
- 유감·동정 표현하기 **I'm sorry to hear that.**
- 당부하기 **Make sure you** wear a hat.

Forms
- something+형용사+(to부정사) I want **something cold** to drink.
- 현재완료 시제 I**'ve finished** my dinner.

Word Preview

알고 있는 단어나 표현에 ☑표 하세요.

- □ **area** 명 부분
- □ **blood** 명 피
- □ **brush** 동 칫솔질하다
- □ **bug spray** 명 살충제
- □ **bump** 명 혹
- □ **buzz** 동 윙윙거리다
- □ **female** 형 암컷의, 여성의
- □ **food poisoning** 명 식중독
- □ **fruit fly** 초파리
- □ **itch** 동 가렵다
- □ **itchiness** 명 가려움
- □ **itchy** 형 가려운
- □ **lay** 동 (알을) 낳다
- □ **male** 형 수컷의, 남성의
- □ **million** 명 100만
- □ **mosquito** 명 모기
- □ **pointed** 형 뾰족한
- □ **protein** 명 단백질
- □ **scratch** 동 긁다
- □ **sense** 동 감지하다
- □ **sharp** 형 날카로운, 뾰족한
- □ **sleeve** 명 소매
- □ **standing water** 물 웅덩이
- □ **stomach** 명 배, 위
- □ **sunburn** 명 햇볕에 심하게 탐
- □ **sunscreen** 명 자외선 차단제
- □ **sweat** 동 땀을 흘리다
- □ **sweaty** 형 땀에 젖은
- □ **tiny** 형 아주 작은
- □ **trash can** 명 쓰레기통
- □ **wipe** 명 닦아내는 천 또는 솜 동 닦다
- □ **at that moment** 그때에
- □ **feed on** …을 먹고 살다
- □ **go for a walk** 산책하다
- □ **keep ... in mind** …을 명심하다
- □ **stay away from** …을 멀리하다
- □ **suffer from** …으로 고통 받다

정답과 해설 p. 142

A 영어는 우리말 뜻을 쓰고, 우리말은 영어로 쓰시오.

(1) itch	______________	(7) 긁다	______________
(2) sweaty	______________	(8) 부분	______________
(3) pointed	______________	(9) 감지하다	______________
(4) standing water	______________	(10) 쓰레기통	______________
(5) fruit fly	______________	(11) 그때에	______________
(6) suffer from	______________	(12) …을 먹고 살다	______________

B 영영 풀이에 해당하는 단어를 〈보기〉에서 골라 쓰시오.

보기 wipe sleeve tiny sweat buzz

(1) ______________ : to produce a clear liquid from your skin when you are hot or nervous

(2) ______________ : to make the low, continuous sound of a flying insect

(3) ______________ : the part of clothing that covers a person's arm

(4) ______________ : a small, wet cloth that is used for cleaning

(5) ______________ : very small

C 우리말과 일치하도록 빈칸에 알맞은 말을 쓰시오.

(1) 많은 사람들이 여름마다 식중독에 걸린다.

○ Many people get ____________ ____________ every summer.

(2) 그는 한 달에 300만원의 수입이 있다.

○ He has an income of three ____________ won a month.

(3) 너는 매일 칫솔질을 해야 한다.

○ You should ____________ your teeth every day.

(4) 고기, 우유, 달걀, 그리고 콩 같은 음식에는 단백질이 많다.

○ Foods such as meat, milk, eggs, and beans have a lot of ____________.

(5) 우리는 두 시간마다 자외선 차단제를 덧발라야 한다.

○ We need to reapply ____________ every two hours.

(6) 많은 사람들이 곤충을 쫓기 위해 살충제를 사용한다.

○ Many people use ____________ ____________ to keep insects away.

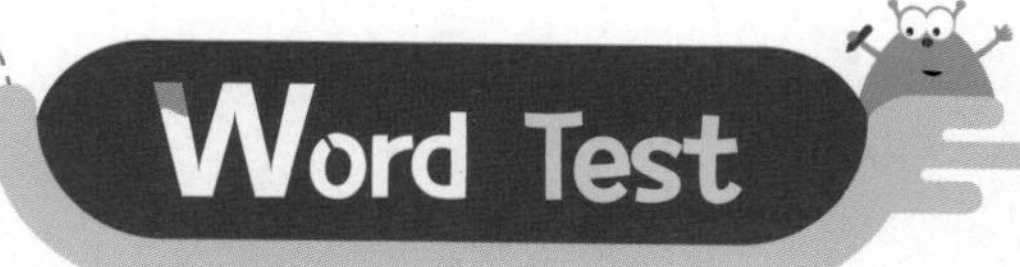

정답과 해설 p. 142

1 다음 중 단어의 쓰임이 나머지 넷과 다른 하나는?

① lay ② sense ③ buzz ④ brush ⑤ itchy

2 다음 영영 풀이에 해당하는 단어로 알맞은 것은?

an area of skin that is raised because it was hit or bitten

① bump ② wipe ③ sunburn ④ stomach ⑤ itchiness

3 괄호 안에서 알맞은 말을 고르시오.

(1) To be healthy, stay away (with / from) junk food.

(2) A (female / male) cat can get pregnant two or three times a year.

(3) Keep your grandma's advice (in / on) mind!

4 빈칸에 알맞은 말을 보기에서 골라 쓰시오.

보기	sharp	blood	mosquito	sunburn

(1) You should put on sunscreen to prevent __________.

(2) Lions and tigers have __________ teeth.

(3) He will donate __________ when he gets older.

[5-6] 빈칸에 공통으로 들어갈 말을 쓰시오.

5

- I can __________ something big is happening.
- He has a good __________ of humor.

6

- When you get a mosquito bite, clean it with an alcohol __________.
- He used a towel to __________ his hands.

7 우리말과 일치하도록 빈칸에 알맞은 말을 쓰시오.

나는 내 개와 자주 산책한다.
→ I often ________ ________ ________ ________ with my dog.

3
junk food 정크 푸드
pregnant 임신한

4
donate 기증하다

5
humor 유머

6
alcohol 알코올
towel 수건

Functions

1 유감 · 동정 표현하기

A: Somebody stole my new bike.
누군가 내 새 자전거를 훔쳤어.

B: **I'm sorry to hear that.**
그것 참 안됐구나.

핵심 POINT

- I'm sorry to hear that.은 좋지 못한 소식을 들었을 때 유감이나 동정을 말하는 표현으로 '그것 참 안됐구나.'라는 뜻이다.
- Oh (dear)!나 Oh no! Oh my (god)! 등과 같은 감탄사와 함께 쓸 수 있다.

● **유감·동정 표현하기**

(I'm) sorry to hear that. 그것 참 안됐구나.
That's too bad. 그것 참 안됐구나.
That's a pity! 그것 안됐구나!
That's terrible! 끔찍한 일이구나!

sorry 뒤의 to부정사는 '…해서', '…하니'라는 뜻으로 감정의 원인을 나타내는 부사적 용법으로 쓰였다.

e.g. A: After camping, I got a lot of mosquito bites. 캠핑 후에 모기에 많이 물렸어.
B: Oh dear! I'm sorry to hear that. 오 저런! 그것 참 안됐구나.

A: My puppy has been sick for a while 제 강아지가 한동안 아팠어요.
B: Oh no! That's too bad. 오 저런! 그것 참 안됐다.

2 당부하기

A: **Make sure you** return books on time.
반드시 제시간에 책을 반납하세요.

B: Okay, I will.
네, 그럴게요.

핵심 POINT

- Make sure you ....는 상대방에게 당부하는 표현으로 '반드시 …해라.' 또는 '…하는 것을 잊지 마.'라는 뜻이다.
- Make sure 뒤에는 that절이나 to부정사가 온다. 이때 that은 생략할 수 있다.

❶ **당부하기**

Make sure (that) you .... 반드시 …하세요.
Remember to .... …하는 것을 기억해.
Don't forget to .... …하는 것을 잊지 마.

forget과 remember 뒤에 to부정사를 쓰면 미래의 일을 표현할 수 있다.

❷ **당부에 답하기**

Okay, I will. Thank you. 응, 그럴게. 고마워.
I'll keep that / it in mind. 그것을 명심할게.

e.g. A: It's very sunny today. Make sure you wear your sunglasses. 오늘 정말 화창하다. 꼭 선글라스 쓰도록 해.
B: Okay, I will. Thank you. 응, 그럴게. 고마워.

A: Remember to lock the door when you are out. 나갈 때 문을 잠글 것을 기억해.
B: Okay, I'll keep that in mind. 알겠어, 명심할게.

Listening Scripts

우리말에 알맞은 표현을 빈칸에 써 봅시다.

Listen & Speak 1

교과서 p. 60

A

1 B: You look worried, Jimin. What's wrong?

G: I'm worried because my cat is sick.

B: I'm sorry to hear that. ❶ ____________ (…하는 게 어때?) take her to an animal doctor?

G: Okay, I will.

2 G: How was the soccer game with Minsu's class, Alex?

B: We lost ❷ ____________ (세 골 차이로).

G: I'm sorry to hear that. I hope you do better next time.

B: I hope so, too.

B

B: Let's go swimming this weekend, Yujin.

G: I'd love to, but I can't.

B: Why not?

G: I have an ❸ ____________ (눈 문제). The doctor told me to stop swimming for a while.

B: I'm sorry to hear that. Maybe we can go next weekend.

G: I really hope so.

Listen & Speak 2

교과서 p. 61

A

1 W: Tim, look at your face! You ❹ ____________ (햇볕에 탔다).

B: Yes, it hurts a lot. I went swimming at the beach without sunscreen.

W: Oh dear! ❺ ____________ (바를 것을 명심해) sunscreen next time.

2 W: Hojun, do you want to go shopping with me?

B: Sorry, Mom. I'm going to play baseball with Alex this afternoon.

W: Okay. No problem. Just make sure you ❻ ____________ (모자를 쓰다). It's going to be very hot this afternoon.

B: Okay, I will.

3 M: Did you ❼ ____________ (…을 위해 짐을 싸다) the school trip tomorrow, Sue?

G: Yes. Now I'm checking my list again. I don't want to miss anything.

M: Make sure you take an umbrella with you. It might rain tomorrow.

G: Okay, thank you.

B

G: Dad, do we have any bug spray?

M: Yes, it's ❽ ____________ (싱크대 아래에). Why?

G: There are a lot of fruit flies around the trash.

M: Oh no! What did you ❾ ____________ (쓰레기에 넣다)?

G: Some fruit waste.

M: Fruit flies love sweet things. Make sure you don't put fruit waste in the trash can.

G: I'll ❿ ____________ (명심하다). I think we should also empty our trash can more often.

M: That's a good idea.

Real Life Communication

교과서 p. 62

A

Ms. Wheeler: Junsu, what happened to your face?

Junsu: I got a lot of ⓫ ____________ (모기에 물림).

Ms. W: I'm sorry to hear that. How did it happen?

Junsu: It happened when I went camping last weekend.

Ms. W: Oh dear. Don't ⓬ ____________ (그것들을 긁다)!

Junsu: I know, but they're really ⓭ ________ (가려운).

Ms. W: Clean them with cool water. That'll help. Also, make sure you ⓮ ____________ (긴팔을 입다) when you go camping.

Junsu: Okay, thank you.

Answers

❶ Why don't you ❷ by three goals ❸ eye problem ❹ got sunburn ❺ Make sure you wear ❻ wear a hat ❼ pack for ❽ under the sink ❾ put in the trash ❿ keep that in mind ⓫ mosquito bites ⓬ scratch them ⓭ itchy ⓮ wear long sleeves

Listening & Speaking Test

01 우리말과 일치하도록 빈칸에 알맞은 단어를 쓰시오.

(1) 그것 참 안됐구나.

I'm ________ ________ ________ that.

(2) 반드시 식사 후에 약을 먹도록 해.

________ ________ you take medicine after meals.

01
medicine 약
meal 식사

02 다음 대화의 밑줄 친 부분의 의도로 알맞은 것은?

A: There are a lot of fruit flies around the trash.
B: Oh my. Make sure you empty your trash can more often.

① 당부하기 ② 감사하기 ③ 거절하기
④ 칭찬하기 ⑤ 사과하기

02
fruit fly 초파리
trash can 쓰레기통

03 다음 대화의 괄호 안에서 알맞은 것을 고르시오.

A: I have a sore throat.
B: That's (wonderful / terrible). Try to drink water more often.
A: Okay, I'll keep that (with / in) mind.

03
sore throat 목이 아픔

04 다음 대화 중 자연스럽지 않은 것은?

① A: My mom bought me a brand new cell phone!
B: Sorry to hear that.
② A: I have a fever. I think I need to go see a doctor.
B: Oh, that's a pity.
③ A: I got sunburn and it hurts a lot.
B: Oh dear! I hope you get better soon.
④ A: Make sure you come back by 9 o'clock.
B: Okay, I will.
⑤ A: Oh god! I lost all the files that I worked on yesterday!
B: Make sure you save your work every minute.

04
brand new 새것의
fever 열
sunburn 햇볕에 심하게 탐
save 저장하다
every minute 항상, 매 순간

05 대화를 순서대로 바르게 배열하시오.

A: I got a lot of mosquito bites. They're really itchy.
☐ Okay, I'll keep that in mind.
☐ And if you want to prevent more bites, avoid standing water.
☐ That's too bad. Hold an ice pack on the itchy area.
☐ An ice pack? I've never tried that before.

05
hold 잡고(받치고) 있다
itchy area 간지러운 부위

[06-07] 다음 대화의 빈칸에 알맞지 않은 것은?

06

A: I didn't pass the exam. I'm really disappointed at the result.
B: ______________________________

① Sorry to hear that.
② That's a pity.
③ I'm glad you like it.
④ That's too bad.
⑤ You'll do better next time.

07

A: If you want to be healthy, wash your hands often.
B: ______________________________

① Okay, thank you.
② Okay, I'll try that.
③ Oh my, I feel bad.
④ I'll keep that in mind.
⑤ Thank you for the tip.

08 다음 대화의 밑줄 친 부분과 의미상 바꿔 쓸 수 없는 것은?

A: How can I get to Myeong-dong?
B: You can go there by subway. It's on line #4. Make sure you transfer to line #4 at Seoul Station.

① Make sure to
② Be sure to
③ Remember to
④ Don't forget to
⑤ I'm sure that you

[09-10] 다음 대화를 읽고, 물음에 답하시오.

A: You look w__________ Jimin, What's wrong?
B: I'm w__________ because my cat is sick.
A: I'm sorry to hear that. Why don't you take her to an animal doctor?
B: Okay, I will. Thanks, Jiho.

09 위 대화의 빈칸에 공통으로 들어갈 단어를 주어진 철자로 시작하여 쓰시오.

w______________

10 위 대화가 끝난 뒤 지민이가 할 행동으로 가장 적절한 것은?

① 고양이에게 밥 주기
② 고양이 씻기기
③ 고양이 간식 만들기
④ 고양이와 놀아주기
⑤ 고양이를 동물병원에 데려가기

06
be disappointed at …에 실망하다
result 결과

08
get to 도착하다
transfer 갈아타다

09-10
animal doctor 수의사

1 something+형용사(구)+to부정사

He is looking for **something fun to play with.**
그는 가지고 놀 재미있는 무언가를 찾고 있는 중이다.

Do you need **anything warm to drink**?
너는 마실 따뜻한 무언가가 필요하니?

She needs **someone strong to help her.**
그녀는 그녀를 도울 힘센 누군가가 필요하다.

핵심 POINT
- '-thing, -one, -body'로 끝나는 대명사는 일반적인 어순과 다르게 형용사가 뒤에서 수식한다.
- '-thing, -one, -body'로 끝나는 대명사들을 to부정사와 형용사가 동시에 수식할 때는 to부정사가 형용사보다 뒤에 온다.

● 형용사가 뒤에서 수식하는 대명사

something	anything	nothing
someone	anyone	no one
somebody	anybody	nobody

+ 형용사 + to부정사

-'thing, -one, -body'로 끝나는 대명사를 형용사 없이 to부정사만으로 수식할 때에도 뒤에서 수식한다. (e.g. something to eat)

e.g. I need something cold to drink. 나는 마실 시원한 무언가가 필요하다.
무언가 / 차가운 / 마실

I brought someone important to introduce to you. 나는 네게 소개해 줄 중요한 누군가를 데려 왔다.
누군가 / 중요한 / 네게 소개해 줄

2 현재완료 시제

I **have lived** in the U.S. for 10 years.
나는 미국에서 십 년 동안 살아왔다.

Have you **heard** the news?
너 그 소식 들었니?

He **has not had** dinner yet.
그는 아직 저녁을 먹지 않았다.

핵심 POINT
- 과거에 일어난 일이 현재까지 영향을 미칠 때 사용하는 시제로 「have/has+과거분사」 형태로 쓴다.
- 의미에 따라 계속, 경험, 완료 등의 용법으로 쓰인다.
- 현재완료 시제는 명백한 과거 시점을 나타내는 last night, yesterday, a year ago 등의 표현과는 함께 쓰이지 않는다.

❶ 현재완료 시제가 계속 용법으로 쓰이는 경우
- 의미: 과거부터 지금까지 …해 오고 있다.
- 함께 쓰이는 표현: for + 기간(… 동안), since + 특정 시점(… 이래로)

e.g. I have known for Eva for seven years. 나는 Eva를 7년 동안 알아 왔다.

I haven't met Julie since we saw each other two years ago. 나는 2년 전에 Julie를 만난 이래로 그녀를 만나지 못했다.

❷ 현재완료 시제가 경험 용법으로 쓰이는 경우
- 의미: …해 본 적이 있다.
- 함께 쓰이는 표현: once, twice, ... times, never, ever, before

e.g. She has visited London several times before. 그녀는 전에 런던을 몇 번 방문한 적이 있다.

❸ 현재완료 시제가 완료 용법으로 쓰이는 경우
- 의미: (과거에 시작한 일이 현재) 완료됐다.
- 함께 쓰이는 표현: just, already, not ... yet

e.g. I've just finished my homework. 나는 방금 숙제를 끝냈다.

Grammar Check

정답과 해설 p. 143

A 다음 괄호 안에서 알맞은 것을 고르시오.

(1) I (knew / have known) Kelly for five years.

(2) Jean (didn't / hasn't) fixed his computer yet.

(3) Brian hasn't had any junk food (since / for) last Sunday.

(4) Have you ever (ate / eaten) Italian food?

(5) My brother (started / has started) learning coding six months ago.

B 다음 괄호 안에 주어진 단어를 바르게 배열하여 문장을 완성하시오.

(1) I have a stomachache. I think I ate ____________________.
(bad, something)

(2) It's cold outside. Do you have ____________________?
(hot, to drink, anything)

(3) We need ____________________ the company.
(trustworthy, to lead, someone)

C 다음 괄호 안에 주어진 단어를 활용하여 현재완료 시제 문장을 완성하시오.

(1) Chris ______________ Spanish ______________. (for 10 years, learn)

(2) I ______________ him ______________. I know him. (before, meet)

(3) When we arrived, the class ____________________. (already, start)

D 다음 문장에서 어법상 어색한 부분을 찾아 바르게 고쳐 쓰시오.

(1) I'd like cold to drink something.
______________ ➔ ______________

(2) Is there anything to read interesting in the newspaper?
______________ ➔ ______________

(3) How long have you study English?
______________ ➔ ______________

(4) What time have you arrived here yesterday?
______________ ➔ ______________

(5) Do you get any messages from Mr. Kim ever since you talked to him?
______________ ➔ ______________

Grammar Test

정답과 해설 p. 144

1 다음 대화의 빈칸에 알맞은 것은?

A: Have you ever been to New York?
B: No, I ______________ abroad.

① was ② wasn't ③ am not
④ have been ⑤ have never been

2 다음 빈칸에 알맞은 것은?

He is a very curious student, so there's always ______________ for him.

① something to learn new ② something new to learn
③ to learn something new ④ to learn new something
⑤ new something to learn

3 다음 중 빈칸에 들어갈 말이 나머지와 다른 것은?

① She ________ visited Seoul five times.
② It is the best bike Sally ________ ever ridden.
③ Paul ________ eaten all the cookies. There's nothing left.
④ He ________ bought a new bag yet. He still uses the old one.
⑤ Your son just ________ left the building. He'll be there in 10 minutes.

4 다음 중 어법상 어색한 문장은?

① Nobody has ever been to Mars.
② The leaves have not turned brown yet.
③ Jiho hasn't eaten anything since breakfast.
④ He has eaten many delicious things in Thailand.
⑤ I'd like to have popular something in this restaurant.

5 다음 중 어법상 올바른 문장은?

① She prefers someone quietly.
② I have important nothing to say.
③ Columbus has discovered Jamaica in 1494.
④ He has been interested in singing since he was young.
⑤ I was taking a shower when you have called me last night.

1
abroad 해외에

2
curious 호기심이 많은

4
Mars 화성
turn 변하다
Thailand 태국

5
prefer 선호하다
Jamaica 자메이카

Reading & Writing Text

○ 우리말에 알맞은 표현을 빈칸에 써 봅시다.

Let's Read ① 교과서 p. 65

An Interview with Mrs. Mosquito

It was a hot summer evening. Seojun went for a walk in the park. Soon, he ❶ ____________(땀을 흘리고 있었다).

Seojun I'm thirsty. I want ❷ ____________(마실 시원한 무언가).

❸ ____________(그 순간에), something tiny flew at him and bit his arm.

Mrs. Mosquito Hey, catch me if you can.

Seojun Who are you? What have you done to me?

Mrs. M I'm a mosquito. ❹ ____________(나는 막 끝냈다) my dinner.

Let's Read ② 교과서 p. 66

Seojun Where are you from? How did you find me?

Mrs. M I'm from a ❺ ____________(가까운 강). I was looking for some blood to drink there. Then I smelled something sweaty and found you here.

Seojun How could you smell me from the river?

Mrs. M Mosquitoes can sense heat and smell very well. That's why we ❻ ____________(살아남아 왔다) for millions of years.

Seojun Do all mosquitoes drink blood like you?

Mrs. M No. Only female mosquitoes like me drink blood. Male mosquitoes only ❼ ____________(먹고 살다) fruit and plant juice.

Seojun That's interesting. So why do you drink blood?

Mrs. M I need the protein in blood to lay my eggs.

Seojun How do you drink blood? Do you have sharp teeth?

Mrs. M No, I don't have teeth. But I have a long and ❽ ____________(뾰족한 입). So I can drink your blood easily.

Let's Read ③ 교과서 p. 67

Seojun After you bit me, I ❾ ____________(부어오른 자국이 생겼다). It itches.

Mrs. M I'm sorry to hear that. Make sure you don't scratch it. Also, clean it with alcohol wipes.

Seojun Alcohol wipes? I've never tried that before.

Mrs. M It will ❿ ____________(가려움을 줄이다).

Seojun Okay, I'll try that at home. Thanks.

Mrs. M I have to go. See you soon.

Seojun Where are you going?

Mrs. M I'm going back to the river.

Seojun Wait! A lot of people ⓫ ____________(고통 받아 왔다) your bites. How can we prevent them?

Mrs. M Stay cool and wear long sleeves.

Seojun Thanks. I'll keep your advice in mind.

Let's Write 교과서 p. 70

Summer Health Guide - Sunburn

Have you ever suffered from sunburn? Here are some useful tips ⓬ ____________(예방하기 위한) sunburn in summer.

1. Wear sunscreen. 2. Wear a hat.

Be smart and enjoy the hot weather.

Answers

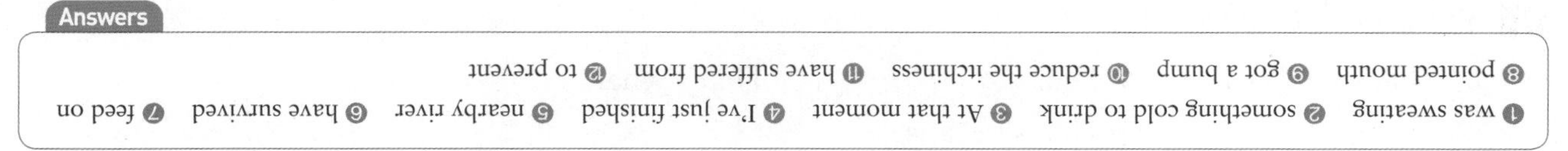

❶ was sweating ❷ something cold to drink ❸ At that moment ❹ I've just finished ❺ nearby river ❻ have survived ❼ feed on
❽ pointed mouth ❾ got a bump ❿ reduce the itchiness ⓫ have suffered from ⓬ to prevent

Reading & Writing Test

[01-02] 다음 글을 읽고, 물음에 답하시오.

It was a hot summer evening. ①Seojun went for a walk in the park. Soon, ②he was sweating.

Seojun: I'm thirsty. ③I want something cold to drink.

At that moment, something tiny flew at ④him and bit his arm.

Mrs. Mosquito: Hey, catch ⑤me if you can.

Seojun: Who are you? What have you done to me?

Mrs. Mosquito: I'm a mosquito. I've just finished my dinner.

01-02
sweat 땀을 흘리다
at that moment 그때에
mosquito 모기

01 윗글의 밑줄 친 ①~⑤ 중 가리키는 대상이 다른 것은?

02 다음 문장이 윗글의 내용과 일치하도록 빈칸에 알맞은 말을 쓰시오.

Mrs. Mosquito __________ just __________ Seojun's arm.

[03-05] 다음 글을 읽고, 물음에 답하시오.

Seojun: Where are you from? ______ⓐ______

Mrs. Mosquito: I'm from a nearby river. I was looking for some blood to drink there. Then I smelled ⓑ 땀이 나는 무언가 and found you here.

Seojun: How could you smell me from the river?

Mrs. Mosquito: Mosquitoes can sense heat and smell very well. ____ⓒ____ we have survived for millions of years.

03-05
nearby 가까운
sense 감지하다
survive 살아남다
million 100만

03 윗글의 빈칸 ⓐ에 알맞은 것은?

① Who are you?
② How did you find me?
③ Where is Mrs. Mosquito?
④ Why were you looking for blood?
⑤ Which river are you talking about?

04 윗글의 밑줄 친 ⓑ의 우리말과 일치하도록 알맞은 말을 쓰시오.

➲ ______________________________

05 윗글의 빈칸 ⓒ에 알맞은 것은?

① That's why
② That's all
③ That's what
④ That's where
⑤ That's because

06 다음 글의 모기에 대한 내용과 일치하는 것은?

> Seojun: Do all mosquitoes drink blood like you?
> Mrs. Mosquito: No. Only female mosquitoes like me drink blood. Male mosquitoes only feed on fruit and plant juice.
> Seojun: That's interesting. So why do you drink blood?
> Mrs. Mosquito: I need the protein in blood to lay my eggs.
> Seojun: How do you drink blood? Do you have sharp teeth?
> Mrs. Mosquito: No, I don't have teeth. But I have a long and pointed mouth. So I can drink your blood easily.

① 수컷 모기는 피를 마신다.
② 암컷 모기는 과일과 식물 즙을 먹고 산다.
③ 암컷 모기는 알을 낳으려면 핏속의 단백질이 필요하다.
④ 모기는 날카로운 이빨이 있다.
⑤ 모기는 짧고 날카로운 입으로 피를 마신다.

06
feed on …을 먹고 살다
protein 단백질
lay (알을) 낳다
pointed 뾰족한

[07-09] 다음 글을 읽고, 물음에 답하시오.

> Seojun: After you bit me, I got a bump. It itches.
> Mrs. Mosquito: ____ⓐ____ Make sure you don't scratch it. Also, clean it with alcohol wipes.
> Seojun: Alcohol wipes? I've never ⓑ try that before.
> Mrs. Mosquito: It will reduce the itchiness.
> Seojun: Okay, I'll try that at home. Thanks.

07-09
itch 가렵다
scratch 긁다
wipe 닦아내는 천 또는 솜
reduce 줄이다
itchiness 가려움

07 윗글의 빈칸 ⓐ에 알맞은 것은?

① Good for you.
② Sorry to hear that.
③ That sounds great.
④ I'm glad you like it.
⑤ Thank you very much.

08 윗글의 밑줄 친 ⓑ try를 알맞은 형태로 고쳐 쓰시오.

○ ______________________________

09 다음 문장이 윗글의 내용과 일치하도록 빈칸에 알맞은 말을 쓰시오.

> If you get a mosquito bite, you should not ________ a bump.

10 다음 글의 빈칸에 공통으로 알맞은 단어는?

> Have you ever suffered from __________? Here are useful tips to prevent __________ in summer. Wear sunscreen or a hat.

① sunburn
② a bad cold
③ stomachache
④ food poisoning
⑤ an ear problem

단원평가

정답과 해설 p. 145

01 여름철에 주로 생길 수 있는 문제와 관련이 적은 것은?

① sunburn ② many fruit flies
③ bad cold ④ food poisoning
⑤ mosquito bites

02 다음 짝지어진 두 단어의 관계가 〈보기〉와 같도록 빈칸에 알맞은 단어를 쓰시오.

보기
tiny : huge

female : ________

03 다음 밑줄 친 단어에 대한 설명이 바르지 않은 것은?

① Something that is tiny is large in size.
② Someone who is female is a girl or a woman.
③ Someone who is sweaty is covered with sweat.
④ Something that is pointed has a sharp point at its end.
⑤ Someone who feels itchiness wants to scratch his/her skin.

04 다음 빈칸에 알맞지 않은 것은?

She is wearing ________________.

① a hat ② a bite ③ a skirt
④ sunscreen ⑤ sunglasses

05 다음 대화의 밑줄 친 문장과 바꿔 쓸 수 있는 것은?

A: Oh dear! All the apples went bad.
B: That's terrible.

① That'll be helpful.
② Sorry to hear that.
③ Good to hear that.
④ Make sure you have them.
⑤ I feel bad about my poor result.

06 다음 대화에서 어색한 부분을 찾아 바르게 고쳐 쓰시오.

A: I'm too tired.
B: Make sure not to get a good rest.

____________ → ____________

중요
07 다음 대화 중 자연스럽지 않은 것은?

① A: I think it's better to exercise every day.
B: Okay, I'll keep that in mind.
② A: Don't forget to write down your name.
B: Okay, I won't forget.
③ A: I didn't sleep well last night.
B: Oh no! That's a pity!
④ A: I have a terrible sore throat.
B: That's too bad. Drink some hot tea.
⑤ A: To prevent sunburn, remember to put on sunscreen every two hours.
B: I'm sorry to hear that.

[08-09] 다음 대화를 읽고, 물음에 답하시오.

A: I got a lot of mosquito bites.
B: I'm sorry to hear that. How did it happen?
A: It happened when I went camping last weekend.
B: Oh dear. Don't scratch ⓐ them! Also, when you go camping, ⓑ (long, make, you, sleeves, wear, sure).
A: Okay, thank you.

08 위 대화의 밑줄 친 ⓐ them이 가리키는 것을 찾아 쓰시오.

→ ________________

09 윗글의 괄호 ⓑ에 주어진 단어를 재배열하여 문장을 완성하시오.

→ ________________

★중요

10 주어진 우리말을 영어로 바르게 옮긴 것은?

> 준호는 10살 때부터 이 노래를 좋아해 왔다.

① Junho liked this song for he was ten years old.
② Junho liked this song since he was ten years old.
③ Junho has liked this song for he was ten years old.
④ Junho has liked this song since he was ten years old.
⑤ Junho has liked this song since he has been ten years old.

11 주어진 단어들을 활용하여 대화의 빈칸에 알맞은 말을 쓰시오.

> A: I am going to watch the movie *Avengers* tonight. Do you want to join me?
> B: Thanks, but I ________________ it.
> (already, see)

12 다음 두 문장을 한 문장으로 바꿔 쓸 때 빈칸 ⓐ, ⓑ에 알맞은 말끼리 바르게 짝지어진 것은?

> • Susan started reading the book an hour ago. She is still reading it.
> ➲ Susan ____ⓐ____ reading the book ____ⓑ____.

① didn't finish – just now
② didn't finish – yet
③ has finished – just now
④ hasn't finished – yet
⑤ hasn't finished – just now

13 우리말과 일치하도록 빈칸에 알맞은 말을 쓰시오.

> 나는 그의 생일을 위해 특별한 무언가를 주고 싶다.
> ➲ I want to give him ________________ ________________ for his birthday.

14 다음 중 어법상 어색한 문장은?

① How long have you had your dog?
② Do you need something new to read?
③ I've watched *Shrek the Third* a year ago.
④ My grandma has never used a computer.
⑤ There's something magical about his dance.

[15-16] 다음 글을 읽고, 물음에 답하시오.

> It was a hot summer evening. Seojun went for a walk in the park. Soon, he ① was sweating.
> Seojun: I'm thirsty. I want ② cold something to drink.
> At that moment, ③ something tiny flew at him and bit his arm.
> Mrs. Mosquito: Hey, catch me if you can.
> Seojun: Who are you? What ④ have you done to me?
> Mrs. Mosquito: I'm a mosquito. I ⑤ have just finished my dinner.

15 윗글의 밑줄 친 ①~⑤ 중 어법상 어색한 것은?

16 윗글의 내용과 일치하지 않는 것은?

① 서준이는 공원에서 산책을 했다.
② 서준이는 땀을 흘렸다.
③ 서준이는 시원한 것이 마시고 싶었다.
④ 모기가 서준이의 팔을 물었다.
⑤ 모기는 서준이의 땀 냄새를 좋아했다.

[17-19] 다음 글을 읽고, 물음에 답하시오.

Seojun: ___ⓐ___ are you from? ___ⓑ___ did you find me?

Mrs. Mosquito: I'm from a nearby river. I smelled something sweaty and found you here.

Seojun: How could you smell me from the river?

Mrs. Mosquito: Mosquitoes can sense heat and smell very well. That's why we ⓒ survive for millions of years.

Seojun: Do all mosquitoes drink blood like you?

Mrs. Mosquito: No. Only female mosquitoes like me drink blood. Male mosquitoes only feed on fruit and plant juice.

Seojun: That's interesting. So why do you drink blood?

Mrs. Mosquito: I need the protein in blood to lay my eggs.

17 윗글의 빈칸 ⓐ, ⓑ에 알맞은 말끼리 바르게 짝지어진 것은?

① Where – What ② Where – How
③ What – How ④ What – What
⑤ Who – How

자주 출제

18 윗글의 밑줄 친 ⓒ survive를 어법에 맞는 형태로 고쳐 쓰시오.

○ ____________________

★중요

19 윗글을 읽고 대답할 수 있는 질문이 아닌 것은?

① Where did Mrs. Mosquito come from?
② What are mosquitoes good at?
③ How can we prevent mosquito bites?
④ What do male mosquitoes eat?
⑤ Why do female mosquitoes drink blood?

[20-22] 다음 글을 읽고, 물음에 답하시오.

Seojun: After you bit me, I got a bump. It itches.

Mrs. Mosquito: I'm sorry to hear that. Make sure you don't scratch it. Also, clean it with alcohol wipes. ① That'll help.

Seojun: Alcohol wipes? I've never tried ② that before.

Mrs. Mosquito: ③ It will reduce the itchiness.

Seojun: Okay, I'll try ④ that at home. Thanks.

Mrs. Mosquito: I have to go. See you soon.

Seojun: Wait! A lot of people have suffered from your bites ___ⓐ___. How can we prevent them?

Mrs. Mosquito: Stay cool and wear long sleeves.

Seojun: Thanks. I'll keep ⑤ that in mind.

20 윗글의 밑줄 친 ①~⑤ 중 가리키는 것이 다른 하나는?

21 윗글의 빈칸 ⓐ에 알맞은 것은?

① yet ② today ③ tomorrow
④ next time ⑤ for a long time

고난도

22 What was the advice from Mrs. Mosquito to prevent mosquito bites?

○ We should ____________________.

23 ①~⑤ 중 주어진 문장이 들어갈 위치로 알맞은 곳은?

But that's not true.

(①) Many people think mosquitoes only feed on blood. (②) Female mosquitoes drink blood to lay their eggs. (③) But male mosquitoes don't. (④) They just feed on fruit and plant juice. (⑤)

[24-25] 다음 글을 읽고, 물음에 답하시오.

Have you ever ① suffered from sunburn? Here are some ② useful tips to ③ prevent sunburn in summer.
1. Wear ④ sunscreen. 2. Wear a hat.
Be smart and enjoy the ⑤ cold weather.

24 윗글의 제목으로 알맞은 것은?

① How to Enjoy the Sea
② Fun Summer Activities
③ Guide to Preventing Sunburn
④ Why Sunburns Are Dangerous
⑤ Medical Treatment for Sunburn

25 윗글의 밑줄 친 ①~⑤ 중 문맥상 알맞지 않은 것은?

[26-27] 다음 글을 읽고, 물음에 답하시오.

Chaas is a popular summer drink in India. People drink *chaas* to stay cool. It's also a very healthy drink.

In summer, some people in Korea wear thin and light pants to stay cool. They call them "refrigerator pants." Refrigerator pants come in colorful patterns. Some of them look very stylish.

26 윗글의 제목으로 알맞은 것은?

① 여름 건강 음료 ② 시원한 여름 옷
③ 여름철 건강 수칙 ④ 여름이 시원한 나라들
⑤ 여름을 시원하게 보내는 나라별 방법

27 윗글의 refrigerator pants의 특징과 일치하지 않는 것은?

① 얇다. ② 가볍다.
③ 입으면 시원하다. ④ 색깔이 다양하다.
⑤ 스타일이 촌스럽다.

서답형 1

28 다음 그림을 보고 대화에서 Ian에게 할 수 있는 Amy의 대답을 완성하시오.

Ian: I didn't pass the exam, I'm so sad.
Amy: I'm ______ ______ ______ ______.

서답형 2 고난도

29 주어진 단어를 활용하여 문장을 완성하시오.

live learn begin for since yet

(1) Chris moved to Busan in 2013. He still lives there. He __________ in Busan __________ more than 5 years.
(2) Chris began to learn Chinese when he was eleven years old, and he is still learning it. He __________ Chinese __________ he was eleven years old.

서답형 3

30 괄호 안에 주어진 단어를 이용하여 우리말과 일치하도록 문장을 완성하시오.

나는 여름 방학에 읽을 재미있는 것이 필요하다.
(interesting, read, summer vacation)

➡ ______________________________

정답과 해설 p. 148

하 **1** **주어진 우리말과 일치하도록 빈칸에 알맞은 말을 써서 대화를 완성하시오.**

Hojun: Minho, why don't you play soccer with us after school?

Minho: I'd love to, but I still have (1) ______________________.
(해야 할 중요한 것)

Hojun: What is it?

Minho: Well, my mom wants me to study English. How can I improve my English?

Hojun: (2) ______________________ lots of English books.
(읽는 것을 잊지 마.)

Minho: That sounds like a great idea. (3) ______________________
(그것을 명심할게.)

> 유의점
> - '-thing'으로 끝나는 대명사를 형용사와 to부정사가 수식할 때의 어순에 유의한다.
> - 당부하는 표현을 파악한다.
> - 조언에 대해 응답하는 표현을 파악한다.

중 **2** **그림을 보고 물놀이를 할 때 주의해야 할 사항을 생각해 본 후, 친구에게 당부하는 말을 〈보기〉와 같이 쓰시오.**

> 유의점
> - 그림의 내용에 알맞은 당부의 표현을 생각한다.

보기	Make sure you do warm-up exercises.

(1) ______________________

(2) ______________________

상 **3** **다음 문장에 알맞은 대답을 〈보기〉를 참고하여 완전한 문장으로 쓰시오.**

> 유의점
> - 알맞은 답을 생각해 본 후, 경험을 표현하는 시제를 써서 답해야 함에 유의한다.

보기	Name a food you've never tried before. ➲ I've never tried an avocado sandwich.

(1) Name a city you've never visited.
➲ ______________________

(2) Name a sport you've never played.
➲ ______________________

(3) Name a computer game you've never played.
➲ ______________________

실전

내신 평가 대비

중간고사

Lesson 1, Lesson 2

기말고사

Lesson 3, Lesson 4

듣기평가

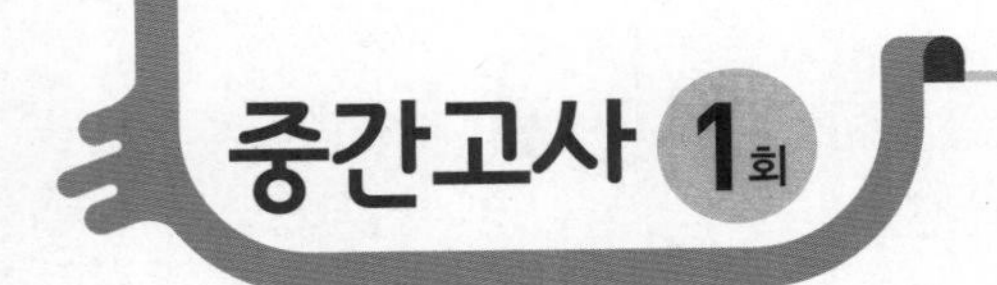

01 다음 단어의 관계가 나머지 넷과 다른 하나는?

① live – life ② save – safe
③ handle – handle ④ injure – injury
⑤ decide – decision

02 다음 빈칸에 알맞은 것은?

> Before natural disasters strike, we have to ________ for them.

① bite ② hold ③ miss
④ avoid ⑤ prepare

자주 출제

03 다음 영영풀이에 알맞은 단어는?

> to say or write something that is not true

① lie ② hurt ③ forget
④ survive ⑤ protect

04 다음 빈칸에 공통으로 알맞은 단어를 쓰시오.

> • You should take a ________.
> • I want to ________ my bad habits.

★중요

05 다음 문장과 바꿔 쓸 수 있는 것은?

> I'm planning to watch a movie.

① I should watch a movie.
② I want to watch a movie.
③ I already watched a movie.
④ How about watching a movie?
⑤ I'm thinking of watching a movie.

06 다음 대화의 빈칸에 알맞지 않은 것은?

> A: I'm worried about my math grade. How can I improve it?
> B: ____________________

① You should solve many problems.
② Why do you solve many problems?
③ How about solving many problems?
④ Why don't you solve many problems?
⑤ Solving many problems will help you a lot.

07 다음 대화 중 자연스럽지 않은 것은?

① A: It will rain tomorrow.
B: You should bring your umbrella.
② A: I'm worried about my bad cold.
B: How about taking some rest?
③ A: What's your plan for summer vacation?
B: I'm thinking of learning Chinese.
④ A: You know what? I won the game!
B: Oh, really? That's nice!
⑤ A: I'm thinking of cooking pancake. How about you?
B: I'm sorry to hear that.

[08-09] 다음 대화를 읽고, 물음에 답하시오.

> Emily: You know what? I'm thinking of ___ⓐ___ a painting class.
> Junsu: Really? Why did you decide ___ⓑ___ a painting class?
> Emily: Because I want to go to an art high school.
> Junsu: Are you thinking of becoming an artist in the future?
> Emily: I hope so. I'm interested in painting.

08 위 대화의 빈칸 ⓐ와 ⓑ에 들어갈 take의 올바른 형태를 각각 쓰시오.

ⓐ ____________ ⓑ ____________

09 위 대화의 내용과 일치하는 것은?

① Emily took a painting class.
② Emily is a high school student.
③ Junsu is interested in painting class.
④ Emily is into painting.
⑤ Junsu hopes to become an artist.

자주 출제

10 다음 빈칸에 알맞은 말을 쓰시오.

> I have two sisters. __________ is named Jane, and __________ is named Wendy.

11 다음 문장의 빈칸 ⓐ와 ⓑ에 알맞은 것끼리 바르게 짝지어진 것은?

> If it ____ⓐ____ sunny tomorrow, I ____ⓑ____ to the beach with my friends.

① is – go　　② is – goes
③ is – will go　　④ will be – go
⑤ will be – will go

자주 출제

12 다음 빈칸에 공통으로 알맞은 것은?

> • She gave me a bag _____ was brown.
> • I saw a man _____ walked his dog.

① that　　② who　　③ which
④ whom　　⑤ what

★중요

13 다음 중 어법상 올바른 문장은?

① I like people who is honest.
② He is reading a book who is very long.
③ The teacher told me what to doing next.
④ Could you tell me how make a sandwich?
⑤ I have a friend who likes to play the violin.

14 괄호 안에 주어진 단어를 이용하여 다음 밑줄 친 ⓐ와 ⓑ의 우리말과 일치하도록 알맞은 말을 쓰시오.

> Please tell me ⓐ 무엇을 해야 할지 and ⓑ 안전할 수 있는 방법 when I meet snakes.
> (do, what, how, be, to, to, safe)

ⓐ ______________　ⓑ ______________

[15-17] 다음 글을 읽고, 물음에 답하시오.

> Dear Eric,
> It's a beautiful spring in Seoul. The last winter vacation was a great time for me. ① I made two personal changes during the vacation. One is my new hobby. It's making cupcakes. ② Do you know how to make a pancake? Making my own cupcakes is a lot of fun. ⓐ The other change is breaking one of my bad habits. ③ In the past, I often bit my nails. Now I don't anymore. ④ I feel great about those changes. ⑤ If you try to make some changes, I'm sure you'll feel great like me. I hope to hear from you soon.
> Your friend, Junho

15 윗글의 목적으로 알맞은 것은?

① 서울의 날씨를 알려 주려고
② 자신의 습관을 설명해 주려고
③ 자신의 겨울 방학 소식을 전하려고
④ 컵케이크 만드는 법을 알려 주려고
⑤ 좋은 습관의 중요성을 알려 주려고

16 윗글의 ①~⑤ 중 전체 흐름과 관계 없는 문장은?

①　②　③　④　⑤

★중요

17 윗글의 밑줄 친 문장 ⓐ에서 생략할 수 있는 것은?

① The other　② change　③ is
④ breaking　⑤ my bad habits

[18-20] 다음 글을 읽고, 물음에 답하시오.

Dear Junho,

In Sydney, it's fall in March. You talked about your changes in your email. Now, it's time ① to talk about my new ____ⓐ____. These days, I'm into 3D printing. I printed two things with a 3D printer. One is a model of my dream car. If the traffic ② will be heavy, it will change into a flying car. ③ The other change is a special cup for my grandfather. He can't hold his cup well ④ because he's sick. My special cup has three handles, so it is easy to hold. My grandfather is very happy. By the way, I want ⑤ to try your cupcakes some day, Junho. Take care.

Best wishes, Eric

18 윗글의 밑줄 친 ①~⑤ 중 어법상 어색한 것은?

① ② ③ ④ ⑤

고난도

19 윗글의 빈칸 ⓐ에 알맞은 것은?

① cars ② cups ③ emails
④ changes ⑤ weather

[20-22] 다음 글을 읽고, 물음에 답하시오.

Here are some safety tips that can be helpful in an earthquake. Let's check them one by one and learn what to do.

Don't run outside when things are shaking. Find a table or a desk and ____ⓐ____ cover under it. You can hold on to the legs to protect yourself. Also, stay away from windows. They can break during an earthquake and hurt you.

You can go outside when the shaking stops. To get out of buildings, don't use the elevator. ____ⓑ____ the stairs. It's much safer. Once you are outside, (A) 건물들로부터 멀리 떨어져 있는 빈 공간을 찾으세요.

20 윗글의 제목으로 알맞은 것은?

① Dangers of Earthquakes
② Safety Tips in An Earthquake
③ The Kinds of Natural Disasters
④ Cause and Effect of Earthquakes
⑤ How Natural Disasters Destroy Our Lives

21 윗글의 빈칸 ⓐ와 ⓑ에 공통으로 알맞은 단어를 쓰시오. (대소문자 구분 없음)

○ ________________

22 윗글의 밑줄 친 (A)의 우리말과 일치하도록 주어진 표현과 주격 관계대명사를 사용하여 명령문을 쓰시오.

○ ________________

(find, an empty space, be far from)

23 주어진 문장 다음에 이어질 글의 순서로 알맞은 것은?

There may be people who want to hold on to a pole or a tree, but think again.

(A) They can be scary experiences for everyone. So learn how to be safe in an earthquake.
(B) That's a bad idea because it can fall on you. Earthquakes can strike anytime.
(C) You can avoid injuries and protect yourself.

① (A) – (C) – (B) ② (B) – (A) – (C)
③ (B) – (C) – (A) ④ (C) – (A) – (B)
⑤ (C) – (B) – (A)

[24-25] 다음 글을 읽고, 물음에 답하시오.

Wang Youqiong, a 60-year-old woman, ________ the earthquake that hit China in 2008. People found her about 8 days after the earthquake strikes. She drank rain water and tried very hard to survive.

Darlene Etienne, a 16-year-old girl, ________ the earthquake that hit Haiti in 2010. People found her 15 days after the earthquake strikes. They think that she possibly ________ by drinking bath water.

자주 출제

24 윗글의 빈칸에 공통으로 알맞은 단어를 쓰시오.

○ ____________________

25 윗글에서 언급되지 <u>않은</u> 것은?

① when an earthquake struck in China
② how Wang survived an earthquake
③ how old Darlene was in 2010
④ how many days after an earthquake was Darlen found
⑤ how Darlene could take bath in an earthquake

서답형 1

26 주어진 표현을 활용하여 질문에 알맞은 답을 완성하시오.

Q: What's your plan for this weekend?
A: I'm ______________________________.
(plan, read books)

27 다음 대화의 우리말 뜻과 일치하는 문장을 쓰시오.

A: I'm worried about my bad cold.
B: <u>너는 휴식을 좀 취해야 해.</u>
○ ______________________________

28 다음 그림을 보고 방 안에 있는 것을 묘사하는 글을 완성하시오.

There are two dogs. One is big, and the other is small. (1) ______________________________
____
(2) ______________________________
____

서술형 2 고난도

29 〈보기〉와 같이 다른 나라에 간다면 할 일에 대한 문장을 완성하시오.

보기
If I go to Australia, I will see koalas.

____
____

30 자신이 가장 친한 친구를 설명하는 문장을 주격 관계대명사를 사용하여 완성하시오.

○ My best friend is a person ____________
______________________________.

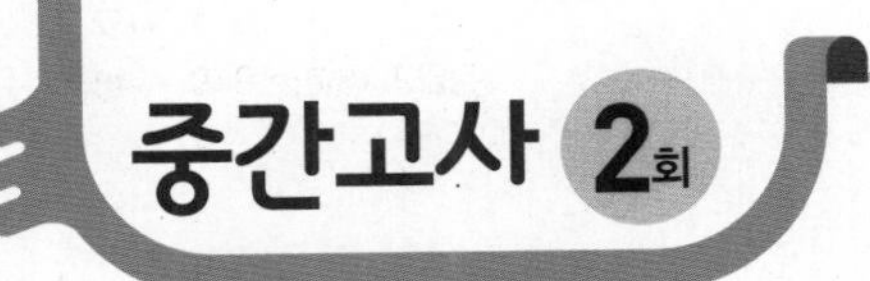

01 다음 영영풀이에 해당하는 단어는?

> to make a choice about something

① wish ② shake ③ change
④ decide ⑤ survive

02 다음 빈칸에 알맞은 단어끼리 바르게 짝지어진 것은?

> • I didn't hear ________ Jane last year.
> • These days, I'm ________ K-pop.

① to – to ② to – into ③ from – to
④ from – in ⑤ from – into

고난도
03 다음 빈칸에 공통으로 알맞은 것은?

> • I can ________ this problem.
> • He held a door ________.

① bite ② wipe ③ change
④ strike ⑤ handle

04 우리말과 일치하도록 빈칸에 알맞은 단어를 쓰시오.

> • 나는 더 이상 긴장되지 않는다.
> ○ I am not nervous ______________.

05 다음 대화의 밑줄 친 부분과 바꿔 쓸 수 있는 것은?

> A: I'm worried about my toothache.
> B: <u>You should go to the dentist.</u>

① How can I go to the dentist?
② Going to the dentist is difficult.
③ How about going to the dentist?
④ I am afraid of going to the dentist.
⑤ I'm thinking of going to the dentist.

06 다음 대화를 순서대로 바르게 배열하시오.

> □ Really? Jenny didn't tell me about it.
> □ I can understand her feelings. I am going to miss her so much.
> □ You know what? Jenny's family is going to move to Japan.
> □ She learned about it just last week and she's very upset now.

07 다음 대화에서 밑줄 친 부분의 의도로 알맞은 것은?

> A: Kevin feels bad these days. <u>I'm worried about him.</u>
> B: Really? What's wrong with him?

① 조언하기 ② 충고하기 ③ 당부하기
④ 주의 끌기 ⑤ 걱정 표현하기

[08-09] 다음 대화를 읽고, 물음에 답하시오.

> A: You know what, Mina? There was a big fire at the city library yesterday.
> B: Yes, I heard about it. I was worried about the people there.
> A: Don't worry. Everybody was okay. They all followed the safety rules.
> B: Really? What are the rules?
> A: You need to cover your nose and mouth with a wet towel. Then stay low and escape.
> B: Oh, I didn't know that.
> A: ______________________________ It might be helpful some day.

08 위 대화를 읽고 다음 질문에 대한 답을 완성하시오.

> Q: Who was Mina worried about?
> A: She ______________________.

09 위 대화의 빈칸에 알맞은 것은?

① I'm interested in safety rules.
② You should keep that in mind.
③ It's hard to learn the safety rules.
④ You should keep the rules in secret.
⑤ You should remember the accident.

고난도

10 다음 밑줄 친 that의 쓰임이 나머지 넷과 다른 하나는?

① I got an email that was from Sam.
② I know that he likes playing soccer.
③ Look at the photo that is on page 4.
④ I read a book that was about earthquakes.
⑤ Jim is my friend that is interested in music.

11 다음 빈칸에 알맞은 것은?

I know ________ to solve this question.

① how ② that ③ whom
④ which ⑤ what

12 다음 (A), (B), (C)의 각 네모 안에서 어법상 올바른 것을 골라 ○표 하시오.

Hi. I want to see you tomorrow in front of our school. But if I (A) [can't / won't] meet you there, I (B) [visit / will visit] your house. Call me back if you (C) [read / will read] this message.

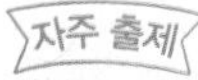

13 다음 빈칸에 알맞은 말을 쓰시오.

Mina has three dogs. ________ has brown fur, ________ has curly fur, and ________ has white fur.

14 다음 중 어법상 올바른 것은?

① I don't know what to do in a storm.
② Do you know how make hamburgers?
③ If you will leave now, you won't be late.
④ The girl who are standing in line is my sister.
⑤ The teacher will show us how playing the game.

[15-17] 다음 글을 읽고, 물음에 답하시오.

Dear Junho,
In Sydney, it's fall in March. You talked about your changes in your email. Now, it's time ① to talking about my new changes. These days, I'm into 3D printing. I printed two things with a 3D printer. ____ⓐ____ is a model of my dream car. If the traffic ② will be heavy, it ③ will change into a flying car. ____ⓑ____ is a special cup for my grandfather. He can't hold his cup well because he's sick. My special cup has three handles, so it is ④ easily to hold. My grandfather is very happy. By the way, I want ⑤ to trying your cupcakes some day, Junho. Take care.
Best wishes, Eric

15 윗글의 밑줄 친 ①~⑤ 중 어법상 올바른 것은?

① ② ③ ④ ⑤

16 윗글의 빈칸 ⓐ와 ⓑ에 들어갈 말을 각각 쓰시오.

ⓐ ____________ ⓑ ____________

17 윗글의 내용과 일치하지 않는 것은?

① Junho sent an email to Eric.
② Eric is interested in 3D printing.
③ Eric made two things with a 3D printer.
④ Eric made a cup for his grandfather.
⑤ Junho will make cupcakes for Eric.

18 다음 글의 밑줄 친 우리말과 일치하도록 명령문을 쓰시오.

> Do you know what to do when an earthquake strikes? Take this quiz and <u>어떻게 해야 안전할 수 있는지에 대해 생각해 보세요</u> during this kind of natural disasters.

○ ______________________________

[19-20] 다음 글을 읽고, 물음에 답하시오.

> Can you survive an earthquake safely? Here are some safety tips ___ⓐ___ can be helpful in an earthquake. Let's check them one by one and learn ___ⓑ___ to do.

자주 출제

19 윗글의 빈칸 ⓐ와 ⓑ에 알맞은 단어를 각각 쓰시오.

ⓐ ______________ ⓑ ______________

20 윗글의 뒤에 이어질 내용으로 알맞은 것은?

① 지진의 종류
② 지진 감지법
③ 지진 대처 방법
④ 지진의 위험성
⑤ 지진의 발생 원인

[21-22] 다음 글을 읽고, 물음에 답하시오.

> There are many situations which can be dangerous. Here are some tips. Let's learn what to do and be safe! A wet floor can be dangerous. People might slip and fall. So you should ________ the water on the floor.

21 윗글의 빈칸에 알맞은 것은?

① cover up
② make up
③ jump up
④ wipe up
⑤ come up

22 윗글의 주제로 알맞은 것은?

① Dangerous situations
② Safety tips for tornado
③ A Safety tip for a wet floor
④ The kinds of natural disasters
⑤ What to do in dangerous situations

[23-25] 다음 글을 읽고, 물음에 답하시오.

> Don't run outside when things are shaking. Find a table or a desk and take cover under it. (①) You can hold on to the legs to protect yourself. (②) Also, stay away from windows. (③) You can go outside when the shaking stops. (④) To get out of buildings, don't use the elevator. (⑤) Take the stairs. It's much safer. Once you are outside, find an empty space ___ⓐ___ is far from buildings. There may be people ___ⓑ___ want to hold on to a pole or a tree but think again. That's a bad idea because it can fall on you.

23 윗글의 ①~⑤ 중 주어진 문장이 들어갈 위치로 적절한 곳은?

> They can break during an earthquake and hurt you.

① ② ③ ④ ⑤

★중요

24 윗글의 빈칸 ⓐ와 ⓑ에 공통으로 알맞은 것은?

① who
② that
③ whom
④ which
⑤ what

25 윗글을 읽고 다음 질문에 대한 답을 완성하시오.

Q: According to the passage, why is holding on to a tree or a pole in an earthquake a bad idea?
A: It is a bad idea because ______________
______________________________.

26 다음 Lisa의 스케줄을 보고 질문에 대한 답을 완성하시오.

Q: What is Lisa's plan for this Monday?
A: She is thinking of playing tennis.
(1) Q: What is Lisa's plan for this Tuesday?
A: ______________________________
(2) Q: What is Lisa's plan for this Thursday?
A: ______________________________
(3) Q: What is Lisa's plan for this Friday?
A: ______________________________

27 다음 두 문장을 관계대명사를 사용하여 한 문장으로 연결하시오.

(1) I lost my bag. It is yellow and green.
➔ ______________________________
(2) Jimmy helped an old lady. She was carrying a heavy bag.
➔ ______________________________

28 다음 상황에서 Tom에게 할 수 있는 조언을 완성하시오.

Tom has a terrible toothache recently. He eats too much chocolate and he doesn't brush his teeth before going to bed.

Tom, you should ______________________
Also, you ______________________________.

서술형 1

29 다음 그림을 보고 사람들의 행동을 묘사하는 문장을 완성하시오.

Two people are sitting on the bench in the park. One is ______________________
and ______________________________.

서술형 2 고난도

30 다음 상황에서 자신이 할 행동에 대한 문장을 완성하시오.

(1) If I meet a cute cat on the street, _____
______________________________.
(2) If I have some free time on this Sunday,
______________________________.

기말고사 1회

01 다음 짝지어진 두 단어의 관계가 〈보기〉와 같도록 빈칸에 알맞은 단어를 쓰시오.

보기
itch : itchy

sweat : ________

02 다음 문장의 밑줄 친 단어와 바꿔 쓸 수 있는 것은?

Suddenly, he got an idea.

① put up ② gave up ③ gave out
④ came in ⑤ came up with

03 다음 빈칸에 알맞은 말끼리 바르게 짝지어진 것은?

• Make sure you arrive at class _____ time.
• I suffer _____ an ear problem.

① to – for ② to – from ③ out – for
④ on – from ⑤ of – from

04 다음 빈칸에 알맞은 것은?

If you _______ someone, you will think that they are honest.

① hear ② trust ③ sense
④ prevent ⑤ scratch

05 다음 대화 중 자연스럽지 않은 것은?

① A: Let me give you a helping hand.
B: Thank you for saying so.
② A: I lost my cell phone yesterday.
B: That's too bad.
③ A: I really enjoyed the cake you made.
B: I'm glad you liked it.
④ A: Make sure you clean up your room.
B: I'm happy to hear that.
⑤ A: Don't forget to review today's lesson.
B: Okay, I'll keep that in mind.

06 다음 빈칸에 공통으로 알맞은 단어를 쓰시오.

When you say "That's a pity." to someone, you feel __________ for the person's situation. You can also say "I'm __________ to hear that."

07 다음 문장과 바꿔 쓸 수 있는 것은?

I will help you.

① I helped you before.
② Could you help me?
③ Let me give you a hand.
④ Do you want to help me?
⑤ Thank you for helping me.

[08-09] 다음 대화를 읽고, 물음에 답하시오.

A: I bought this flowers for you.
B: Thank you! I really like them.
A: ⓐ 네가 좋아하니 나도 기뻐.
B: How should I keep them?
A: ____ⓑ____ forget to change the water every week.

08 위 대화의 밑줄 친 ⓐ의 우리말과 일치하도록 괄호 안에 주어진 단어를 활용하여 영작하시오.

➡ ______________________ (glad, like)

09 위 대화의 빈칸 ⓑ에 알맞은 것은?

① Don't ② Please ③ You can
④ I want to ⑤ Be sure to

자주 출제

10 다음 빈칸에 공통으로 알맞은 단어를 쓰시오.

• She's a teacher ________ I like.
• This is the photo ________ I took.

11 다음 대화의 빈칸 ⓐ와 ⓑ에 알맞은 말끼리 바르게 짝지어진 것은?

> A: You ___ⓐ___ on your project for a whole month. Have you finished your work?
> B: No, not yet. I'm sorry.
> A: What? I thought you ___ⓑ___ it last night.

① worked – finished
② worked – have finished
③ have worked – finish
④ have worked – finished
⑤ have worked – have finished

자주 출제

12 다음 빈칸에 공통으로 알맞은 것은?

> • Don't ask me ______ do this. I'm not good at it.
> • I want something special ______ eat.

① of ② to ③ for ④ with ⑤ about

13 다음 문장의 밑줄 친 부분을 생략할 수 있는 것은?

① I have tried to talk to him <u>for</u> a week.
② Please give me something cold <u>to</u> drink.
③ Italy is the country <u>which</u> I want to visit.
④ Is there anything else you want me <u>to</u> do?
⑤ Guests <u>who</u> stay at this hotel can get a discount.

14 다음 대화를 읽고, 주어진 문장의 빈칸에 알맞은 말을 쓰시오.

> Mom: Come back home by 5:00.
> Sam: Okay, I'll keep that in mind.

➲ Sam's mom wants him ______________.

15 주어진 문장 다음 뒤에 이어질 글의 순서를 쓰시오.

> New York had many pay phones on its streets.

(A) He also put up a sign that said, "Call Someone You Love." Soon, many people were using the phone.
(B) One day, a man came up with an idea. He stuck coins to one of the phones.
(C) However, nobody really used them.

(   ) – (   ) – (   )

16 다음 글의 밑줄 친 ①~⑤ 중 어법상 <u>어색한</u> 것은?

> When they were ① <u>talking</u> to someone ② <u>which</u> they loved, they didn't stop ③ <u>smiling</u>. His idea became a big ④ <u>success</u>. During the day, all the coins disappeared. The man was very happy ⑤ <u>because</u> his small idea gave happiness to many people.

17 다음 글의 밑줄 친 ①~⑤ 중 흐름상 <u>어색한</u> 것은?

> A few years ago, the maps at bus stops in Seoul were very ① <u>confusing</u>. They didn't have enough information. People had to ask others to ② <u>explain</u> the maps. "Where is this bus stop on the map? Does this bus go to Gwanghwamun?" Many people often took the ③ <u>right</u> bus and ④ <u>wasted</u> their time. One day, a young man decided to ⑤ <u>solve</u> this problem.

[18-19] 다음 글을 읽고, 물음에 답하시오.

It was hot summer evening. Seojun ① went for a walk in the park. Soon, he ② was sweating.

Seojun I'm ③ thirsty. I want something cold to drink.

④ At that moment, something ⑤ tiny flew at him and bit his arm.

Mrs. Mosquito Hey, catch me if you can.

Seojun Who are you? What have you done to me?

18 윗글의 밑줄 친 ①~⑤ 중 뜻을 잘못 풀이한 것은?

① 산책하러 갔다 ② 땀을 흘리고 있었다
③ 목이 마른 ④ 그 전에
⑤ 아주 작은

19 윗글의 내용과 일치하지 않는 것은?

① 여름 저녁이었다.
② 서준이는 공원을 산책하고 있었다.
③ 모기는 마실 시원한 것을 원했다.
④ 모기가 서준이의 팔을 물었다.
⑤ 서준이는 모기에게 질문을 했다.

[20-21] 다음 글을 읽고, 물음에 답하시오.

Mrs. Mosquito Mosquitoes can sense heat and smell very well. That's why we ⓐ survive for millions of years.

Seojun Do all mosquitoes drink blood like you?

Mrs. Mosquito No. Only female mosquitoes like me ⓑ drink blood. Male mosquitoes only feed on fruit and plant juice.

Seojun That's interesting. So why do you drink blood?

Mrs. Mosquito I need the protein in blood to lay my eggs.

Seojun How do you drink blood?

★중요

20 윗글의 밑줄 친 ⓐ, ⓑ의 알맞은 형태끼리 바르게 짝지어진 것은?

① survived – drink
② survived – drinks
③ have survived – drink
④ have survived – drinks
⑤ have survived – drank

고난도

21 윗글의 뒤에 이어질 내용으로 알맞은 것은?

① 모기가 피를 마시는 이유
② 모기가 피를 마시는 시기
③ 모기가 피를 마시는 방법
④ 피를 마시는 모기의 종류
⑤ 모기가 마시는 피의 총 양

22 괄호 안에 주어진 단어를 재배열하여 다음 대화의 빈칸에 알맞은 문장을 쓰시오.

Seojun After you bit me, I got a bump.
Mrs. Mosquito I'm sorry to hear that. ____
____
(scratch, sure, it, you, make, don't)

23 다음 글에서 전체 흐름과 관계 없는 문장은?

My name is Junsu and I'm in the second grade. ① I want to help my mentee with his math exam. ② I can meet my mentee after school. ③ I'll ask my mentee to do his homework. ④ I think a good mentor can be a good friend. ⑤ I can be a good mentee. So I want to become a good friend whom my mentee like.

24 다음 글의 밑줄 친 this idea의 내용이 무엇인지 우리말로 쓰시오.

> In South Africa, there are bars of soap that have toys inside of it. Children in South Africa wash their hands more often to get the toys. Washing your hands can prevent many health problems. Thanks to this idea, fewer children are getting sick.

____

25 다음 글의 빈칸에 공통으로 알맞은 것은?

> Have you ever suffered from ______?
> Here are some useful tips to prevent ______ in summer.
> 1. Eat fresh or boiled food.
> 2. Wash your hands before you eat something.

① headaches ② toothaches
③ mosquito bites ④ eye problems
⑤ food poisoning

서답형 1

26 다음 대화의 빈칸에 알맞은 말을 sorry를 사용하여 쓰시오.

> A: I think I lost my smartphone.
> B: Oh, ______________________.

서답형 2

27 우리말과 일치하도록 괄호 안에 주어진 단어를 활용하여 문장을 쓰시오.

> 우리는 우리 모둠을 이끌 똑똑한 누군가가 필요해.
> (lead, smart, someone)

➲ ______________________________

서답형 3 고난도

28 다음 글을 읽고, 밑줄 친 우리말과 일치하도록 문장을 완성하시오.

> Jenny and Andy are members of a team for an English project at school. They have had a problem for a week. Andy wanted to solve this problem so he asked Jenny, "Could you attend a meeting?"

➲ In order to solve the problem ______ 그들이 일주일 동안 가져왔던 ______, Andy asked Jenny ______ 회의에 참석할 것을 ______.

서술형 1

29 다음 그림의 상황에서 할 수 있는 조언을 완성하시오.

➲ Make ______________________.

서술형 2 고난도

30 다음 주어진 문장에 자신의 정보를 넣고, 그 내용과 일치하도록 영작하시오.

(1) 나는 ______와 ___년 동안 서로를 알아 왔다.
➲ ______________________________
(2) 나는 항상 ____________(하기)를 원해 왔다.
➲ ______________________________
(3) 나는 ____________에 가 본 적이 있다.
➲ ______________________________

기말고사 2회

01 다음 짝지어진 두 단어의 관계가 <보기>와 같도록 빈칸에 알맞은 말을 쓰시오.

보기
itch : itchiness

succeed : ____________

02 다음의 영영풀이에 공통으로 알맞은 것은?

• to clean or dry by using a towel
• a small, wet cloth that is used for cleaning

① wipe ② sense ③ sweat
④ scratch ⑤ return

03 다음 문장이 같은 뜻이 되도록 빈칸에 주어진 철자로 시작하는 단어를 쓰시오.

• He tried very hard to win the game.
= He made an e__________ to win the game.

04 다음 빈칸에 알맞은 것은?

Seatbelts in cars can ________ serious injuries.

① lay ② trust ③ suffer
④ prevent ⑤ disappear

자주 출제

05 다음 중 문장의 의도가 나머지와 다른 것은?

① You should keep your word.
② Make sure to keep your word.
③ Don't forget to keep your word.
④ Just remember to keep your word.
⑤ Sorry to hear that you keep your word.

자주 출제

06 다음 대화의 빈칸에 알맞은 것은?

A: Happy mother's day! This is for you.
B: Thank you! How wonderful!
A: ______________________________

① Okay, I'll do that.
② Oh, god. I feel bad.
③ I'm glad you like it.
④ I can't give it to you.
⑤ Let me give you a hand.

[07-08] 다음 대화를 읽고, 물음에 답하시오.

A: Tim, do you want to go shopping with me?
B: ① Sorry, Sally. I'm going to play baseball with Alex this afternoon.
A: ② No problem. ③ Don't forget to wear a hat. ④ It's going to be very hot.
B: ⑤ Let me help you.

07 위 대화의 밑줄 친 ①~⑤ 중 흐름상 어색한 것은?

① ② ③ ④ ⑤

08 다음 문장이 위 대화의 내용과 일치하도록 빈칸에 알맞은 말을 쓰시오.

Sally advised Tim to ______________ because of hot weather.

09 다음 대화의 빈칸에 알맞지 않은 것은?

A: I don't feel good today.
B: ______________________________

① That's a pity.
② That's too bad.
③ Oh no, what's wrong?
④ What's the good news?
⑤ I'm sorry to hear that.

10 다음 괄호 안에 주어진 단어를 바르게 배열하여 문장을 완성하시오.

> When the weather is hot and I feel thirsty, ______________________.
> (want, cold, something, I, drink, to)

★중요

11 다음 문장에서 밑줄 친 부분을 바르게 고쳐 쓰시오.

> My teacher asked I clean my desk.

➲ ______________________

12 다음 중 어법상 바르게 쓰인 것끼리 짝지어진 것은?

> ⓐ I'm using my ecobag which I made.
> ⓑ He asked me to keep his secret.
> ⓒ She never says something to hear bad.

① ⓐ ② ⓑ ③ ⓒ ④ ⓐ, ⓑ ⑤ ⓐ, ⓒ

13 다음 두 문장을 한 문장으로 바꿔 쓸 때 빈칸 ⓐ와 ⓑ에 알맞은 말끼리 바르게 짝지어진 것은?

> Ian started reading a book an hour ago.
> He still reads it.
> ➲ Ian ___ⓐ___ reading a book ___ⓑ___.

① finished – now
② has finish – yet
③ has finished – now
④ hasn't finished – yet
⑤ hasn't finished – now

14 다음 문장의 밑줄 친 부분과 바꿔 쓸 수 있는 것은?

> The clerk told us that we shouldn't use paper cups inside the cafe.

① asked us to use
② wanted us to use
③ advised us to use
④ told us not to use
⑤ allowed us not to use

[15-17] 다음 글을 읽고, 물음에 답하시오.

> Here is a story ___ⓐ___ I read yesterday Do you want to hear about it?
> New York had many pay phones on its streets. However, nobody really used them. One day, a man came up with an idea. He stuck coins ___ⓑ___ one of the phones. He also put up a sign that said, "Call Someone You Love." Soon, many people were using the phone. When they were talking ___ⓒ___ someone whom they loved, they didn't stop smiling. His idea became a big success. During the day, all the coins disappeared. The man was very happy because his small idea gave happiness ___ⓓ___ many people.

자주 출제

15 윗글의 빈칸 ⓐ에 알맞은 것은? (2개)

① who ② that ③ what
④ whom ⑤ which

16 윗글의 빈칸 ⓑ~ⓓ에 공통으로 알맞은 것은?

① in ② to ③ of ④ for ⑤ with

17 다음은 윗글의 내용을 한 문장으로 요약한 것이다. 빈칸 ⓐ와 ⓑ에 알맞은 것끼리 바르게 짝지어진 것은?

> Thanks to a man's idea, people ___ⓐ___ someone they loved with pay phones and became ___ⓑ___.

① felt – angry
② thought – sad
③ helped – glad
④ learned – excited
⑤ called – happy

[18-20] 다음 글을 읽고, 물음에 답하시오.

A few years ago, the maps at bus stops in Seoul were very confusing. ⓐ They didn't have enough information. People had to ask others (A) [explain / to explain] the maps. "Where is this bus stop on the map? Does this bus go to Gwanghwamun?" Many people often took the wrong bus and wasted ⓑ their time. One day, a young man decided (B) [solve / to solve] this problem. He bought lots of red arrow stickers. Every day he rode his bicycle around the city and stuck the stickers on the bus maps. Nobody asked (C) [he / him] to do this. Thanks to his effort, people could understand the maps easily and save time.

18 윗글의 밑줄 친 ⓐThey와 ⓑtheir가 가리키는 것을 본문에서 각각 찾아 쓰시오.

ⓐ ________________ ⓑ ________________

19 윗글의 (A), (B), (C)의 각 네모 안에서 어법상 올바른 것끼리 바르게 짝지어진 것은?

① explain – solve – he
② explain – to solve – him
③ to explain – solve – he
④ to explain – to solve – him
⑤ to explain – to solve – he

고난도

20 다음 글을 읽고, 빈칸에 알맞은 말을 영어로 쓰시오.

Seojun Where are you from?
Mrs. Mosquito I'm from a nearby river.
Seojun How could you smell me from the river?
Mrs. Mosquito Mosquitoes can sense heat and smell very well. That's why we have survived for millions of years.
Seojun Do all mosquitoes drink blood like you?
Mrs. Mosquito No. Only female mosquitoes like me drink blood. Male mosquitoes only feed on fruit and plant juice.

(1) 모기가 사는 곳: ________________
(2) 모기가 잘하는 것: ________________
(3) 암컷 모기가 먹는 것: ________________

21 다음 중 주어진 문장이 들어갈 위치로 알맞은 곳은?

No, I don't have teeth.

Seojun Why do you drink blood?
Mrs. Mosquito (①) I need the protein in blood to lay my eggs.
Seojun (②) How do you drink blood? (③) Do you have sharp teeth?
Mrs. Mosquito (④) But I have a long and pointed mouth. (⑤) So I can drink your blood easily.

① ② ③ ④ ⑤

[22-23] 다음 글을 읽고, 물음에 답하시오.

Seojun After you bit me, I got a bump. It itches.
Mrs. Mosquito I'm sorry to hear that. Clean it with alcohol wipes.
Seojun Alcohol wipes? I've never tried ⓐ that before.
Mrs. Mosquito It will reduce the itchiness.
Seojun Okay, I'll try that at home. Thanks.
Mrs. Mosquito I have to go. See you soon.
Seojun Wait! ① A lot of people have suffered from your bites. ② How can we prevent them?

Mrs. Mosquito ③ Stay cool and wear long sleeves. ④ Make sure you don't scratch them.
Seojun Thanks. ⑤ I'll keep your advice in mind.

22 윗글의 밑줄 친 ⓐ that이 의미하는 것을 우리말로 쓰시오.

➡ ____________________

23 윗글의 ①~⑤ 중 전체 흐름과 관계 없는 문장은?

① ② ③ ④ ⑤

24 다음 글의 종류로 알맞은 것은?

Have you ever suffered from sunburn? Here are some useful tips to prevent sunburn in summer.
1. Wear sunscreen. 2. Wear a hat.
Be smart and enjoy the hot weather.

① 일기 ② 초청장 ③ 공익 광고
④ 신문 기사 ⑤ 영화 평론

25 다음 글의 빈칸에 공통으로 알맞은 것은?

Tenugui is a thin Japanese hand towel. To ________ down during the hot summer, people wet it with ________ water and wear it around their necks.

① hot ② cool ③ calm ④ slow ⑤ warm

서답형 1

26 다음 대화의 빈칸에 알맞은 말을 glad를 사용하여 쓰시오.

A: I really like your present. Thanks.
B: My pleasure. ____________________

서답형 2 고난도

27 다음 대화를 읽고, 요약문을 완성할 때 빈칸에 알맞은 말을 쓰시오. (관계대명사를 이용할 것)

Tiffany: I bought a new laptop.
Tim: My sister wants to buy it, too.
Tiffany: I see. By the way, who is your homeroom teacher?
Tim: Ms. Britney. I respect her.

(1) Tiffany has a laptop ________________.
(2) Ms. Britney is the teacher ____________.

서답형 3

28 다음 그림을 보고 대화의 빈칸에 알맞은 말을 쓰시오. (want를 사용할 것)

A: I spilled water. I'm sorry.
B: No problem, but I ________________ wipe up the water.

서답형 4

29 다음 대화의 빈칸에 알맞은 의문문을 쓰시오. (anything을 사용할 것)

Kate: It's so hot today. ________________
Jiho: I have coke, but it's not that cold.

서술형 1

30 다음 대화의 밑줄 친 우리말과 일치하도록 괄호 안에 주어진 단어를 이용하여 문장을 완성하시오.

A: How can I get a better grade?
B: <u>꼭 교과서를 복습하도록 해.</u>
(sure, review, textbook)

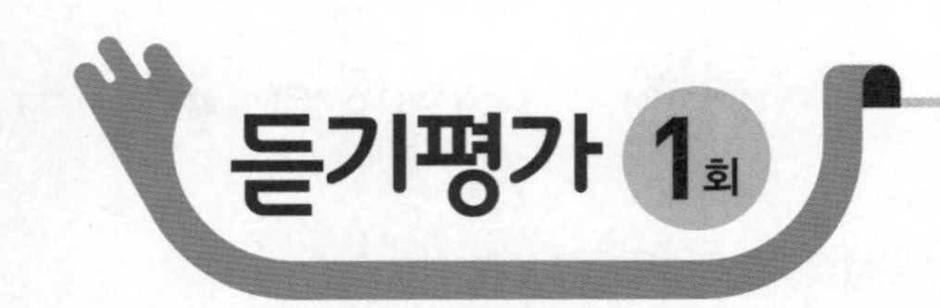

듣기평가 1회

01 대화를 듣고, 남자가 여자에게 챙기라고 한 물건을 고르시오.

02 대화를 듣고, 여자의 문제로 알맞은 것을 고르시오.

① headache ② cold
③ broken arm ④ broken leg
⑤ stomachache

03 대화를 듣고, 여자가 살 가방으로 알맞은 것을 고르시오.

	size	color
①	small	yellow
②	small	brown
③	big	yellow
④	big	brown
⑤	big	black

04 대화를 듣고, 대화의 소재로 알맞은 것을 고르시오.

① 장래 희망 ② 공부 계획
③ 여행 계획 ④ 여름 방학 계획
⑤ 가장 좋아하는 과목

05 대화를 듣고, 남자의 조언으로 알맞은 것을 고르시오.

① 온라인 강의 듣기 ② 친구와 공부하기
③ 수학 문제 많이 풀기 ④ 보충 수업 신청하기
⑤ 수학 선생님께 질문하기

06 대화를 듣고, 남자의 심경으로 알맞은 것을 고르시오.

① happy ② upset ③ hopeful
④ excited ⑤ satisfied

07 대화를 듣고, 남자가 먼저 해야 할 일을 고르시오.

① 숙제하기 ② 방 청소 하기
③ James와 만나기 ④ James의 집에 가기
⑤ 5시까지 집에 돌아오기

08 대화를 듣고, 여자가 집에 가는 길에 구입할 것을 고르시오.

① 채소 ② 치즈 ③ 우유
④ 샌드위치 ⑤ 요리 책

09 대화를 듣고, 여자가 영화를 보러 갈 수 없는 이유를 고르시오.

① 자신의 생일이기 때문에
② 영화를 좋아하지 않기 때문에
③ 영화 시간이 너무 늦기 때문에
④ 친구 생일 파티에 가야 하기 때문에
⑤ 가족과 저녁을 먹어야 하기 때문에

10 대화를 듣고, 여자가 오늘 저녁에 시청할 TV 프로그램의 내용으로 알맞은 것을 고르시오.

① 환경오염의 원인
② 자연을 보호하는 방법
③ 과학 성적을 올리는 방법
④ 자연재해에 대처하는 방법
⑤ 재미있게 과학을 공부하는 방법

11 대화를 듣고, 여자가 찾는 장소를 고르시오.

12 대화를 듣고, 남자가 여자에게 전화를 건 목적을 고르시오.

① 가방을 빌리려고
② 텐트를 빌리려고
③ 캠핑 준비물을 물어 보려고
④ 잠을 푹 자라고 당부하려고
⑤ 침낭을 챙기라고 당부하려고

13 대화를 듣고, 두 사람이 대화하고 있는 장소를 고르시오.

① 집 ② 서점 ③ 버스
④ 학교 ⑤ 안경점

14 대화를 듣고, 여자의 마지막 말의 의도로 알맞은 것을 고르시오.

① 칭찬 ② 위로 ③ 조언 ④ 감사 ⑤ 축하

15 대화를 듣고, 대화에서 언급되지 <u>않은</u> 것을 고르시오.

① 지진이 발생한 때
② 지진을 겪은 사람들의 상태
③ 지진 발생 시 숨을 곳
④ 지진 발생 시 붙잡을 것
⑤ 지진 발생 시 대피 경로

16 대화를 듣고, '해리 포터'가 반납되는 시기로 알맞은 것을 고르시오.

① in two days ② in three days
③ in four days ④ in five days
⑤ in six days

17 대화를 듣고, 여자가 남자에게 제안한 것을 고르시오.

① 축구 유니폼 구입 ② 축구 선수 만나기
③ 축구 동아리 가입 ④ 친구들과 축구하기
⑤ 친구들과 축구 경기 관람

18 대화를 듣고, 대화의 내용과 일치하는 것을 고르시오.

① The woman doesn't have a plan for the vacation.
② The man is going to do the volunteer work at the Korean Culture Center.
③ Foreign people can learn Korean at the Korean Culture Center.
④ The man's mother volunteered at the Korean Culture Center.
⑤ The man will teach Korean at the Korean Culture Center.

[19-20] 다음을 듣고, 남자의 마지막 말에 이어질 여자의 말로 알맞은 것을 고르시오.

19 Woman: ____________________

① Long time no see.
② I am interested in writing.
③ I'm thinking of making a speech.
④ I'd love to, but I joined another club.
⑤ Let me tell you how to make a good club.

20 Woman: ____________________

① Thank you, but I don't skate.
② You are so good at skating, too.
③ I'll do better at the next Olympics.
④ Thank you, I'm so glad you loved my performances.
⑤ You know what? I joined a skating club to learn how to figure skate.

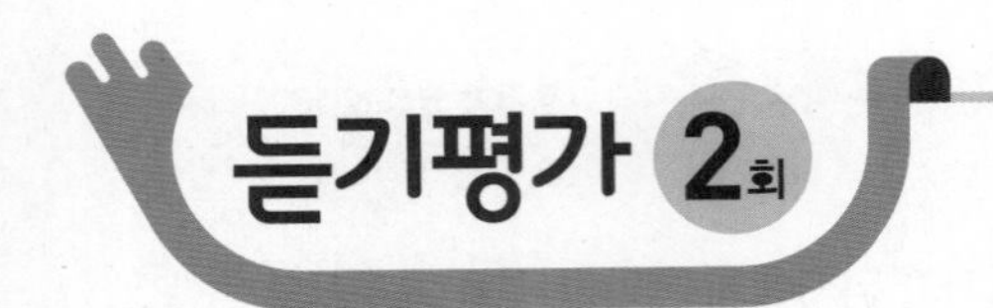

01 다음을 듣고, 이번 주 날씨 정보와 일치하지 않는 것을 고르시오.

Mon	Tue	Wed	Thu	Fri
①	②	③	④	⑤

02 대화를 듣고, 여자의 심경으로 알맞은 것을 고르시오.

① happy ② amazed ③ worried
④ excited ⑤ surprised

03 대화를 듣고, 남자의 조언으로 알맞은 것을 고르시오.

① 책을 많이 읽기
② 친구와 함께 공부하기
③ 선생님께 질문 많이 하기
④ 수업 시간에 필기 열심히 하기
⑤ 성적이 좋은 친구들의 공부법대로 공부하기

04 대화를 듣고, 남자가 토요일에 할 일을 고르시오.

① 공원 산책하기 ② 친구와 소풍 가기
③ 친구와 등산 가기 ④ 다음 주 계획 세우기
⑤ 독서 캠프 참여하기

05 대화를 듣고, 남자가 뒷자리를 싫어하는 이유를 고르시오.

① 짝이 마음에 들지 않는다.
② 칠판이 잘 보이지 않는다.
③ 선생님께 집중할 수 없다.
④ 너무 여러 번 앉아서 지겹다.
⑤ 친한 친구들이 주변 자리에 없다.

06 대화를 듣고, 여자가 구입할 물병을 고르시오.

07 대화를 듣고, 대화의 내용과 일치하는 것을 고르시오.

① 여자는 지난 주말에 있던 노래 대회에 참가했다.
② 여자는 노래를 처음부터 끝까지 잘 불렀다.
③ 남자는 사람들이 모인 후에 가사를 잊어버렸다.
④ 남자는 다음 대회에 또 도전할 것이다.
⑤ 여자는 남자에게 다음 대회에 나가지 말라고 했다.

08 대화를 듣고, 두 사람의 관계로 알맞은 것을 고르시오.

① 손님 – 점원 ② 아들 – 엄마
③ 학생 – 선생님 ④ 독자 – 소설가
⑤ 참가자 – 심사위원

09 대화를 듣고, 대화 후 여자가 할 일을 고르시오.

① 약 먹기 ② 일찍 자기 ③ 병원 가기
④ 휴식 취하기 ⑤ 물 많이 마시기

10 대화를 듣고, 두 사람이 만날 시각을 고르시오.

① 3:50 ② 4:00 ③ 4:10
④ 4:20 ⑤ 4:30

11 다음을 듣고, 여자가 한 말의 목적을 고르시오.

① 음악회 광고 ② 봉사 활동 종류 소개
③ 동아리 가입 유도 ④ 교무실 자리 배치 안내
⑤ 어르신들을 위한 동아리 안내

12 대화를 듣고, 다음 질문에 알맞은 답을 고르시오.

What will the boy do four days later?

① He will watch a movie.
② He will join a movie club.
③ He will meet Jennifer.
④ He will write a movie report.
⑤ He will take a trip with his family.

13 대화를 듣고, 대화에서 알 수 없는 것을 고르시오.

① 남자가 비누를 선물하는 이유
② 남자가 비누를 만든 시기
③ 남자가 비누를 만든 방법
④ 비누의 모양
⑤ 비누의 향

14 대화를 듣고, 남자가 걱정하는 것을 고르시오.

① 학교 성적이 나쁜 것
② 친구들이 무시하는 것
③ 여자를 도울 수 없는 것
④ 많은 친구를 사귀지 못하는 것
⑤ 여자의 관심사를 모르는 것

15 대화를 듣고, 여자가 남자의 제안을 거절한 이유를 고르시오.

① 수영을 싫어해서 ② 병원에 가야 해서
③ 다른 약속이 있어서 ④ 피부가 햇볕에 탈까 봐
⑤ 피부에 문제가 생겨서

16 대화를 듣고, 두 사람이 대화하고 있는 장소를 고르시오.

① a bank ② a library
③ an airport ④ a post office
⑤ a bookstore

17 다음을 듣고, 여자가 설명하고 있는 것을 고르시오.

① flood ② tsunami ③ volcano
④ tornado ⑤ earthquake

18 다음 설명을 듣고, 여자가 친구에게 할 말로 알맞은 것을 고르시오.

① Let me help you.
② Could you help me out?
③ Let's help them together.
④ Thanks to your help, I could do that.
⑤ It'll be better if we can give her a hand.

[19-20] 대화를 듣고, 남자의 마지막 말에 이어질 여자의 말로 알맞은 것을 고르시오.

19 Woman: ______________________

① I enjoy surfing in the sea.
② I'm thinking of going surfing.
③ I did volunteer work for old people.
④ That's too bad. You will be better soon.
⑤ I want to take a rest during the vacation.

20 Woman: ______________________

① The line is busy.
② Sure. I can help you
③ Any other tips for me?
④ Would you like to leave a message?
⑤ Yes, it's perfect. I'll be there at that time.

01 대화를 듣고, 두 사람의 대화가 어색한 것을 고르시오.

① ② ③ ④ ⑤

02 대화를 듣고, 두 사람의 관계로 알맞은 것을 고르시오.

① doctor – patient
② clerk – customer
③ teacher – student
④ driver – police officer
⑤ flight attendant – passenger

03 대화를 듣고, 초대장의 정보 중 대화의 내용과 일치하지 않는 것을 고르시오.

＊Come and Join Us＊
What: ① Kevin's 15th Birthday Party
Where: ② Kevin's house
When: ③ This Saturday
④ 11:30 a.m.
Let's have fun! If you have any questions,
⑤ call me at 010-1234-5678.

04 대화를 듣고, 여자가 기뻐하는 이유를 고르시오.

① 아들이 깜짝 파티를 해 줘서
② 아들이 에세이 수업을 들어서
③ 아들이 어버이날 선물을 줘서
④ 아들이 에세이 대회에 참가해서
⑤ 아들이 에세이 대회에서 1등을 해서

05 대화를 듣고, 대화 후 남자가 가장 먼저 할 일을 고르시오.

① 경찰에 신고하기
② 새 전화기 구입하기
③ 쇼핑몰에서 옷 사기
④ 안내 데스크에 전화하기
⑤ 자신의 전화기에 전화하기

06 대화를 듣고, 대화의 주제로 알맞은 것을 고르시오.

① 강의 범람 주기
② 폭우의 위험성
③ 일기예보의 정확도
④ 잦은 폭우의 이유
⑤ 폭우에 대한 대처 방안

07 대화를 듣고, 여자의 마지막 말에 담긴 의도로 알맞은 것을 고르시오.

① 감사 ② 사과 ③ 조언
④ 격려 ⑤ 도움 요청

08 다음을 듣고, 방송의 목적으로 알맞은 것을 고르시오.

① 개장 안내
② 장점 소개
③ 휴업 안내
④ 새 기구 홍보
⑤ 공사 세부 사항 안내

09 대화를 듣고, 두 사람이 주문한 음식이 아닌 것을 고르시오.

① spaghetti
② beef steak
③ chocolate cake
④ pizza
⑤ chicken wings

10 대화를 듣고, 여자가 남자에게 요청한 것을 고르시오.

① 당근 썰기
② 당근 사 오기
③ 당근 씻기
④ 손 씻기
⑤ 그녀를 위해 비빔밥 만들기

11 다음을 듣고, 청소년의 스트레스에 대한 아래 그래프의 내용과 일치하는 것을 고르시오.

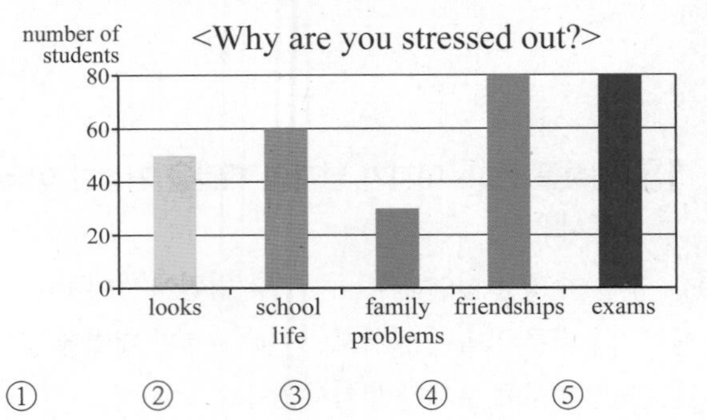

① ② ③ ④ ⑤

12 대화를 듣고, 대화의 내용과 일치하지 않는 것을 고르시오.

① Jihee will learn yoga during the summer vacation.
② Steve will visit his grandparents.
③ Jihee will travel around Daegu.
④ Jihee and Steve will go see a movie.
⑤ Mina said that she would visit China during the summer vacation.

13 대화를 듣고, 두 사람이 대화하고 있는 장소를 고르시오.

① 식당 ② 집 ③ 사무실
④ 공항 ⑤ 쓰레기장

14 다음을 듣고, 여자의 직업을 고르시오.

① a writer ② an editor
③ a photographer ④ an actress
⑤ a movie director

15 대화를 듣고, 두 사람이 장식할 케이크로 알맞은 것을 고르시오.

①

②

③

④

⑤

16 대화를 듣고, 두 사람이 만날 시각을 고르시오.

① 12:30 ② 1:00 ③ 1:30
④ 2:00 ⑤ 2:30

17 대화를 듣고, 남자가 해 본 적이 없는 것을 고르시오.

① 일본 방문 ② 스시 먹기
③ 일본 라면 먹기 ④ 디즈니랜드 방문
⑤ 캐릭터 상품 구매

18 대화를 듣고, 남자가 일주일 동안 받을 수 있는 금액을 고르시오.

① 70,000원 ② 80,000원 ③ 105,000원
④ 120,000원 ⑤ 135,000원

[19-20] 대화를 듣고, 여자의 마지막 말에 이어질 남자의 말로 알맞은 것을 고르시오.

19 Man: ______________________________

① I'm happy to hear that.
② That's a pity. You must be sad.
③ You should keep your promise.
④ You don't have to worry about that.
⑤ Remember you should go see a doctor.

20 Man: ______________________________

① I'm sorry to hear that news.
② Thank you for your advice.
③ I'm worried I won't get a main role.
④ You're right. His musical will be amazing.
⑤ Thank you. I can't wait to perform in a musical.

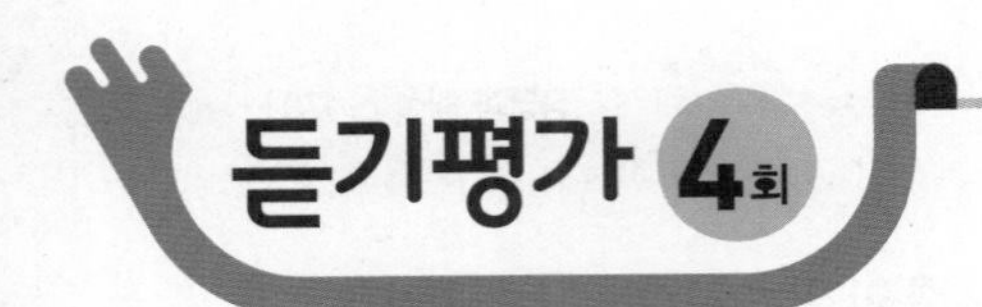

듣기평가 4회

01 다음을 듣고, 일요일의 날씨로 알맞은 것을 고르시오.

02 대화를 듣고, 다음 그림의 상황에 알맞은 대화를 고르시오.

① ② ③ ④ ⑤

03 대화를 듣고, 여자의 심경으로 알맞은 것을 고르시오.

① upset ② bored ③ hopeful
④ excited ⑤ pleased

04 대화를 듣고, 여자가 구입할 카드로 알맞은 것을 고르시오.

05 다음을 듣고, 언급되지 않은 것을 고르시오.

① 방송을 듣는 대상
② 변경된 도서관 운영 시간
③ 도서관에서 대출하는 법
④ 도서관 운영 시간이 변경된 이유
⑤ 학생들과 선생님들이 유의해야 할 점

06 대화를 듣고, 태권도 수업을 시작하는 날짜를 고르시오.

December

Sun.	Mon.	Tue.	Wed.	Thu.	Fri.	Sat.
16	17	18	19	20	21	22
23	24	25	26	27	28	29
30	31					

① 17일 ② 18일 ③ 24일
④ 25일 ⑤ 31일

07 대화를 듣고, James의 직업을 고르시오.

① 공항 세관원 ② 비행기 승무원
③ 비행기 조종사 ④ 비행기 정비사
⑤ 버스 운전기사

08 대화를 듣고, 여자가 남자의 제안을 거절한 이유를 고르시오.

① 공주에 가야 해서
② 샌드위치를 만들어야 해서
③ 사촌과 영화를 보러 가기로 해서
④ 조부모님을 방문해야 해서
⑤ 배가 너무 고파서

09 대화를 듣고, 여자가 남자에게 요청한 것을 고르시오.

① 도서관에 같이 가기
② Jane의 멘토가 되어 주기
③ Jane과 중국어 공부하기
④ 멘토 프로그램 운영하기
⑤ 멘티가 되는 방법 가르쳐 주기

10 대화를 듣고, 남자가 여자에게 전화를 건 목적을 고르시오.

① 병원 예약을 하려고
② 스터디 동아리를 만들려고
③ 스터디 동아리에 대해 불평하려고
④ 스터디 동아리 모임 날짜를 바꾸려고
⑤ 자신의 몸 상태에 대해 문의하려고

11 대화를 듣고, 두 사람이 지불해야 할 금액을 고르시오.

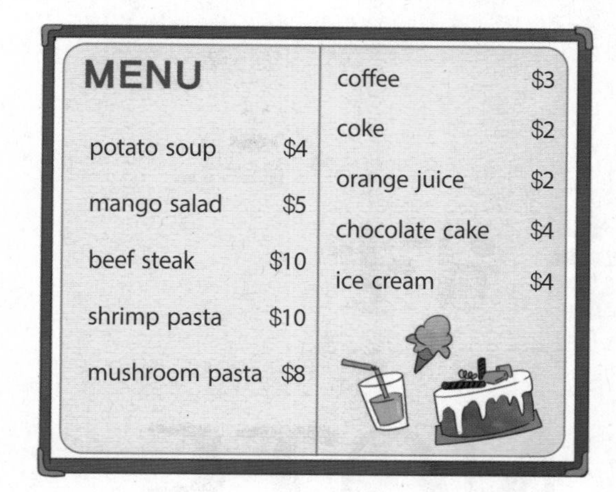

① $29 ② $31 ③ $33 ④ $35 ⑤ $37

12 대화를 듣고, 대화의 주제로 알맞은 것을 고르시오.

① 환경을 보호하는 방법
② 머그컵을 사용하는 목적
③ 재활용을 해야 하는 이유
④ 환경 보호와 재활용의 관계
⑤ 수업 시간에 지켜야 할 규칙

13 대화를 듣고, 여자의 문제로 알맞은 것을 고르시오.

① 시험을 잘 못 본 것
② 휴식을 너무 많이 취한 것
③ 도서관에 너무 일찍 도착한 것
④ 시험에 대해 신경 쓰지 않는 것
⑤ 늦게까지 공부하느라 피곤한 것

14 다음을 듣고, 내용과 어울리는 속담을 고르시오.

① Love will find a way.
② Look before you leap.
③ There's no place like home.
④ A rolling stone gathers no moss.
⑤ The early bird catches the worm.

15 대화를 듣고, 여자가 한 일이 아닌 것을 고르시오.

① 요리 ② 설거지 ③ 빨래
④ 부엌 청소 ⑤ 거실 청소

16 대화를 듣고, 두 사람이 가려고 하는 장소를 고르시오.

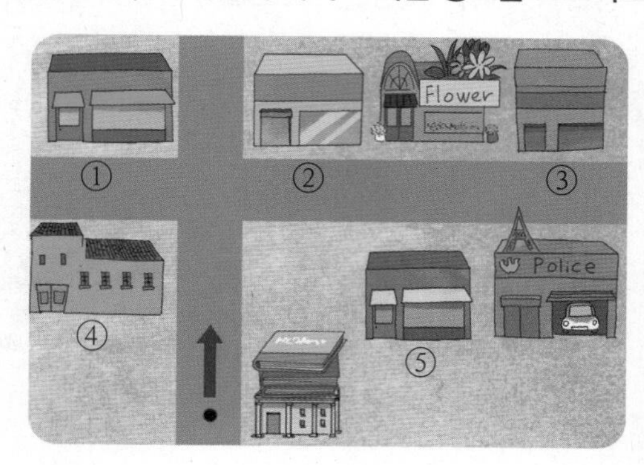

17 대화를 듣고, 두 사람의 관계로 알맞은 것을 고르시오.

① 코치 – 운동선수 ② 의사 – 환자
③ 미술 선생님 – 학생 ④ 식당 종업원 – 고객
⑤ 헬스 트레이너 – 고객

18 대화를 듣고, 대화의 내용과 일치하는 것을 고르시오.

① The woman's dad bought her a puppy.
② The man knew the woman's birthday was a month ago.
③ The woman will have a birthday party.
④ The man thinks it will be a lot of work to take care of the dog.
⑤ The man has a pet dog.

[19-20] 대화를 듣고, 남자의 마지막 말에 이어질 여자의 말로 알맞은 것을 고르시오.

19 Woman: ______________________

① Okay. Let's go together.
② I'm really sorry to hear that.
③ Let me go camping with you.
④ I should not do outdoor activities.
⑤ That's amazing. I hope I can do it too.

20 Woman: ______________________

① I'm happy you liked it.
② Thanks for the invitation.
③ I've never eaten that before.
④ I'll keep that in mind. Thanks.
⑤ You should not eat anything cold.

자기 주도 학습을 위한

Review NOTE

- Words 리뷰노트
- Grammar 리뷰노트

Words 리뷰노트

정답과 해설 p. 181

A 다음 영어 표현을 우리말로 바꿔 쓰시오.

(1) bite ____________________
(2) nail ____________________
(3) personal ____________________
(4) decide ____________________
(5) traffic ____________________
(6) each other ____________________
(7) during ____________________
(8) handle ____________________
(9) upset ____________________
(10) wisdom ____________________
(11) vacation ____________________
(12) be into ____________________
(13) hear from ____________________
(14) however ____________________
(15) miss ____________________
(16) without ____________________
(17) hobby ____________________
(18) not ... anymore ____________________
(19) these days ____________________
(20) make changes ____________________

B 다음 우리말에 맞는 영어 표현을 쓰시오.

(1) 아마, 어쩌면 ____________________
(2) 컵케이크 ____________________
(3) 한 번이라도 ____________________
(4) (운동) 경기, 시합 ____________________
(5) 조깅하다 ____________________
(6) 진실 ____________________
(7) 나쁜 습관을 버리다 ____________________
(8) 거짓말하다 ____________________
(9) 담임 선생님 ____________________
(10) 초기에 ____________________
(11) 자라다 ____________________
(12) 붙잡다 ____________________
(13) 자신의 ____________________
(14) 조금씩 ____________________
(15) 실현하다 ____________________
(16) 꾸준히 일기를 쓰다 ____________________
(17) ~할 때다 ____________________
(18) (편지글) 행운을 빌며 ____________________
(19) 돈을 모으다 ____________________
(20) 너 그거 아니? ____________________

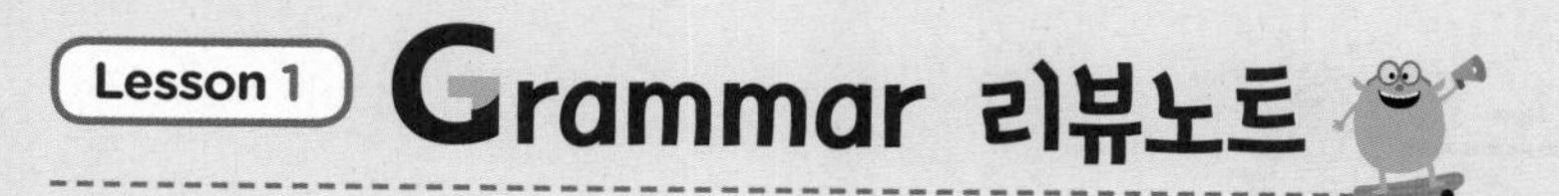

Grammar 리뷰노트

정답과 해설 p. 181

A One .... (Another ....) The other ....

○ One .... The other ....

의미	(둘 중) 하나는 …. 나머지 다른 하나는 ….
용례	두 가지 내용을 나열할 때 사용
예문	I have ①________ pets. One is a dog. The other is a cat. 나는 두 마리의 애완동물이 있다. 하나는 개이다. 그 나머지 다른 하나는 고양이이다. I have two blue bags. One is big. The other is small. 나는 두 개의 파란색 가방이 있다. 하나는 크다. 그 나머지 다른 하나는 작다. There are two apples on the table. Paul ate one apple. Sara ate the other apple. 두 개의 사과가 탁자 위에 있다. Paul이 사과 하나를 먹었다. Sara가 나머지 하나의 사과를 먹었다.

○ One .... Another .... The other ....

의미	(셋 중) 하나는 …. 또 하나는 …. 나머지 하나는 ….
용례	②________ 내용을 나열할 때 사용
예문	There are three skirts. One is black. Another is white. The other is blue. 스커트 세 벌이 있다. 하나는 검은색이다. 또 하나는 흰색이다. 나머지 하나는 파랑색이다. I have three uncles. One lives in Seoul. Another lives in China. The other lives in the U.S. 나는 세 명의 삼촌이 있다. 한 명은 서울에 산다. 다른 한 명은 중국에 산다. 그 나머지 다른 한 명은 미국에 산다. I bought three packs of milk. One is plain milk. Another is soy milk. The other is almond milk. 나는 우유 세 팩을 샀다. 하나는 그냥 우유이다. 또 하나는 두유이다. 나머지 하나는 아몬드 우유이다.

Self-check

○ 다음 문장에서 어법상 어색한 부분을 찾아 바르게 고쳐 쓰시오.

1. There are two questions. One is easy. Another is difficult.
   (   ) → (   )
2. There are two people in the room. One is a boy and other is a girl.
   (   ) → (   )
3. She has two dogs. One is black and others is white.
   (   ) → (   )
4. I have three sisters. One is a nurse and other is a teacher. The other is a doctor.
   (   ) → (   )
5. I brought two apples. James ate one. Tom ate the others.
   (   ) → (   )
6. There are three books. One is a novel. The another is a comic book. The other is a dictionary.
   (   ) → (   )

정답과 해설 p. 181

B If 조건절

형태	If + 주어 + 동사 ~, 주어 + will ....
	주어 + will ...., if + 주어 + 동사.
위치	주절 앞이나 뒤 둘 중 어디에든 위치할 수 있음
의미	'~한다면 …할 것이다'라는 ①________ 을 나타냄
예문	If you take a taxi, it will take only 5 minutes. 네가 택시를 타면 5분만 걸릴 것이다. If you hear the news, you will be very happy. 네가 그 소식을 들으면 너는 매우 행복할 것이다. You will get healthier if you exercise more often. 네가 더 자주 운동을 하면 너는 더 건강해질 것이다. If my sister comes home early, I will go shopping with her. 내 여동생이 집에 일찍 오면 나는 그녀와 함께 쇼핑 갈 것이다. If he visits us today, we will cook bulgogi for him. 만약 그가 오늘 우리를 방문하면 우리는 그를 위해서 불고기를 요리해 줄 것이다. My dog won't bark at you if you give her milk. 만약 네가 내 강아지에게 우유를 주면 그녀는 널 보고 짖지 않을 거야. If I finish my homework early today, I will watch a movie. 오늘 내가 숙제를 일찍 끝내면 나는 영화를 볼 것이다.
기타	• if 조건절에서는 현재 시제로 미래의 의미를 대신함 If it rains tomorrow, we will stay at home. 내일 비가 내린다면 우리는 집에 머물 것이다. I'll call you immediately ②________ I hear any news tomorrow. 내가 내일 소식을 들으면 네게 즉시 연락해 줄게. • If ... not은 Unless로 바꿔 쓸 수 있음 If we don't run to school, we won't get there on time. = Unless we run to school, we won't get there on time. 학교까지 뛰어가지 않으면 우리는 제시간에 도착할 수 없을 거야.

Self-check

○ 다음 문장 중 어법상 맞으면 ○, 틀리면 ×표를 하시오.

1. If she goes shopping, I go with her. (   )
2. If you don't wear warm clothes, you will catch a cold. (   )
3. If you will study harder, you will succeed. (   )
4. Will you come to the party if she invite you? (   )
5. If he will go to China, he will see the Great Wall. (   )
6. If I get up early tomorrow, I will do my homework. (   )

Lesson 2 Words 리뷰노트

정답과 해설 p. 182

A 다음 영어 표현을 우리말로 바꿔 쓰시오.

(1) stairs ____________
(2) injury ____________
(3) avoid ____________
(4) earthquake ____________
(5) protect ____________
(6) survive ____________
(7) wet ____________
(8) break ____________
(9) disaster ____________
(10) pole ____________
(11) strike ____________
(12) fall ____________
(13) safety ____________
(14) hurt ____________
(15) forget ____________
(16) follow ____________
(17) helpful ____________
(18) hold on to ____________
(19) stay away from ____________
(20) take cover ____________

B 다음 우리말에 맞는 영어 표현을 쓰시오.

(1) 비어 있는 ____________
(2) 늦은 ____________
(3) 미끄러운 ____________
(4) 아픈 ____________
(5) 낮은 ____________
(6) 약 ____________
(7) 심각한 ____________
(8) ~할 가능성이 있다 ____________
(9) 예시, 예 ____________
(10) 닦다 ____________
(11) 준비하다 ____________
(12) 프로그램 ____________
(13) 홍수 ____________
(14) 상황 ____________
(15) 흔들리다 ____________
(16) 헬멧 ____________
(17) 약간 ____________
(18) …에서 나가다 ____________
(19) 구명조끼 ____________
(20) (기분이) 나아지다 ____________

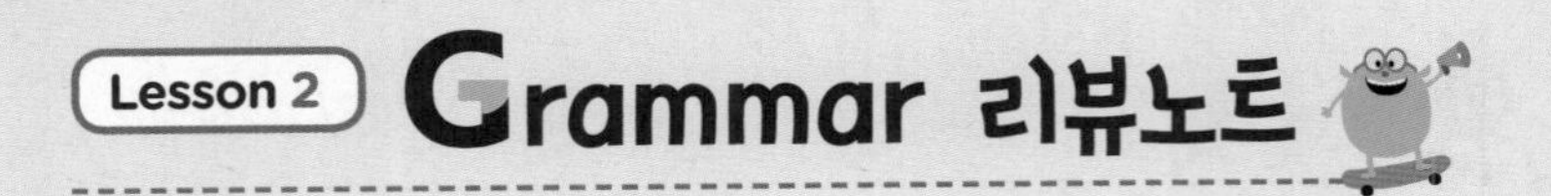

정답과 해설 p. 182

A what/how to ...

○ what to ...

형태	what to + 동사원형
의미	①________ …할지 (명사 역할)
예문	Tell me what to do. 무엇을 해야 할지 나에게 알려 줘. He knows what to say. 그는 무엇을 말해야 할지 알고 있다. Let's choose what to eat for lunch today. 오늘 점심으로 무엇을 먹을지 고르자. Minsu showed us what to wear for the school festival. 민수는 우리에게 학교 축제를 위해 무엇을 입어야 할지를 보여 줬다.

○ how to ...

형태	how to + 동사원형
의미	②________ …할지, …하는 방법 (명사 역할)
예문	Jina told us how to play the game. 지나는 우리에게 그 게임을 어떻게 하는지를 말해 줬다. I know how to make *gimbap*. 나는 김밥을 만드는 방법을 안다. We learned how to cook Chinese food. 우리는 중국 음식을 요리하는 방법을 배웠다.

Self-check

○ 다음 문장에서 어법상 어색한 부분을 찾아 바르게 고쳐 쓰시오.

1. I don't know what to doing for the midterm test.
   (   ) → (   )
2. I want to learn how play tennis.
   (   ) → (   )
3. She taught children how to skating well.
   (   ) → (   )
4. Minsu doesn't know what do to next.
   (   ) → (   )
5. It's time to decide how to buy for Jane's birthday.
   (   ) → (   )
6. The class is about what doing in an earthquake.
   (   ) → (   )

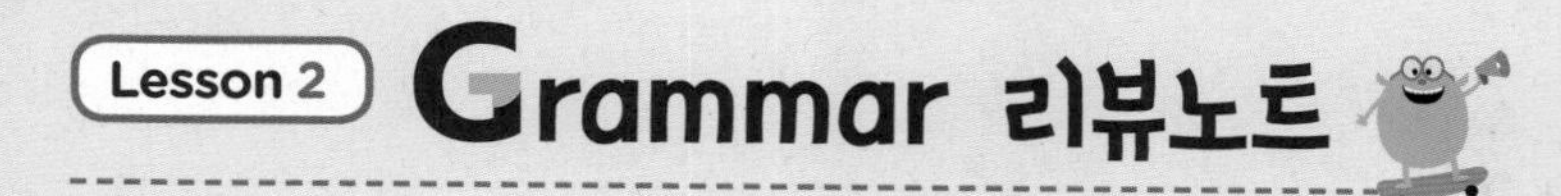

정답과 해설 p. 182

B 주격 관계대명사

○ 관계대명사

두 문장에 중복되는 명사가 있을 때, 두 문장을 한 문장으로 연결하는 역할을 하는 대명사로, 관계대명사가 있는 절에서 관계대명사의 역할에 따라 주격, 목적격, 소유격 관계대명사로 나뉜다.

○ 관계대명사의 종류

선행사	주격	목적격	소유격
사람	who	who(m)	whose
사물, 동물	which	which	
사람, 사물, 동물	that	that	

주격 관계대명사	관계대명사가 있는 절에서 관계대명사가 ①________ 의 역할을 하는 경우
예문	Mina wore a cap. The cap was red. → Mina wore a cap which/that was red. 미나는 빨간색인 모자를 썼다. Jisu loved the cake. It was made by her mom. → Jisu loved the cake which/that was made by her mom. 지수는 그녀의 엄마에 의해 만들어진 케이크를 정말 좋아했다. We met a funny man. He was wearing a black coat. → We met a funny man who/that was wearing a black coat. 우리는 검은색 코트를 입고 있는 재미있는 남자를 만났다.
기타	• 주격 관계대명사절의 동사는 ②________ 의 수에 일치시킴 Heaven helps those people. They help themselves. → Heaven helps those (people) who/that help themselves. (○) 하늘은 스스로 돕는 자를 돕는다. Heaven helps those (people) who/that helps themselves. (×) Mike has two books. The books have many beautiful pictures. → Mike has two books which/that have many beautiful pictures. (○) Mike는 아름다운 그림들이 많이 있는 두 권의 책을 가지고 있다. Mike has two books which/that has many beautiful pictures. (×)

Self-check

○ 다음 문장의 괄호 안에서 알맞은 것을 고르시오.

1. This is the boy (who / which) likes to play soccer.
2. There is a glass which (is / are) full of hot water.
3. I found the man (that / which) was walking his dog.
4. Sujin sees a child that (has / have) blue eyes.
5. My father teaches students (who / whom) are from many different countries.
6. The car (who / that) is next to the bench is expensive.

Lesson 3 Words 리뷰노트

정답과 해설 p. 183

A 다음 영어 표현을 우리말로 바꿔 쓰시오.

(1) coin ________
(2) nobody ________
(3) trust ________
(4) confusing ________
(5) plastic bag ________
(6) effort ________
(7) enough ________
(8) sign ________
(9) mentor ________
(10) grade ________
(11) mean ________
(12) on time ________
(13) check out ________
(14) get in line ________
(15) come up with ________
(16) give it a try ________
(17) put up ________
(18) thanks to ________
(19) turn down ________
(20) waste one's time ________

B 다음 우리말에 맞는 영어 표현을 쓰시오.

(1) 소도시, 마을 ________
(2) 공중전화 ________
(3) …하려고 계획하다 ________
(4) 화살표 ________
(5) 의사소통 ________
(6) 쉽게 ________
(7) 사라지다 ________
(8) 몇몇의 ________
(9) 공공의 ________
(10) 비누 ________
(11) 비밀, 비밀의 ________
(12) 붙이다 ________
(13) 반납하다 ________
(14) 멘티 ________
(15) 성공 ________
(16) 안마 ________
(17) 냉장고 ________
(18) 지도 ________
(19) 가능성이 있는 ________
(20) …을 나눠 주다 ________

Lesson 3 Grammar 리뷰노트

정답과 해설 p. 183

A 목적격 관계대명사

○ 관계대명사

두 문장에 중복되는 명사가 있을 때, 두 문장을 한 문장으로 연결하는 역할을 하는 대명사로, 관계대명사가 있는 절에서 관계대명사의 역할에 따라 주격, 목적격, 소유격 관계대명사로 나뉜다.

○ 관계대명사의 종류

선행사	주격	목적격	소유격
사람	who	who(m)	whose
사물, 동물	which	which	
사람, 사물, 동물	that	that	

목적격 관계대명사	관계대명사가 있는 절에서 관계대명사가 ①_________의 역할을 하는 경우
예문	This is the man. I called him yesterday. → This is the man who(m)/that I called yesterday. 이 사람은 내가 어제 전화를 건 그 남자다. The pictures are wonderful. Mike took them in China. → The pictures which/that Mike took in China are wonderful. Mike가 중국에서 찍은 사진들은 멋지다.
기타	목적격 관계대명사는 ②_________ 가능함 The woman who(m)/that you met last week is a lawyer. → The woman you met last night is a lawyer. 네가 지난주에 만났던 그 여자는 변호사이다. *cf.* I have a friend who is good at speaking English. 나는 영어를 잘하는 친구가 있다. (주격 관계대명사는 생략 불가)

Self-check

○ 다음 문장이 어법상 맞으면 ○, 틀리면 ×표를 하시오.

1. Soccer is the sport which I enjoy the most. (　　)
2. I'm going to visit the teacher that I admired him in elementary school. (　　)
3. This is the most interesting book that I've ever read. (　　)
4. The bag whom I wanted to buy was sold out. (　　)
5. The jacket you are wearing looks good on you. (　　)
6. Where can I take the bus goes to City Hall? (　　)

정답과 해설 p. 183

B ask ~ to ...

ask는 목적어와 목적어를 보충 설명하는 목적격 보어를 취하며, 목적격 보어로는 to부정사를 쓴다.

형태	긍정: ask + 목적어 + ①__________ 부정: ask + 목적어 + not + to부정사
의미	~가 …하라고 부탁(요청)하다
예문	The teacher asked me to try again. 선생님은 내가 다시 해보도록 요청하셨다. My mom asked me to clean my room. 엄마는 내가 내 방을 치울 것을 부탁했다.

○ 목적격 보어로 to부정사를 취하는 동사

- want ~ to ...: ~가 …하기를 ②________
  My mom wants my brother to wash the dishes. 우리 엄마는 오빠가 설거지하기를 원한다.
  Most people want others to trust them. 대부분의 사람들은 다른 이들이 그들을 신뢰하기를 바란다.
- tell ~ to ...: ~에게 …하라고 말하다
  Jenny told him ③__________ breakfast. Jenny는 그에게 아침을 먹으라고 말했다.
  My mom always tells me to be a kind person. 우리 엄마는 늘 내게 착한 사람이 되라고 말한다.
- allow ~ to ...: ~가 …하도록 허락하다
  They allowed her to come to their party. 그들은 그녀가 그들의 파티에 오는 것을 허락하였다.
  I will not allow my dog to eat chocolate. 나는 나의 개가 초콜릿을 먹는 것을 허락하지 않을 것이다.
- advise ~ to ...: ~에게 …하라고 충고하다
  The doctor advised me to exercise regularly. 의사는 나에게 규칙적으로 운동하라고 충고하였다.
  I advised you to take your umbrella! 내가 네게 우산을 챙기라고 충고했잖아!

Self-check

○ 다음 문장에서 어법상 어색한 부분을 찾아 바르게 고쳐 쓰시오.

1. I told he to come to my house.
   (   ) → (   )
2. Do his parents want he to be a teacher?
   (   ) → (   )
3. Can I ask you do the dishes?
   (   ) → (   )
4. She advised me studying for an hour every day.
   (   ) → (   )
5. She doesn't allow him to playing computer games.
   (   ) → (   )
6. The principal told us not be late for school.
   (   ) → (   )

정답과 해설 p. 184

A 다음 영어 표현을 우리말로 바꿔 쓰시오.

(1) bump ____________
(2) pointed ____________
(3) sweaty ____________
(4) tiny ____________
(5) sense ____________
(6) sleeve ____________
(7) buzz ____________
(8) fruit fly ____________
(9) itch ____________
(10) itchiness ____________
(11) lay ____________
(12) prevent ____________
(13) wipe ____________
(14) sunscreen ____________
(15) feed on ____________
(16) at that moment ____________
(17) keep ... in mind ____________
(18) suffer from ____________
(19) standing water ____________
(20) stay away from ____________

B 다음 우리말에 맞는 영어 표현을 쓰시오.

(1) 땀을 흘리다 ____________
(2) 암컷의 ____________
(3) 수컷의 ____________
(4) 100만 ____________
(5) 물린 자국 ____________
(6) 식중독 ____________
(7) 가려운 ____________
(8) 칫솔질하다 ____________
(9) 살충제 ____________
(10) 모기 ____________
(11) 긁다 ____________
(12) 피 ____________
(13) 날카로운 ____________
(14) 단백질 ____________
(15) 햇볕에 심하게 탐 ____________
(16) 배, 위 ____________
(17) (상품 등이) 들어오다 ____________
(18) 음식물 쓰레기 ____________
(19) 가까운 곳의 ____________
(20) 산책하다 ____________

Grammar 리뷰노트

정답과 해설 p. 184

A something + 형용사(구) + to부정사

'~할/한 무언가'라는 의미로 '-body, -thing, -one'으로 끝나는 대명사는 형용사(구)와 to부정사가 뒤에서 수식한다.

○ something + 형용사(구)

의미	…한 무언가
형태	somebody ①________ someone anybody anything anyone + 형용사(구) nobody nothing no one
예문	Finding someone trustworthy is not so easy. 신뢰할 만한 사람을 찾는 것은 별로 쉽지 않다. Do you have anything cold? 너는 차가운 어떤 것이 있니? There's nothing wrong. 잘못된 것이 없다.

○ something + 형용사(구) + to부정사

의미	~할 …한 무언가
형태	somebody something someone anybody anything anyone + 형용사(구) + to부정사 nobody nothing no one
예문	I want something larger to try on. 나는 입어 볼 더 큰 어떤 것을 원한다. Do you need anything hot to warm your body? 네 몸을 녹일 뜨거운 무언가가 필요하니? I have nothing ②________ to do this weekend. 나는 이번 주말에는 할 특별한 무언가가 없다.

Self-check

○ 다음 문장의 밑줄 친 부분이 어법상 맞으면 ○, 틀리면 × 표하고 바르게 고치시오.

1. There is something oily on the floor. ( )
2. Please give me something to drink cold. ( )
3. Is there anybody strongly to carry this box? ( )
4. We have nothing good to eat. ( )
5. I don't have new anything these days. ( )
6. Anyone health can do it. ( )

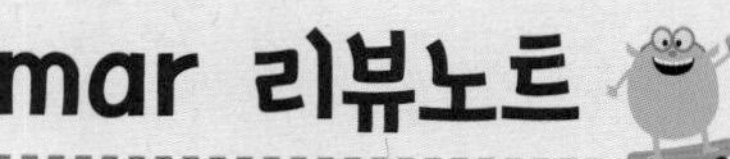

정답과 해설 p. 184

B 현재완료

현재완료 시제는 'have동사의 현재형 + 동사의 과거분사' 형태로 과거에 일어난 일이 현재까지 영향을 미친 일을 표현한다.

평서문

형태	I / You / We / They	+ have	+ 동사의 ①_________.
	He / She / It	+ has	+ 동사의 과거분사.
예문	I have lost my cell phone. 나는 내 휴대 전화를 잃어버렸다.		

부정문

형태	I / You / We / They	+ have not(haven't)	+ 동사의 과거분사.
	He / She / It	+ has not(hasn't)	+ 동사의 과거분사.
예문	I ②_________ seen him since last year. 나는 작년 이후로 그를 본 적이 없다.		

의문문

형태	Have	+ I / you / we / they	+ 동사의 과거분사?
	Has	+ he / she / it	+ 동사의 과거분사?
예문	Have you ever seen such a beautiful view? 너는 이런 아름다운 경치를 본 적이 있니?		

○ 용법

① 경험: …해 본 적이 있다 (ever, never, before, once 등과 주로 쓰임)

e.g. She has been to the U.S. and Canada before. 그녀는 전에 미국과 캐나다에 가 본 적이 있다.

② 계속: 과거부터 …해 오고 있다 (for + 기간, since + 특정 시점 등과 주로 쓰임)

e.g. We have known each other for a long time. 우리는 오랫동안 서로를 알아 왔다.

③ 완료: (과거에 시작한 일을 현재에) 다 했다 (just, already, not ... yet 등과 주로 쓰임)

e.g. He has just finished cleaning the house. 그는 집을 청소하는 것을 방금 끝냈다.

④ 결과: 과거의 일 때문에 …하다

e.g. I have bought a new pen. 나는 새 펜을 샀다. (그래서 가지고 있다.)

○ 현재완료 시제는 명백한 과거의 한 시점을 나타내는 표현(ago, yesterday, last + 명사, in + 과거 연도, when + 과거 시제 등)과 함께 쓰일 수 없다.

e.g. I visited China two years ago. (○) 나는 2년 전에 중국을 방문했다.
I have visited China two years ago. (×)

Self-check

○ 다음 문장의 괄호 안에서 알맞은 것을 고르시오.

1. I (don't seen / haven't seen) anything like that before.
2. My family (has live / has lived) in Seoul for five years.
3. For how long (you have / have you) played the piano?
4. Have you ever (ate / eaten) Italian food?
5. She (went / has been) to Paris two years ago.
6. I (knew / have known) him since I was young.

정답과 해설

중학 영어

2-1

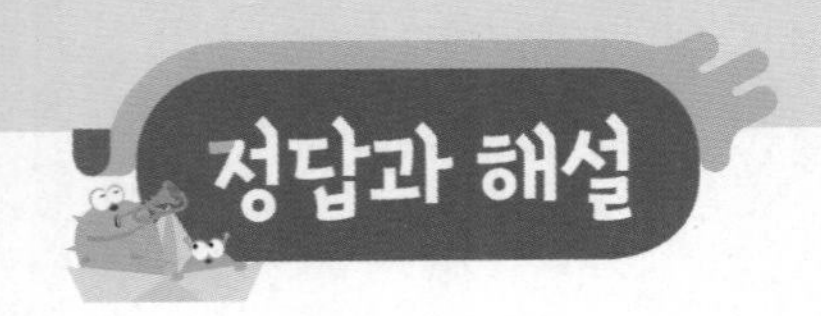

Lesson ①

New Beginnings

Word Check p. 8

A (1) ~ 동안 (2) 교통 (3) 초기에 (4) 한번이라도
(5) ~으로 변하다 (6) 요즈음에 (7) maybe
(8) however (9) upset (10) miss (11) little by little
(12) make changes

B (1) handle (2) grow (3) wisdom (4) vacation
(5) bite

C (1) lie (2) keep a diary (3) personal (4) time to
(5) jog (6) anymore

B 해석 (1) 손으로 잡을 수 있도록 설계된 것의 부분
(2) 더 커지거나 나아지는 어떤 방식으로 되다
(3) 결정하기 위해 경험과 지식을 사용하는 능력
(4) 학교나 직장에서 떨어져 보내는 기간
(5) 무언가를 잘라 내기 위해 치아를 사용하다

C 해설 (1) lie 거짓말하다
(2) keep a diary 일기를 쓰다
(3) personal opinion 개인적인 의견
(4) It's time to ~할 때다
(5) jog 조깅하다
(6) not ... anymore 더 이상 …하지 않다

Word Test p. 9

1 ② 2 ② 3 (1) without (2) into (3) each other
4 (1) decide (2) handle (3) hold 5 broke 6 hear
7 biting my nails

1 해석 ① 수업 ② 컵케이크 ③ 교과서 ④ 방학 ⑤ 담임 선생님

해설 ② '컵케이크'라는 뜻으로 음식을 나타내는 단어이다.

2 해석 어떤 것에 대한 진짜 사실
① 취미 ② 진실 ③ (운동) 경기, 시합 ④ 변화 ⑤ 지혜

3 해석 (1) 우리는 물 없이 살 수 없다.
(2) 나는 요즈음에 빵 굽기에 빠져 있다.
(3) 우리는 서로에게 인사했다.

해설 (1) without ~ 없이 (2) be into 빠져 있다
(3) say hello to each other 서로에게 인사하다

4 해석 (1) 우리는 학교 소풍의 목적지를 결정하지 않았다.
(2) 그녀는 손잡이를 돌려서 문을 열었다.
(3) 네 손을 잡아도 되니?

해설 (1) decide 결정하다
(2) turn the handle 손잡이를 돌리다
(3) hold hand 손을 잡다

5 해석 • 그는 접시를 떨어트렸고 그것이 여러 조각으로 깨졌다.
• 나는 숙제를 미루는 나쁜 습관을 버렸다.

해설 break ~을 깨다, (나쁜 습관을) 버리다
break – broke – broken

6 해석 • 우리는 너로부터 소식을 듣기를 희망해.
• 네가 만약 그 소식을 듣는다면, 너는 기쁠 거야.

해설 hear from ~으로부터 소식을 듣다

7 해설 bite one's nails 손톱을 물어뜯다

Listening & Speaking Test pp. 12-13

01 (1) know what / something (2) thinking of 02 ③
03 thinking, to live 04 ① 05 ⑤ 06 ④
07 3–1–2 08 ④ 09 ④ 10 ②

01 해설 (1) You know what/something? 있잖아. 너 그거 아니?
(2) I'm thinking of ... …할 생각이다

02 해석 A: Jane, 너는 이번 주말에 무엇을 할 거니?
B: 나는 책을 읽을 생각이야.

해설 I'm thinking of ...는 '…할 생각이다'라는 뜻으로 자신의 의도나 계획을 표현한다.

03 해석 A: 있잖아. 나는 스페인어를 배울 생각이야.
B: 왜 너는 그것을 하기로 결심했니?
A: 나는 스페인에서 살고 싶기 때문이야.

해설 I'm thinking of ...는 '…할 생각이다'라는 뜻이고 I'm going은 '나는 가고 있다'라는 뜻이다. want는 목적어로 to부정사를 취한다.

04 해석 A: 너의 이번 주말 계획은 무엇이니?
B: ______________________

① 나는 지금 영화관에 가고 있어.
② 나는 축구를 할 거야.
③ 나는 수학을 공부할 계획이야.
④ 나는 게임을 할 생각이야.
⑤ 나는 해변에 갈 생각이야.

해설 ① 이번 주 주말 계획을 물었는데 현재 하고 있는 일을 이야기하는 것은 어색하다.

05 해석 ① A: 너는 어버이날을 위한 계획이 있니?
B: 나는 편지를 쓸 생각이야.
② A: 너 그거 아니? 김 선생님이 나의 담임 선생님이야.
B: 오, 진짜? 잘됐다.
③ A: 너 그거 아니? 우리 팀이 어제 경기에서 졌어.
B: 안됐다.
④ A: 있잖아. 나는 내 친구를 위해 깜짝 파티를 했어.
B: 오 진짜? 정말 다정하다.
⑤ A: 너는 지난 주말에 무엇을 했니?
B: 나는 자전거를 탈 생각이야.

해설 ⑤ 지난 주말에 한 일을 물었는데 '~할 생각이야'라고 계획을 이야기하는 것은 어색하다.

06 해석 A: 너 그거 아니? 나는 영어로 일기를 쓸 생각이야.
B: 왜 너는 그것을 하려고 결심했니?
A: 영어 작문을 잘하고 싶기 때문이야.
B: (너로부터 소식을 듣게 되어서 기뻐.)
A: 나는 내 영어 작문 실력이 향상되길 바라.

해설 ④ I'm glad to hear from you.는 '소식을 듣게 되어 기쁘다'라는 뜻으로 대화의 흐름과 맞지 않다.

07 해석 A: 민수야, 수진이와 나는 역사 동아리를 시작할 생각이야.
B: 좋다. 너희는 얼마나 자주 만날 거야?
A: 아마도 일주일에 한 번일 거야. 너도 우리 동아리에 가입하고 싶니?
B: 응, 나도 역사에 관심이 있어.

해설 첫 번째 문장에서 역사 동아리를 시작할 생각이라고 말하고 이에 대한 반응으로 얼마나 자주 만날 것인지 묻고 대답하는 것이 자연스럽다. 그리고 동아리에 가입하고 싶은지 물은 뒤 그에 대한 답이 이어지는 것이 자연스럽다.

08 해석 A: 너의 이번 주 금요일 계획은 무엇이니?
B: 나는 피자 먹으러 외출할 생각이야.
① 나는 피자 먹으러 외출했어.
② 나는 피자를 만들거야.
③ 내가 너를 위해 이 피자를 만들었어.
④ 나는 피자 먹으러 외출할 계획이야.
⑤ 나는 금요일 저녁에 피자 먹는 것을 좋아해.

해설 I'm thinking of ... 와 바꿔 쓸 수 있는 표현 중 '피자를 먹으러 외출할'의 의미가 포함된 ④가 적절하다.

09-10

전문해석 E: 준수야, 있잖아. 나 그림 그리기 수업을 수강할 생각이야.
J: Emily, 너는 왜 그림 그리기 수업을 수강하기로 결심했니?
E: 나는 예술 고등학교에 가고 싶기 때문이야.
J: 너는 미래에 예술가가 될 생각이야?
E: 그러길 바라. 나는 그림 그리는 것에 __________.
J: 좋은 생각이야. 나는 너의 소망이 실현되길 바라.

09 해설 ④ ⓐ와 ⓑ 앞에 be동사가 있으므로 ⓐ, ⓑ에는 진행형이 와야 한다. 이 중에서 계획에 대해 이야기하는 표현 중 목적어를 동명사(taking, becoming)로 취하는 것은 thinking of 이다.

10 해석 ① 좋아하다 ② 싫어하다 ③ 사랑하다 ④ 빠져 있다 ⑤ 관심이 있다

해설 ② 문맥상 '그림 그리는 것을 좋아한다'라는 내용이 들어가야 하므로 hate는 어색하다.

Grammar Check

p. 15

A (1) the other (2) the other (3) rings (4) Will (5) is

B (1) One, the other (2) One, the other
(3) another, the other

C (1) will get (2) will go (3) buy

D (1) won't → don't (2) others → the other
(3) is → will be (4) give → will give
(5) another → the other

A 해석 (1) 두 가지 질문이 있다. 하나는 쉽고 나머지 하나는 어렵다.
(2) 이 방에 두 명의 사람이 있다. 한 명은 소년이고 나머지 한 명은 소녀이다.
(3) 알람이 울리면 나는 일어날 것이다.
(4) 그들이 너를 초대하면 너는 파티에 갈 거니?
(5) 내일 화창하면 나는 한강으로 소풍을 갈 것이다.

해설 (1), (2) 두 가지 대상을 가리킬 때는 one, the other를 사용한다.
(3), (5) If 조건절에서는 현재 시제가 미래의 의미를 나타내므로

현재 시제를 사용해야 한다.
(4) 미래에 갈 것인지 묻는 내용이므로 주절은 미래 시제를 사용해야 한다.

B 해석 (1) 쌍둥이가 있다. 한 명의 이름은 Sam이고 나머지 한 명의 이름은 Ian이다.
(2) 이 상자에 연필 두 자루가 있다. 하나는 길고 나머지 하나는 짧다.
(3) 탁자 위에 스마트폰 세 개가 있다. 하나는 Paul의 것이고, 다른 하나는 Sarah의 것이고, 나머지 하나는 Katy의 것이다.

해설 (1), (2) 두 가지 대상을 가리킬 때는 one, the other를 사용한다.
(3) 세 가지 대상을 가리킬 때는 one, another, the other를 사용한다.

C 해석 (1) 네가 매일 아침 조깅을 하면 너는 더 건강해질 것이다.
(2) 네가 혼자 가기 싫으면 내가 너와 함께 갈게.
(3) 네가 이 책을 사면 너는 무료 책갈피를 얻을 것이다.

해설 (1), (2) 빈칸이 주절에 있으므로 미래를 나타내기 위해 미래 시제를 사용해야 한다.
(3) 빈칸이 '~하면'을 의미하는 if 조건절에 있으므로 미래를 나타내기 위해 현재 시제를 사용해야 한다.

D 해석 (1) 네가 지금 일어나지 않으면 너는 학교에 늦을 것이다.
(2) 나는 내 친구들로부터 선물 두 개를 받았다. 하나는 Jane이 준 것이고 나머지 하나는 Mike가 준 것이다.
(3) 네가 그녀를 위해 깜짝 파티를 열어 주면 그녀는 놀랄 것이다.
(4) 내가 내일 아침에 너로부터 소식을 듣지 못하면 내가 너에게 전화를 할 것이다.
(5) 나는 강아지 두 마리가 있다. 한 마리는 털이 길고 나머지 한 마리는 털이 짧다.

해설 (1) if 조건절에서는 현재 시제가 미래의 의미를 나타내므로 won't 대신 don't를 써야 한다.
(2) 두 가지 대상을 가리킬 때는 one, the other를 사용하여 표현한다. 따라서 others 대신 the other를 써야 한다.
(3) 조건문의 주절에서 미래를 나타낼 때는 미래 시제를 사용해야 한다. 따라서 is 대신 will be를 써야 한다.
(4) 조건문의 주절에서 미래를 나타낼 때는 미래 시제를 사용해야 한다. 따라서 give 대신 will give를 써야 한다.
(5) 두 가지 대상을 가리킬 때는 one, the other를 사용하여 표현한다. 따라서 another 대신 the other를 써야 한다.

Grammar Test

p. 16

01 ③ **02** ② **03** ④ **04** ⑤ **05** ⑤

01 해석 나는 두 명의 이모가 있다. 한 명은 간호사이고 나머지 한 명은 선생님이다.

해설 두 가지 대상을 가리킬 때는 one, the other를 사용한다.

02 해석 내일 춥다면 나는 집에 있으면서 TV를 볼 것이다.

해설 If 조건절에서는 현재 시제가 미래의 의미를 나타내고 If 절의 주어가 3인칭 단수 it이므로 be동사의 3인칭 단수 현재형인 is가 와야 한다.

03 해석 • 그녀는 두 마리의 고양이를 기른다. 한 마리는 검은색이고 그 나머지 한 마리는 흰색이다.
• 사진에는 세 명의 소녀가 있다. 한 명은 눈이 초록색이고 다른 한 명은 눈이 파란색이고, 나머지 한 명은 눈이 갈색이다.

해설 두 가지 대상을 가리킬 때는 one, the other를 사용하고 세 가지 대상을 가리킬 때는 one, another, the other를 사용한다.

04 해석 ① 네가 프로젝트를 마치면 나는 네가 자랑스러울 것이다.
② 우리가 서두르면 우리는 그 회의에 늦지 않을 것이다.
③ 네가 최선을 다하지 않으면 너는 경기에서 질 것이다.
④ 네가 지금 떠나면 너는 5분 내로 집에 도착할 것이다.
⑤ 내가 내일 그녀를 만나면 나는 그녀에게 사실을 말할 것이다.

해설 ⑤ If 조건절에서는 현재 시제가 미래의 의미를 나타내므로 will meet 대신 meet을 써야 한다.

05 해석 ① 그녀는 가방 두 개가 있다. 하나는 오래된 것이고 나머지 하나는 새것이다.
② 네가 더 열심히 노력하면 너는 좋은 성적을 받을 것이다.
③ 내가 숙제를 끝내면 나는 컴퓨터 게임을 할 것이다.
④ 내가 이번 가을에 시간이 있으면 나는 가족들과 캠핑을 갈 것이다.
⑤ 그는 아들이 두 명 있다. 한 명은 서울에 살고 나머지 한 명은 부산에 산다.

해설 ① 두 가지 대상을 가리킬 때는 one, the other를 사용한다. 따라서 two 대신 the other를 써야 한다.
② If 조건절에서는 현재 시제가 미래의 의미를 나타내므로 will try 대신 try를 써야 한다.

③ If 조건절에서는 현재 시제가 미래의 의미를 대신하므로 will finish 대신 finish를 써야 한다.
④ If 조건절에서는 현재 시제가 미래의 의미를 대신하므로 will have 대신 have를 써야 한다.

Reading & Writing Test

pp. 18-19

01 ⑤ **02** change **03** ⑤ **04** ② **05** ③ **06** ⑤
07 If the traffic is heavy **08** ④ **09** two, dream, car, cup, handles **10** ③ Another → The other

01-02

전문해석 나의 친구 Eric과 나는 방학 동안 흥미로운 변화가 있었다. 우리는 서로에게 이메일을 보냈고 우리의 변화에 관해 이야기했다.

01 해설 '방학 동안'이라는 의미가 되어야 하는데, '동안'의 의미를 갖는 단어는 during이다.

02 해석 달라져 가는 행동

03-05

전문해석 Eric에게

서울은 아름다운 봄이야. 지난 겨울 방학은 나에게 멋진 시간이었어. 나는 방학 동안 두 가지 개인적인 변화를 이뤘어. 하나는 나의 새로운 취미야. 그것은 컵케이크를 만드는 거야. 나만의 컵케이크를 만드는 것은 정말 재미있어. 나머지 다른 변화는 나의 나쁜 습관 중 하나를 버린 거야. 예전에 나는 종종 손톱을 물어뜯었어. 이제 나는 더 이상 그러지 않아. 나는 그런 변화가 정말 기분 좋아. 만약 네가 변화하려고 노력하면 네가 나처럼 기분이 좋을 거라고 확신해. 곧 너로부터 소식 듣기를 바라.

너의 친구 준호가

03 해설 ⑤ 준호의 겨울 방학 계획은 본문에 언급되지 않았다.

04 해설 두 가지 대상을 가리킬 때는 one, the other를 사용한다.

05 해석 예전에 나는 종종 손톱을 물어뜯었다.

해설 ③ 자신의 나쁜 습관 중 하나를 버린 것이라고 말한 다음 이면서 이제는 그러지 않는다는 내용이 나오기 전인 ③에 자신의 나쁜 습관을 언급하는 것이 알맞다.

06-09

전문해석 준호에게,

시드니에서는 3월이 가을이야. 너는 이메일에서 너에게 일어난 변화들을 말해 주었지. 이제 나의 새로운 변화를 말해 줄 때구나. 요즘 나는 3D 프린팅에 빠져 있어. 나는 3D 프린터로 두 가지를 인쇄했어. 하나는 내 꿈의 자동차 모형이야. 교통이 혼잡할 때 그것은 날 수 있는 차로 바뀔 거야. 나머지 다른 하나는 우리 할아버지를 위한 특별한 컵이야. 할아버지는 편찮으셔서 컵을 잘 들지 못하셔. 나의 특별한 컵은 손잡이가 세 개 있어서 들기 쉬워. 할아버지는 아주 행복해하셔. 그건 그렇고, 나는 너의 컵케이크를 언젠가 맛보고 싶어, 준호야. 잘 지내.

행운을 빌며 Eric이

06 해석 ① Eric은 몇몇 변화를 이뤘다.
② Eric은 3D 프린팅에 관심이 있다.
③ Eric은 3D 프린터로 꿈의 자동차 모형을 만들었다.
④ Eric의 특별한 컵은 그의 할아버지를 위한 것이다.
⑤ Eric은 준수의 컵케이크를 이미 먹어 보았다.

해설 ⑤ Eric이 마지막 문장에 I want to try your cupcakes some day, Junho.라고 했으므로 아직 준호의 컵케이크를 먹어 보지 못했다.

07 해설 「If + 주어 + 동사」의 순서를 따라 'If the traffic is heavy'로 완성한다.

08 해설 할아버지께서 편찮으셔서 컵을 잘 들지 못하신다는 의미가 되어야 자연스러우므로 이유를 나타내는 접속사인 because가 와야 한다.

09 해석 Eric은 3D 프린터로 두 가지를 만들었다. 하나는 그의 꿈의 자동차 모형이고 나머지 하나는 손잡이가 세 개 달린 특별한 컵이다.

10 해석 너는 매우 똑똑하고 재미있어. 그러나 너는 여전히 두 가지 변화를 만들고 싶어 하지, 그렇지 않니? 하나는 더 많은 좋은 친구를 사귀는 것이야. 나머지 하나는 더 건강해지는 것이야. 너의 소망을 위한 나의 팁이 있어. 네가 다른 사람들에게 더 친절히 대하고 더 많은 채소를 먹으면 너는 이러한 변화들을 이룰 거야.

해설 ③ 두 가지 대상을 가리킬 때는 one, the other를 사용한다. 따라서 Another 대신 The other를 써야 한다.

단원평가 pp. 20-23

01 ④ **02** ⑤ **03** ② **04** miss **05** ④ **06** ③ **07** ④ **08** I'm thinking of taking a painting class. **09** ③ **10** ③ **11** ④ **12** ② **13** exercises **14** ④, ⑤ **15** made some interesting changes during the vacation **16** ⑤ **17** ② **18** ④ **19** ③ **20** hobby, breaking **21** ⑤ **22** If the traffic is heavy, it will change into a flying car. / It will change into a flying car if the traffic is heavy. **23** ① **24** ④ **25** ② **26** ⑤ **27** ⓐ change ⓑ change ⓒ Change **28** playing the flute **29** the other, One, the other **30** you go to bed early, you will get better

01 해석 ① 거짓말 - 진실 ② 늦은 - 이른
③ 깨다 - 지키다 ④ 속상한 - 화난 ⑤ ~와 - ~ 없이
해설 ①, ②, ③, ⑤는 반의어 관계이고, ④는 유의어 관계이다.

02 해석 나는 학교에 늦곤 했다. 요즘 나는 일찍 일어나서 더 이상 학교에 늦지 않는다.
해설 not ... anymore 더 이상 …하지 않는다

03 해석 무언가를 잘라 내기 위해 치아를 사용하다
① 때리다 ② 물어뜯다 ③ 깨다 ④ 결정하다 ⑤ 얇게 자르다

04 해석 • 내가 지금 떠나지 않으면 나는 비행기를 놓칠 것이다.
• 우리는 너를 많이 그리워할 것이다. 나는 너를 곧 보길 바란다.
해설 miss 놓치다, 그리워하다

05 해석 나는 내 책상을 치울 생각이다.
① 나는 책상을 치우고 싶다.
② 나는 이미 책상을 치웠다.
③ 나는 막 책상을 치울 것이었다.
④ 나는 책상을 치울 계획이다.
⑤ 나는 내가 책상을 치웠는지 확신할 수 없다.
해설 I'm thinking of ...는 '…할 생각이다'라는 뜻으로 I'm planning to ...와 비슷한 뜻이다. I'm planning to 뒤에는 동사원형이 와야 한다.

06 해석 ⓑ 너 그거 아니? 놀라운 소식이 있어.
ⓓ 그게 뭔데?
ⓒ 우리 팀이 농구 경기를 이겼어.
ⓐ 오, 정말? 대단하다!
해설 You know what? 뒤에는 새로운 소식을 전하는 말이 와야 하고 그 뒤에는 그 소식이 무엇인지 구체적으로 묻는 질문과 답이 오고, 마지막으로 그에 대한 반응이 오는 것이 자연스럽다.

07 해석 ① A: 너의 방학 계획은 무엇이니?
B: 나는 피아노를 배울 생각이야.
② A: 너 그거 아니? 나 말하기 대회에서 1등 했어.
B: 축하해! 대단하다!
③ A: 이번 주말에 너는 뭘 할 거니?
B: 나는 친구들을 만날 생각이야.
④ A: 나는 축구 동아리를 시작할 거야.
B: 나는 몰라.
⑤ A: 너 그거 아니? BTS가 빌보드 차트에서 1위에 올랐어.
B: 어머나! 대단하다!
해설 ④ 축구 동아리를 시작할 것이라는 말에 대한 대답으로 '나는 몰라.'는 자연스럽지 않다.

08-09
전문해석 A: 준수야, 너 그거 아니? 나는 그림 그리기 수업을 수강할 생각이야.
B: 진짜? Emily, 너는 왜 그림 그리기 수업을 수강하기로 결정했니?
A: 나는 예술 고등학교에 가고 싶기 때문이야.
B: 너는 미래에 예술가가 될 생각이야?
A: 그러길 바라. 나는 그림 그리는 것에 관심이 있어.
B: 좋은 생각이야. 나는 너의 소망이 실현되길 바라.
A: 고마워, 최선을 다할게.

08 해설 I'm thinking of ... 구문을 활용하여 문장을 완성한다. of 뒤에는 동명사가 와야 한다.

09 해석 ① 준수는 그림 그리기 수업을 듣기로 결심했다.
② 준수는 Emily와 그림 그리기 수업을 들었다.
③ Emily는 그림 그리는 것에 흥미가 있다.
④ 준수와 Emily는 그림 그리기 수업에 참여할 것이다.
⑤ Emily는 미술 선생님이 되고 싶어 한다.
해설 ③ Emily가 I'm interested in painting pictures.라고 말했다.

10 해석 내일 날씨가 화창하면 나는 공원에 가서 나의 개를 산책시킬 것이다.
해설 ③ If 조건절에서는 현재 시제가 미래의 의미를 나타내므

로 will be는 is로 바꿔야 한다.

11 해석 나는 치마를 세 벌 샀다. 한 벌은 내 여동생을 위한 것이고 다른 한 벌은 엄마를 위한 것이고, 나머지 한 벌은 나를 위한 것이다.

해설 세 가지 대상을 가리킬 때는 one, another, the other를 쓰므로 the others를 the other로 바꿔야 한다.

12 해석 방에 두 개의 의자가 있다. 하나는 탁자 뒤에 있다. 나머지 하나는 문 앞에 있다.

해설 두 가지 대상을 가리킬 때는 one, the other를 사용한다.

13 해석 그는 건강해지고 싶어 한다. 그가 매일 운동한다면 그렇게 될 것이다.

해설 If 조건절에서는 현재 시제가 미래를 나타내고 조건절의 주어가 3인칭 단수인 he이므로 exercise의 3인칭 단수형 exercises로 써야 한다.

14 해석 ① 오늘 학교가 일찍 끝나면 나는 엄마와 쇼핑하러 갈 것이다.
② 나는 카드를 두 개 받았다. 하나는 선생님으로부터 받은 것이고 나머지 하나는 친구로부터 받은 것이다.
③ 네가 그 소식을 듣는다면 너는 슬플 것이다.
④ 네가 운동을 더 한다면 너는 더 건강해질 것이다.
⑤ 나는 애완동물 세 마리가 있다. 한 마리는 개이고, 다른 한 마리는 고양이이고, 나머지 한 마리는 토끼이다.

해설 ① 조건문의 주절에서는 시제에 맞는 동사를 사용해야 하므로 go 대신 will go를 써야 한다.
② 두 가지 대상을 가리킬 때는 one, the other를 쓰므로 another 대신 the other를 써야 한다.
③ If 조건절에서는 현재 시제가 미래의 의미를 나타내므로 will hear 대신 hear를 써야 한다.

15-16

전문해석 나의 친구 Eric과 나는 방학 동안 흥미로운 변화를 이루었다. 우리는 서로에게 이메일을 보냈고 우리의 변화에 관해 이야기했다.

15 해설 make change는 '변화를 이루다'라는 뜻의 표현으로 시제에 맞게 동사의 과거형을 사용하여 made some interesting changes during the vacation으로 완성한다.

16 해설 방학 동안 흥미로운 변화가 있었다고 했으므로 다음에 이어질 내용으로 알맞은 것은 'Eric과 나의 변화'이다.

17-20

전문해석 Eric에게,

서울은 아름다운 봄이야. 지난 겨울 방학은 나에게 멋진 시간이었어. 나는 방학 동안 두 가지 개인적인 변화를 이뤘어. 하나는 나의 새로운 취미야. 그것은 컵케이크를 만드는 거야. 나만의 컵케이크를 만드는 것은 정말 재미있어. 나머지 다른 변화는 나의 나쁜 습관 중 하나를 버린 거야. 예전에 나는 종종 손톱을 물어뜯었어. 이제 나는 더 이상 그러지 않아. 나는 그런 변화가 정말 기분 좋아. 만약 네가 변화하려고 노력하면 네가 나처럼 기분이 좋을 거라고 확신해. 곧 너로부터 소식 듣기를 바라.

너의 친구 준호가

17 해석 ① 각본 ② 편지 ③ 일기 ④ 연설문 ⑤ 신문

해설 윗글은 준호가 Eric에게 보낸 이메일 편지 내용이다.

18 해설 문장의 앞부분에 In the past라는 과거를 나타내는 말이 있으므로 bite의 과거형이 와야 한다.
bite–bit–bitten

19 해석 ① 서울은 봄이다.
② 겨울 방학 동안 준호는 두 가지 변화를 이뤘다.
③ 겨울 방학 전에 준호의 취미는 컵케이크를 만드는 것이었다.
④ 준호는 그의 손톱을 물어뜯는 나쁜 습관이 있었다.
⑤ 준호는 그가 이룬 변화에 대해 기분이 좋다.

해설 컵케이크 만드는 취미는 겨울 방학에 새롭게 가진 것이다.

20 해석 Q: 방학 동안 준호가 이룬 두 가지 변화는 무엇인가요?
A: 하나는 그의 새로운 취미이고 나머지 하나는 그의 나쁜 습관 중 하나를 버린 것입니다.

해설 준호는 방학 동안 컵케이크 만드는 취미가 생겼고, 손톱을 물어뜯는 나쁜 습관을 버렸다.

21-23

전문해석 준호에게,

시드니에서 3월은 가을이야. 너는 이메일에서 너에게 일어난 변화들을 말해 주었지. 이제 나의 새로운 변화를 말해 줄 때구나. 요즘 나는 3D 프린팅에 빠져 있어. 나는 3D 프린터로 두 가지를 인쇄했어. 하나는 내 꿈의 자동차 모형이야. 교통이 혼잡할 때, 그것은 날 수 있는 차로 바뀔 거야. 나머지 다른 하나는 우리 할아버지를 위한 특별한 컵이야. 할아버지는 편찮으셔서 컵을 잘 들지 못하셔. 나의 특별한 컵은 손잡이가 세 개 있어서 들기 쉬워. 할아버지는 아주 행복해하셔. 그건 그렇고, 나는 너의 컵케이크를 언젠가 맛보고 싶어, 준호야. 잘 지내.

행운을 빌며 Eric이

21 해석 ① 시드니에서 3월의 계절은 어떤가?
② Eric은 요즘 무엇에 빠져 있나?
③ Eric은 3D 프린터로 무엇을 만들었나?
④ 왜 Eric은 손잡이가 세 개 달린 특별한 컵을 만들었나?
⑤ Eric은 3D 프린터로 무엇을 만들 것인가?
해설 ⑤ Eric이 3D 프린터로 만들 것은 언급되지 않았다.
① 시드니에서 3월은 가을이다.
② Eric은 요즘 3D 프린터에 빠져 있다.
③ Eric은 3D 프린터로 꿈의 자동차 모형과 특별한 컵을 만들었다.
④ Eric은 그의 편찮으신 할아버지를 위해 특별한 컵을 만들었다.

22 해설 「If + 주어 + 동사, 주어 + 동사」의 순서를 따르는 조건문을 완성한다. 이때, If 조건절에서는 현재 시제로 미래의 의미를 나타내며 조건절은 주절의 앞이나 뒤에 모두 올 수 있다.

23 해석 나머지 다른 하나는 우리 할아버지를 위한 특별한 컵이야.
해설 컵에 대한 언급이 시작되는 문장 앞에 들어가는 것이 가장 자연스럽다.

24-26
전문해석 너는 매우 똑똑하고 재미있어. 그러나 너는 여전히 두 가지 변화를 만들고 싶어하지, 그렇지 않니? 하나는 더 많은 좋은 친구를 사귀는 것이야. (하나는 영어 공부를 열심히 하는 것이야.) 나머지 하나는 더 건강해지는 것이야. 너의 소망을 위한 나의 팁이 있어. 네가 다른 사람들에게 더 친절히 대하고 더 많은 채소를 먹으면 너는 이러한 변화들을 이룰 거야.

24 해석 ① 그리고 ② 또한 ③ 그러고 나서 ④ 그러나 ⑤ 예를 들어
해설 ④ 자신의 장점이 있지만 다음 문장에 여전히 바꾸고 싶은 점이 있다는 내용이 이어지므로 반대의 내용을 연결하는 역접 접속사가 와야 한다.

25 해설 두 가지 변화를 이루고 싶다고 했는데 Another is to study English harder.라는 문장이 있어서 세 가지의 변화를 언급하는 내용이 되었고 이 내용 외 다른 변화에 대한 팁이 뒤에 이어지므로 ②가 빠져야 글이 자연스럽다.

26 해석 ① 더 건강해지는 방법
② 다른 사람을 친절하게 대하는 방법
③ 더 건강해지기 위해 해야 할 일
④ 더 많은 친구를 갖기 위해 해야 할 일
⑤ 삶에서 변화를 이루기 위해 해야 할 일
해설 ⑤ 두 가지 이루고 싶은 변화와 그것을 이루기 위해 해야 할 일들에 대한 팁을 주고 있으므로 글의 제목으로 알맞은 것은 '삶에서 변화를 이루기 위해 해야 할 일'이다.

27 해석 • 사물들은 변화하지 않는다; 우리가 변한다.
• 모든 것의 변화는 달콤하다.
해설 ⓐ에는 동사원형 change가 들어가야 하고, ⓑ에는 현재형 동사 change가 들어가야 한다. ⓒ에는 명사 Change가 들어가야 한다.

28 해석 Q: 너의 이번 주말 계획은 무엇이니?
A: 나는 플루트를 연주할 생각이야.
해설 I'm thinking of ...는 자신의 의도를 나타내는 표현으로 of 뒤에는 동명사가 온다.

29 해석 두 명의 학생이 있다. 한 명은 소년이고, 나머지 한 명은 소녀이다. 그 소녀는 두 마리의 개를 산책시키고 있다. 한 마리는 검은색이고 나머지 한 마리는 갈색이다.
해설 두 가지 대상을 가리킬 때는 one, the other를 사용한다.

30 해설 if 조건절에서는 현재 시제로 미래의 의미를 나타내며, 주절에서 미래를 나타낼 때는 미래 시제를 사용해야 한다. If가 문장의 시작 단어로 제시되어 있으므로 If절 뒤에 콤마(,)를 써야 한다.

서술형 평가 p. 24

1 (1) playing soccer (2) I'm thinking of studying math. (3) I'm thinking of exercising. (4) I'm thinking of watching a movie.

2 (1) blue, the other is black (2) red, the other is brown (3) a soccer ball, another is a baseball, the other is a basketball

3 |예시 답안|
(1) I will take pictures with him
(2) I will visit my grandparents
(3) help people in need
(4) gives me a thank you card

1 해석 (1) R: 너의 이번 주 월요일 계획은 무엇이니?
J: 나는 축구를 할 생각이야.
(2) R: 너의 이번 주 화요일 계획은 무엇이니?
J: 나는 수학 공부를 할 생각이야.
(3) R: 너의 이번 주 수요일 계획은 무엇이니?
J: 나는 운동을 할 생각이야.
(4) R: 너의 이번 주 금요일 계획은 무엇이니?

J: 나는 영화를 볼 생각이야.

해설 I'm thinking of .... 구문을 활용하여 지수가 이번 주에 할 일을 표현한다.

2 해석 (1) 필통에 두 자루의 펜이 있다. 하나는 파랑색이고 나머지 하나는 검은색이다.

(2) 침대에 가방 두 개가 있다. 하나는 빨강색이고 나머지 하나는 갈색이다.

(3) 공이 세 개 있다. 하나는 축구공, 다른 하나는 야구공이고, 그 나머지 다른 하나는 농구공이다.

해설 두 가지 대상을 가리킬 때 사용하는 one, the other 구문과 세 가지 대상을 가리킬 때 사용하는 one, another, the other 구문을 활용하여 설명을 완성한다.

3 해석 |예시 답안|

(1) 좋아하는 가수를 만나면 나는 그와 사진을 찍을 것이다.

(2) 내가 내일 시간이 있으면 할머니, 할아버지를 방문할 것이다.

(3) 네가 도움이 필요한 사람들을 도우면 나는 너를 칭찬할 것이다.

(4) 나는 내 가장 친한 친구가 내게 감사 카드를 준다면 기쁠 것이다.

해설 (1), (2) 조건문의 주절에서 미래를 나타낼 때는 미래 시제를 사용하므로 동사를 미래 시제로 써서 문장을 완성한다.

(3), (4) if 조건절에서는 현재 시제가 미래의 의미를 나타내므로 동사를 현재 시제로 써서 문장을 완성한다.

Lesson 2

Better Safe Than Sorry

Word Check

p. 26

A (1) 늦은 (2) 보호하다 (3) 상황 (4) 준비하다, 대비하다 (5) 발생하다 (6) 꼭 잡다 (7) wipe (8) program (9) might (10) injury (11) pole (12) a little

B (1) helmet (2) survive (3) empty (4) break (5) forget

C (1) safety (2) Stay away (3) stairs (4) example (5) injury (6) take cover

B 해석 (1) 사람들이 자신의 머리를 보호하기 위해 쓰는 단단한 모자

(2) 위험에도 불구하고 계속 살아 있거나 존재하다

(3) 아무것도 들어 있지 않은

(4) 많은 힘으로 조각들로 나누다

(5) 무언가를 생각하거나 기억할 수 없다

C 해설 (1) safety 안전

(2) stay away from ~에서 떨어져 있다

(3) stairs 계단 (4) example 예시, 예

(5) injury 부상 (6) take cover 숨다

Word Test

p. 27

1 ⑤ **2** ① **3** (1) on (2) out (3) away **4** (1) slippery (2) shake (3) follow **5** hurt **6** avoid **7** medicine

1 해석 ① 홍수 ② 폭풍우 ③ 토네이도 ④ 지진 ⑤ 재난

해설 ①~④는 모두 재난의 한 종류이다.

2 해석 물이나 다른 액체로 뒤덮인

① 젖은 ② 낮은 ③ 늦은 ④ 아픈 ⑤ 심각한

3 해석 (1) 네가 다리를 건널 때 이 줄을 꼭 잡아라.

(2) 지진이 나면 건물에서 나가야 한다.

(3) 위험한 물질로부터 떨어져 있어라.

해설 (1) hold on to 꼭 잡다

(2) get out of …에서 나가다

(3) stay away from …에서 떨어져 있다

4 해석 (1) 바닥에서 뛰지 마. 매우 미끄러워.

(2) 지진이 발생할 때 물건들이 흔들릴 수 있다.

(3) 우리는 교칙을 따라야 한다.

5 해석 • 오, 내 발이 아파! 걸을 수가 없어.
• 그의 말이 내 마음을 아프게 한다.

해설 hurt 아프다, 아프게(다치게) 하다

6 해석 • 그들은 교통 혼잡을 피하기 위해 다른 도로로 갔다.
• 그는 나에게 화가 나서 나를 피하기 시작했다.

해설 avoid 피하다, 방지하다

7 해설 take medicine 약을 먹다

Listening & Speaking Test

pp. 30-31

01 (1) worried about (2) wash your hands **02** ⑤ **03** about, fasten **04** ④ **05** ③ **06** watching → watch **07** 3 – 2 – 1 **08** ⑤ **09** ③ **10** ④

01 해설 be worried about ... …에 대해 걱정하다
You should ... …해야 한다

02 해석 A: 나는 일찍 일어나고 싶은데, 그럴 수가 없어. 무엇을 해야 할까?
B: 너는 알람을 맞춰야 해.

해설 A의 걱정에 대해 B가 충고하고 있다.

03 해석 A: 나는 버스 사고가 걱정돼.
B: 버스를 탈 때는 안전벨트를 매야 해.

해설 '…에 대해 걱정하다'라는 표현은 be worried about이다. should 뒤에는 동사원형이 와야 한다.

04 해석 A: 나는 나의 감기가 걱정이야.
B: 너는 ______________ 해.
① 휴식을 취해야
② 의사 선생님을 보러 가야
③ 많은 수면을 취해야
④ 안전 수칙을 따라야
⑤ 약을 먹어야

해설 감기에 걸렸다는 친구의 걱정에 대한 조언으로 안전 수칙을 따르라는 말은 어색하다.

05 해석 ① A: 바닥이 미끄러워.
B: 너는 걸음을 조심해야 해.
② A: 나는 등산하러 갈 거야.
B: 너는 모자를 챙겨야 해.
③ A: 나는 나의 말하기 시험이 걱정이야.
B: 나는 안 될 것 같아.
④ A: 나는 태풍이 걱정이야.
B: 너는 실내에 있어야 해.
⑤ A: 나는 나의 여드름이 걱정이야.
B: 너는 그것들을 만지지 말아야 해.

해설 말하기 시험이 걱정된다는 친구의 걱정에 대한 조언으로 자신은 안 될 것 같다는 말은 어색하다.

06 해석 민수: 나는 사과를 깎다가 손을 다쳤어.
수진: 너는 칼을 사용할 때 손을 봐야 해.

해설 should 뒤에는 동사원형이 와야 한다.

07 해석 A: 5시에 영화가 시작해.
B: 오, 이런. 우리는 10분밖에 안 남았어. 뛰자!
A: 안 돼! 너는 계단에서 뛰면 안 돼.
B: 네가 옳아. 우리는 약간 늦어도 되지.

해설 영화가 5시에 시작한다는 말에 10분밖에 남지 않았으니 뛰자고 이야기하고, 그 다음에 뛰면 안 된다는 말이 이어져야 한다. 마지막으로 약간 늦어도 된다며 상대의 말에 동의하는 것이 자연스럽다.

08 해석 A: 나는 치통이 걱정이야. 많이 아파.
B: 너는 치과 의사에게 가 봐야 해.
① 치과 의사에게 가자.
② 치과 의사에게 갈 것을 잊어버렸어.
③ 나는 치과 의사가 무서워.
④ 왜 너에게 치통이 생겼어?
⑤ 치과 의사에게 가는 것이 어때?

해설 밑줄 친 부분은 충고 표현이므로 How about ...?으로 바꿔 쓸 수 있다.

09-10

전문해석 B: 어제 시립 도서관에서 큰 화재가 있었어.
M: 응. 들었어. 나는 그곳에 있는 사람들이 걱정됐어.
B: 걱정 마. 모두 괜찮대. 그들 모두 안전 수칙을 따랐어.
M: 진짜? 그 수칙이 뭐야?
B: 젖은 수건으로 코와 입을 덮어야 해. 그러고 나서 낮은 자세로 탈출해야 해.

09 해석 ① …을 두려워하는 ② …에 흥미가 있는 ③ …에 대해 걱정하는 ④ …에 호기심이 있는 ⑤ …에 기뻐하는

해설 사람들이 걱정된다는 표현이 들어가는 것이 자연스러우므로 worried about이 알맞다.

10 해설 화재가 발생했을 때의 안전 수칙은 젖은 수건으로 코와 입을 덮고 낮은 자세로 탈출하는 것이다.

Grammar Check p. 33

A (1) to do (2) to skate (3) who (4) which (5) asks

B (1) what to do next (2) how to use his smartphone (3) what to order tomorrow

C (1) I watched a man who was walking his dog.
(2) There are seven colors which make up a rainbow.
(3) I sat on a bench which looked like a big whale.

D (1) who → which/that (2) which → who/that (3) are → is

A 해석 (1) 나는 무엇을 해야 할지 확신하지 못한다.
(2) 유나는 아이들에게 스케이트를 잘 타는 방법을 가르쳤다.
(3) John은 축구를 좋아하는 소년이다.
(4) 너는 큰 수영장이 있는 집을 봤니?
(5) Cindy는 수업에서 질문을 많이 하는 소녀이다.

해설 (1) 'what + to부정사'의 형태가 되어야 하므로 to do가 알맞다.
(2) 'how + to부정사'의 형태가 되어야 하므로 to skate가 알맞다.
(3) 선행사가 a boy로 사람이므로 관계대명사 who가 알맞다.
(4) 선행사가 the house로 사물이므로 관계대명사 which가 알맞다.
(5) 주격 관계대명사절 동사의 수는 선행사에 일치시키며 선행사가 a girl로 단수이므로 단수 동사 asks가 알맞다.

B 해석 (1) 민수는 다음에 무엇을 해야 할지 모른다.
(2) 나는 나의 할아버지에게 스마트폰을 사용하는 방법을 가르쳐 드렸다.
(3) 나는 내일 무엇을 주문해야 할지 생각 중이다.

해설 (1) '무엇을 해야 할지'에 해당하는 what to do를 쓰고 부사 next를 뒤에 쓴다.
(2) '사용하는 방법'에 해당하는 how to use를 쓰고 use의 목적어 his smartphone을 뒤에 쓴다.
(3) '무엇을 주문해야 할지'에 해당하는 what to order를 쓰고 부사 tomorrow를 뒤에 쓴다.

C 해석 (1) 나는 남자를 봤다. 그는 그의 개를 산책시키고 있었다.
(2) 일곱 가지 색깔이 있다. 그것들은 무지개를 구성한다.
(3) 나는 벤치에 앉았다. 그것은 큰 고래처럼 생겼다.

해설 (1) 선행사가 a man으로 사람이므로 관계대명사 who를 사용하여 연결한다.
(2) 선행사가 seven colors로 사물이므로 관계대명사 which를 사용하여 연결한다.
(3) 선행사가 a bench로 사물이므로 관계대명사 which를 사용하여 연결한다.

D 해석 (1) 뜨거운 물로 가득 찬 유리잔이 있다.
(2) 자연재해에서 살아남은 사람들이 있다.
(3) 너는 몸에 좋은 음식을 먹어야 한다.

해설 (1) 선행사가 사물이므로 who를 which나 that으로 고쳐야 한다.
(2) 선행사가 사람이므로 which를 who나 that으로 고쳐야 한다.
(3) 선행사가 food로 단수이므로 are를 단수 동사 is로 고쳐야 한다.

Grammar Test p. 34

01 ① 02 ④ 03 ⑤ 04 ② 05 ⑤

01 해석 A: 희진아, 6교시에 특별 수업이 있을 거래.
B: 무엇에 관한 거야?
A: 학교에 화재가 발생할 때 무엇을 해야 할지에 관한 것이야.

해설 화재 발생 시 무엇을 해야 할지에 관한 수업이므로 what을 써서 What to do가 되는 것이 자연스럽다.

02 해석 나는 친구들이 좋다. 그들은 다른 사람들과 함께 자신의 것을 나눈다.

해설 선행사가 friends로 사람이므로 관계대명사 who나 that을 사용하여 연결해야 한다. 주격 관계대명사는 생략할 수 없으며 관계대명사절에는 주어 대신 관계대명사가 와야 한다.

03 해석 나는 시청에 가는 방법을 모른다.

해설 '…하는 방법'이라는 뜻의 표현은 'how + to부정사'이다.

04 해석 ① 나는 아기를 구한 개를 안다.
② 나는 학교에서 유명한 쌍둥이 자매를 안다.
③ 그 책은 전화기를 발명한 사람에 관한 것이다.
④ James는 자동차와 드론에 관심이 있는 소년 몇 명을 안다.
⑤ 나는 이번 여름 방학에 뉴욕에 살고 있는 나의 사촌들을 방문할 계획이다.

해설 ② 선행사가 the twin sisters로 복수 명사이므로 관계대명사절의 동사 is는 are가 되어야 한다.

05 해석 ① 그녀의 생일을 위해 무엇을 할지 결정할 때이다.
② 그 다큐멘터리는 홍수가 났을 때 무엇을 해야 할지에

관한 것이다.

③ 그녀는 파스타를 만드는 방법을 아는 두 소녀를 안다.

④ 너는 우리에게 기말시험에 어떻게 높은 성적을 받을 수 있는지를 말해줄 수 있니?

⑤ 나는 아름다운 자연으로 유명한 제주도에 갔다.

해설 ① 'what + to부정사'의 형태가 되어야 하므로 do to는 to do가 되어야 한다.

② 'what + to부정사'의 형태가 되어야 하므로 doing은 do가 되어야 한다.

③ 선행사가 two girls로 복수이므로 knows는 복수 동사 know가 되어야 한다.

④ 'how + to부정사'의 형태가 되어야 하므로 get은 to get이 되어야 한다.

Reading & Writing Test

pp. 36 - 37

01 ⓐ what to do ⓑ how to be safe **02** ④ **03** ③
04 ② **05** break, hurt **06** ② safely → safer
07 that is far from buildings **08** stairs, elevator, empty
09 Earthquakes **10** ⑤

01-02

전문해석 지진이 발생할 때 무엇을 해야 할지 알고 있나요? 이 퀴즈를 풀며 이러한 종류의 자연재해가 발생하는 동안 어떻게 해야 안전할지를 생각해 보세요.

1. 물건들이 흔들리기 시작하면, 빨리 밖으로 뛰어나가세요.
2. 창문으로부터 멀리 떨어지세요.
3. 건물에서 나가기 위해서는 계단을 이용하세요.

01 해설 ⓐ what 뒤에 to부정사인 to do를 쓴다.
ⓑ how 뒤에 to부정사인 to be를 쓰고 보어 safe를 쓴다.

02 해설 '~하기 위해서'라는 목적을 표현하기 위해 to부정사를 사용한다.

03-05

전문해석 지진 발생 시 도움이 될 수 있는 몇 가지 안전 팁이 있습니다. 그것들을 하나씩 확인하면서 무엇을 해야 하는지 배워 봅시다.

물건이 흔들릴 때 밖으로 뛰어나가지 마세요. 탁자나 책상을 찾아서 그 밑에 숨으세요. 자신을 보호하기 위해 다리를 꼭 잡고 있어도 됩니다. 또한 창문에서 떨어져 있으세요. 지진이 일어나는 동안 창문들이 깨져 여러분을 다치게 할 수 있습니다.

03 해설 one by one 하나씩 hold on to 꼭 잡다

04 해설 ① 물건들이 흔들릴 때 당신은 밖으로 나가야 한다.
② 탁자 아래 숨는 것이 지진 시에 도움이 될 수 있다.
③ 스스로를 보호하기 위해 책상에서 멀리 떨어져 있어야 한다.
④ 스스로를 보호하기 위해 창문을 꼭 잡을 수 있다.
⑤ 탁자가 지진이 발생하는 동안 부서질 것이다.

해설 물건이 흔들릴 때 책상 아래에 숨는 것이 지진 발생 시의 안전 팁이라고 언급되어 있다.

05 해설 여러분은 지진이 일어나는 동안 창문이 깨져서 여러분을 다치게 할 수 있기 때문에 그것들로부터 멀리 떨어져 있어야 합니다.

06-08

전문해석 흔들림이 멈추었을 때 밖으로 나가도 됩니다. 건물에서 나가기 위해 엘리베이터를 이용하지 마세요. 계단을 이용하세요. 그것이 훨씬 더 안전합니다. 일단 밖으로 나가면, 건물로부터 멀리 떨어진 빈 공간을 찾으세요. 기둥이나 나무를 꼭 잡고 싶어 하는 사람들이 있을 수 있지만, 다시 생각해 보세요. 그것이 당신 위로 넘어질 수 있으므로 그것은 좋지 않은 생각입니다.

06 해설 ② '훨씬 더 안전하다'는 의미가 되도록 부사 safely는 형용사 비교급 safer가 되어야 한다.

07 해설 주격 관계대명사 that을 이용하여 문장을 연결하고 동사 is를 쓴 뒤, '건물에서 멀리 떨어진'의 의미인 far from buildings를 쓴다.

08 해설 이것들은 지진 발생 시 여러분이 따라야 하는 몇 가지 팁입니다. 건물을 나가기 위해서 우리는 엘리베이터 대신 계단을 사용해야 합니다. 우리가 밖에 있을 때는 빈 장소를 찾아야 합니다. 또한, 기둥이나 나무를 잡는 것은 그것이 당신에게 떨어질 수도 있기 때문에 좋지 않은 생각입니다.

09 해설 지진은 언제든지 발생할 수 있습니다. 지진은 모두에게 무서운 경험일 것입니다. 따라서 지진이 있을 때, 안전을 지키는 법을 배우세요. 부상을 방지하고 자신을 보호할 수 있습니다. 이 팁을 따르고 안전을 지키세요!

해설 무서운 경험이 될 수 있는 것이고 복수 명사의 대명사이므로 앞 문장의 Earthquakes를 지칭한다.

10 해설 위험할 수 있는 많은 상황들이 있습니다. 여기에 몇 개의 팁이 있습니다. 무엇을 해야 할지를 배우고 안전하게 지냅시다! 젖은 바닥은 위험할 수 있습니다. 사람들은 미끄러지고 넘어질 수 있습니다. 그래서 여러분은 바닥에 있는 물을 닦지 말아야(→닦아야) 합니다.

해설 ⑤ 젖은 바닥이 위험하다고 했으므로 바닥의 물을 닦아야 한다고 하는 것이 자연스럽다. 따라서 should not을 should로 고쳐야 한다.

단원평가

pp. 38-41

01 ① **02** ④ **03** ④ **04** stay
05 going → go **06** 3 - 4 - 2 - 1 **07** ⑤
08 You should keep that in mind. **09** ④
10 ① **11** ③ **12** ③ **13** ⑤
14 what to take, how to pack **15** an earthquake
16 ③ **17** ① survive from → survive
18 (A) some safety tips (B) windows **19** ④
20 ③ **21** There may be people who/that want to hold on to a pole or a tree. **22** ④ **23** ②
24 ④ **25** ⑤ **26** ⓐ drank ⓑ drinking
27 ① **28** slippery floor, wipe up the water
29 (1) how to play (2) doesn't know how to make (3) knows what to do / knows how
30 the movie, It, We saw the movie that/which was very boring.

01 해석 ① 안전한 - 안전 ② 빠른 - 빠르게
③ 행복한 - 행복하게 ④ 심각한 - 심각하게
⑤ 가능한 - 가능한 대로

해설 ②~⑤는 형용사와 부사의 관계이지만 ①은 형용사와 명사의 관계이다.

02 해석 지진이 발생할 때 물건들이 흔들리기 시작하고 떨어진다.
① 가지다 ② 닦다 ③ 피하다 ④ 발생하다
⑤ 잊어버리다

03 해석 어떤 사람이나 어떤 것이 해를 입는 것을 막다
① 다치게 하다 ② 부수다 ③ 흔들리다 ④ 보호하다
⑤ 준비하다

04 해석 • 지진 시에는 창문에서 떨어져 있어야 한다.
• 나는 숙제를 하기 위해 늦게까지 자지 않고 있을 것이다.

해설 stay away from …에서 떨어져 있다
stay up late 늦게까지 자지 않고 있다

05 해석 A: 내 부러진 손가락이 걱정이야. 너무 아파.
B: 의사 선생님에게 가 보는 게 어때?

해설 Why don't you 뒤에는 동사원형이 와야 한다.

06 해석 A: 나는 너의 충혈된 눈이 걱정돼. 무슨 일이 있었니?
B: 오, 충분한 수면을 취해야 해.
A: 그래, 그럴게.
B: 나 밤새 깨어 있었어.

해설 친구의 충혈된 눈에 대해 걱정을 표현하며 무슨 일이 있었는지 묻고 그 원인을 설명한 뒤, 충고와 대답을 하는 것이 대화의 순서로 자연스럽다.

07 해석 ① A: 나는 자전거를 탈 거야.
B: 너는 헬멧을 써야 해.
② A: 내일 화창할 거야.
B: 선글라스 챙길 것을 잊지 마.
③ A: 나는 나의 목 아픔이 걱정이야.
B: 너는 약을 먹어야 해.
④ A: 나의 배터리가 다 됐어.
B: 전화기를 충전하는 게 어때?
⑤ A: 나는 내 낮은 점수가 걱정이야.
B: 교과서를 가져갈 것을 잊지 마.

해설 ⑤ 성적이 낮은 것이 걱정이라는 말에 교과서를 가져갈 것을 잊지 말라고 충고하는 것은 자연스럽지 않다.

08-09
전문해석 B: 어제 시립 도서관에서 큰 화재가 있었어.
M: 응, 들었어. 나는 그곳에 있는 사람들이 걱정됐어.
B: 걱정 마. 모두 괜찮대. 그들 모두 안전 수칙을 따랐어.
M: 진짜? 그 수칙이 뭐야?
B: 젖은 수건으로 코와 입을 덮어야 해. 그러고 나서 낮은 자세로 탈출해야 해.
M: 오, 그건 몰랐네.
B: 너는 그것을 꼭 기억해야 해.

08 해설 주어 You를 쓰고 조동사와 동사인 should keep을 뒤에 쓴다. keep과 함께 쓰여 '그것을 꼭 기억하다'의 의미가 되도록 목적어 that을 쓴 뒤 in mind를 써서 문장을 완성한다.

09 해석 ① 큰 화재가 있었다.
② 미나는 그곳에 있던 사람들에 대해 걱정했다.
③ 사람들은 안전 수칙을 따라서 생존할 수 있었다.
④ 화재가 발생할 때 실내에 있어야 한다.
⑤ 화재가 발생할 때 젖은 수건으로 코를 가려야 한다.

해설 ④ Brian은 화재 발생 시 실내에 있는 것이 아니라 탈출해야 한다고 했다.

10 해석 소년이 있다. 그는 자전거를 타고 있다.
→ 자전거를 타고 있는 소년이 있다.

해설 두 문장에서 중복되는 명사는 a boy와 He로 선행사 a boy가 사람이므로 관계대명사 who나 that으로 문장을 연결해야 한다.

11 해석 • 세미는 스마트폰 어플리케이션을 디자인하는 유명한 프로그래머이다.
• 나는 나무로 만들어진 의자를 샀다.

해설 첫 번째 문장의 선행사는 a famous programmer로 사람이므로 관계대명사 who나 that이 와야 한다. 두 번째 문장의 선행사는 a chair로 사물이므로 관계대명사 which나 that이 와야 한다. 따라서 두 문장의 빈칸에 공통으로 들어갈 수 있는 것은 that이다.

12 해석 A: 어떻게 원어민처럼 영어를 말할 수 있는지 나에게 말해 줄 수 있니?
B: 너는 영어로 된 영화를 보고 실생활에 사용되는 단어들을 배울 수 있어.

해설 ⓐ '어떻게 …하는지'라는 의미의 표현은 'how+to부정사'이다.
ⓑ 선행사가 words로 사물이므로 관계대명사 which나 that을 사용한다.

13 해석 ① 나는 요리를 사랑하는 친구가 있다.
② 너는 좋은 점수를 받는 방법을 아니?
③ 그는 영국 출신 남자이다.
④ 축구는 한국에서 인기 있는 경기이다.
⑤ 내가 유명한 유튜버가 되는 방법을 말해 줄게.

해설 ① 선행사가 a friend로 사람이므로 which는 who나 that이 되어야 한다.
② '좋은 점수를 받는 방법'의 의미를 표현하기 위해 what은 how가 되어야 한다.
③ 관계대명사절에 동사가 없으므로 to come은 came이 되어야 한다.
④ 선행사가 a game으로 단수이므로 are는 is가 되어야 한다.

14 해설 '무엇을 …해야 하는지'에 해당하는 표현은 'what + to부정사'이므로 첫 번째 빈칸에는 what to take를 써야 한다. '어떻게 …해야 할지'에 해당하는 표현은 'how + to부정사'이므로 두 번째 빈칸에는 how to pack을 써야 한다.
pack (짐을) 싸다

15-16

전문해석 지진이 발생할 때 무엇을 해야 할지 알고 있나요? 이 퀴즈를 풀며 이러한 종류의 자연재해가 발생하는 동안 어떻게 해야 안전할지를 생각해 보세요.
1. 물건들이 흔들리기 시작하면, 빨리 밖으로 뛰어나가세요. (○/×)
2. 창문으로부터 멀리 떨어지세요. (○/×)
3. 건물에서 나가기 위해서는 계단을 이용하세요. (○/×)
4. 밖에 있을 때는 기둥이나 나무를 꼭 잡으세요. (○/×)

15 해설 '이러한 종류의 자연재해'라고 표현된 것으로 보아 앞에서 자연재해가 언급되었음을 알 수 있다. 앞서 언급된 자연재해는 an earthquake이다.

16 해설 ⓑ get out of …에서 나가다
ⓒ hold on to 꼭 잡다

17-19

전문해석 당신은 지진에서 안전하게 살아남을 수 있나요? 여기에 지진 발생 시 도움이 될 수 있는 몇 가지 안전 팁이 있습니다. 하나씩 확인하면서 무엇을 해야 하는지 배워 봅시다.
물건이 흔들릴 때 밖으로 뛰어나가지 마세요. 탁자나 책상을 찾아서 그 밑에 숨으세요. 자신을 보호하기 위해 다리를 꼭 잡고 있어도 됩니다. 또한, 창문에서 떨어져 있으세요. 지진이 일어나는 동안 창문들이 깨져 여러분을 다치게 할 수 있습니다.

17 해설 ① survive는 전치사 없이 바로 목적어를 취하므로 survive from을 survive로 고쳐야 한다.

18 해설 (A) '확인해 볼 어떤 것'이며 복수 명사이어야 하므로 some safety tips이다.
(B) '깨질 수 있는 것'이며 복수 명사이어야 하므로 앞 문장에 언급된 windows이다.

19 해석 ① 집에서 머무를 시 안전 팁
② 위험한 자연재해들
③ 지진 발생 시 무엇을 챙겨야 하는가
④ 지진 발생 시 안전해지는 방법
⑤ 위험한 상황에서 생존하는 방법

해설 본문은 지진 발생 시 안전 팁에 관한 내용이다. ⑤는 이 글의 내용보다 범위가 넓은 제목이므로 답이 될 수 없다.

20-21

전문해석 흔들림이 멈추었을 때 밖으로 나가도 됩니다. 건물에서 나가기 위해 엘리베이터를 이용하지 마세요. <u>계단을 이용하세요.</u> 그것이 훨씬 더 안전합니다. 일단 밖으로 나가면, 건물로부터 멀리 떨어진 빈 공간을 찾으세요. 기둥이나 나무를 꼭 잡고 싶어 하는 사람들이 있을 수 있지만, 다시 생각해 보세요.

20 해설 주어진 문장이 (건물에서 나가기 위해) 계단을 이용하라는 내용이므로 엘리베이터를 이용하지 말라는 문장과 그것이

더 안전하다는 문장 사이인 ③에 위치하는 것이 가장 적절하다.

21 해설 선행사 people이 사람이므로 관계대명사 who나 that을 이용하여 There may be people who/that want to hold on to a pole or a tree.로 문장을 연결한다.

22 해석 지진은 언제든지 발생할 수 있습니다. 지진은 모두에게 무서운 경험일 것입니다. 따라서 지진 시에 안전하게 있는 법을 배우세요. (부상을 방지하고 자신을 보호할 수 없습니다.) 이 팁을 따르고 안전을 지키세요!

해설 글의 흐름상 안전 수칙을 배우면 부상을 방지하고 자신을 보호할 수 있는 것이므로 부상을 방지하고 자신을 보호할 수 없다는 내용은 어색하다. ④의 can't를 can으로 바꾸면 글이 자연스러워진다.

23-24

전문해석 위험할 수 있는 많은 상황들이 있습니다. 여기에 몇 개의 팁이 있습니다. 무엇을 해야 할지를 배우고 안전하게 지냅시다! 젖은 바닥은 위험할 수 있습니다. 사람들은 미끄러지고 넘어질 수 있습니다. 그래서 바닥에 있는 물을 닦아야 합니다.

23 해설 '무엇을 해야 할지'라는 의미의 'what + to부정사'가 되어야 하므로 빈칸 ⓐ에 알맞은 것은 what이다.

24 해석 ① 놓다 ② 사용하다 ③ 쏟다 ④ 닦다 ⑤ 취하다

해설 문맥상 바닥에 있는 물을 닦아야 하므로 빈칸 ⓑ에 알맞은 것은 wipe이다.

25-26

전문해석 60세 여성인 Wang Youqiong은 2008년 중국을 강타한 지진에서 살아남았다. 사람들은 그녀를 지진이 발생한 8일 후에 발견했다. 그녀는 빗물을 마시며 살아남기 위해 매우 열심히 노력했다.

16살 소녀 Darlene Etienne는 2010년 아이티를 강타한 지진에서 살아남았다. 사람들은 그녀를 지진이 발생한 15일 후에 발견했다. 사람들은 그녀가 아마도 목욕물을 마시며 살아남았을 것이라고 생각한다.

25 해석 ① 지진은 무엇인가?
② 지진 발생 시 안전 수칙
③ 지진 발생 시 무엇을 해야 하는가
④ 지진을 대비하는 방법
⑤ 지진에서 살아남은 사람들

해설 본문은 지진에서 살아남은 사람들과 관련된 내용이다.

26 해설 ⓐ에서는 '마셨다'의 의미가 되어야 하므로 과거형 drank가 알맞고 ⓑ에서는 '마심으로써'의 의미로 전치사 by 뒤에 와야 하므로 동명사형인 drinking이 알맞다.

27 해석 여기에 우리의 생존 가방에 들어갈 물품이 있습니다. 우리는 음식과 물을 쌌습니다. 우리는 생존하기 위해서 그것들이 필요합니다. 우리는 또한 재난 시 유용할 수 있는 성냥을 쌌습니다. 가방에 약도 넣었습니다. 부상을 당했을 때 필요할 수 있습니다.
글에 따르면 생존 가방에 들어 있지 않은 물품은 무엇인가?
① 모자 ② 음식 ③ 물 ④ 성냥 ⑤ 약

해설 생존 가방에는 생존을 위한 음식과 물, 재난 시 유용할 성냥, 부상 시 필요할 약이 들어 있다.

28 해석 A: 나는 미끄러운 바닥이 걱정돼. 그것은 위험해.
B: 너는 바닥의 물을 닦아야 해.

해설 be worried about …에 대해 걱정하다
You should ... 너는 …해야 한다

29 해석 (1) 유진이는 바이올린 켜는 법을 안다.
(2) 유진이는 샌드위치를 만드는 법을 모른다.
(3) 유진이는 동생의 숙제를 돕기 위해 무엇을[어떻게] 해야 할지 안다.

해설 how + to부정사 어떻게 …할지
what + to부정사 무엇을 …할지

30 해석 우리는 영화를 봤다. 그것은 매우 지루했다.

해설 두 문장에서 중복되는 대상은 the movie와 It이다. 선행사가 the movie로 사물이므로 관계대명사 that이나 which를 사용하여 한 문장으로 연결한다.

서술형 평가

p. 42

1 (1) about her sore throat, have some hot tea
(2) about midterm, make a plan first
(3) about making friends, say hello to his classmates before they do

2 |예시 답안|
(1) who/that don't use bad words
(2) which/that is full of happiness

3 |예시 답안|
(1) No, I don't know how to figure skate.
(2) Yes, I know how to write my name in English.
(3) Yes, I decided what to study for the midterm exam.

1 해석 민지: 저는 목이 아파요. 무엇을 해야 할까요?
Dr. Jin: 뜨거운 차를 마시는 것이 어떨까요?
지나: 중간고사가 다가와요. 무엇을 해야 할지 모르겠어요.
Mr. Study: 계획을 먼저 세우는 것이 어때요?
민호: 저는 친구를 만드는 방법을 모르겠어요. 조언을 해 주실 수 있나요?
Mr. Friend: 반 친구들이 인사하기 전에 먼저 그들에게 인사를 하는 것이 어떨까요?

해설 각각의 고민 내용을 'about + 동명사'의 형태로 쓰고, 조언 내용은 should 뒤에 동사원형으로 시작하여 쓴다.

2 해석 나쁜 말 사용하지 않기, 친구들 존중하기, 행복이 가득한, 긍정적인 에너지가 있는
(1) |예시 답안| 우리는 나쁜 말을 사용하지 않는 학생들이 될 거예요.
(2) |예시 답안| 우리는 행복이 가득한 교실을 만들기 위해 노력할 거예요.

해설 (1) 선행사가 사람인 students이므로 주격 관계대명사 who나 that을 사용하여 문장을 연결하고, 선행사가 복수형이므로 관계대명사절의 동사는 복수 동사를 사용한다.
(2) 선행사가 사물인 a class이므로 주격 관계대명사 which나 that을 사용하여 문장을 연결하고, 관계대명사절의 동사는 단수 동사를 사용한다.

어휘 respect 존중하다 positive 긍정적인

3 해석 〈보기〉 Q: 바이올린을 켤 수 있나요?
A: 네, 저는 바이올린을 켜는 법을 알아요.
(1) Q: 피겨 스케이트를 탈 수 있나요?
A: |예시 답안| 아니요, 저는 피겨 스케이트 타는 법을 몰라요.
(2) Q: 영어로 당신의 이름을 쓸 수 있나요?
A: |예시 답안| 네, 저는 영어로 제 이름을 쓰는 법을 알아요.
(3) Q: 중간고사를 위해 공부할 과목을 결정했나요?
A: |예시 답안| 네, 저는 중간고사를 위해 무엇을 공부할지 결정했어요.

어휘 figure skate 피겨 스케이트

Lesson 3

Happy Others, Happier Me

Word Check

p. 44

A (1) 충분한 (2) 공중전화 (3) 노력 (4) 붙이다
(5) 비누 (6) 줄을 서다 (7) thanks to (8) easily
(9) town (10) mean (11) plastic bag
(12) waste time

B (1) coin (2) few (3) public (4) confusing
(5) arrow

C (1) Nobody (2) put up (3) mentor
(4) success (5) secret (6) check out

B 해석 (1) 돈으로 사용되는 작은 금속 조각
(2) 많지 않은, 적은 수의
(3) 어떤 지역의 모든 사람들에게 개방된
(4) 정확히 이해하기 어려운
(5) 방향을 보여 주기 위해 사용되는 부호

C 해설 (1) nobody 아무도 …않다
(2) put up 설치하다, 게시하다
(3) mentor 멘토
(4) success 성공
(5) secret 비밀
(6) check out (책을) 대출하다

Word Test

p. 45

1 ① **2** ③ **3** (1) turn (2) with (3) on
4 (1) grade (2) communication (3) return
5 sign **6** give **7** trust

1 해석 ① 막다 - 멈추다 ② 성공 - 실패 ③ 멘토 - 멘티
④ 혼란스러운 - 분명한 ⑤ 사라지다 - 나타나다
해설 ①은 유의어 관계이고, 나머지 ②~⑤는 반의어 관계이다.

2 해석 소수의 사람들에게만 알려져 있고 다른 사람들에게 숨겨진
① 소수의, 거의 없는 ② 공공의 ③ 비밀; 비밀의
④ 충분한 ⑤ 혼란스러운

3 해석 (1) 네가 원하면 음악 소리를 줄여도 돼.
(2) 갑자기 나는 그 문제를 해결할 수 있는 아이디어가 떠올랐다.

(3) 너는 언제나 회의에 늦는구나. 제발 다음에는 시간을 지켜라.

해설 (1) turn down …을 줄이다
(2) come up with (생각이) 떠오르다 (3) on time 정시에

4 해석 (1) 나는 중학교 2학년이다.
(2) 영어는 전 세계에서 의사소통의 수단이다.
(3) 너는 다음 주까지 이 책을 반납해야 한다.

해설 (1) grade 학년 (2) communication 의사소통
(3) return 반납하다

5 해석 • 벽의 표지판에 '금연'이라고 쓰여 있다.
• 사람들은 깨진 거울을 불운의 징후라고 생각한다.

해설 sign 표지판, 징후

6 해석 • 그가 반장에게 종이를 나눠 주라고 요청했다.
• 나는 퍼즐을 푸는 것을 잘 못하지만 시도해 볼게.

해설 give out 나눠 주다 give it a try 시도하다

7 해설 trust 신뢰하다

Listening & Speaking Test

pp. 48-49

01 (1) Let, help (2) glad, like **02** ② **03** to, welcome
04 ③ **05** ② **06** help **07** giving → give **08** ④
09 mentor **10** ②

01 해설 (1) Let me help you. 내가 도와줄게.
(2) I'm glad you like .... …이 네 마음에 든다니 기뻐.

02 해석 A: 제 강아지가 아파요. 무엇을 해야 할까요?
B: 내가 도와줄게. 내가 너와 너의 강아지를 동물 병원까지 태워 줄게.

해설 Let me help you.는 도움을 제안하는 표현이다.

03 해석 A: 너의 아이디어 덕분에, 나는 내 프로젝트를 마칠 수 있었어. 고마워.
B: 천만에.

해설 thanks to … 덕분에 You're welcome. 천만에.

04 해석 A: 나는 이 상자들을 옮기는 데 어려움을 겪고 있어.
B: ____________________
① 내가 도와줄까? ② 내가 도와줄까? ③ 나를 도와줄 수 있니? ④ 내가 도와줄게. ⑤ 내가 도움을 줄게.

해설 ③ 빈칸에는 도움을 제안하는 표현이 와야 한다. Can you help me?는 상대방에게 도움을 요청하는 표현이다.

05 해석 ① A: 내 멘토가 돼 줘서 고마워.
B: 내 기쁨이지.
② A: 요리하고 있구나. 내가 도와줄게.
B: 내가 너를 도와줄 수 있어서 기뻐.
③ A: 나는 무슨 봉사활동을 시작해야 할지 잘 모르겠어.
B: 내가 도와줄게.
④ A: 네가 줬던 책이 감동적이었어.
B: 네 마음에 들었다니 기쁘다.
⑤ A: 조언 고마워. 너는 정말 좋은 멘토야.
B: 천만에. 내가 항상 너를 도와줄게.

해설 ② 도움을 제공하겠다는 말에 대한 응답으로 도와줄 수 있어서 기쁘다는 대답은 적절하지 않다.

06 해석 내가 너를 도와줄게.

해설 '도와줄게.'라는 표현은 Let me help you.이다.

07 해석 A: 나는 내 오른팔을 다쳐서 어떤 것도 쓸 수가 없어.
B: 내가 도움을 줄게. 내가 너를 위해 그것을 써 줄게.

해설 동사 Let은 목적격 보어로 동사원형을 취하므로 giving을 give로 고쳐야 한다.

08 해석 A: 너의 조언 덕분에 슬픔을 극복할 수 있었어. 고마워.
B: 내 조언이 마음에 들었다니 기뻐.
① 천만에. ② 내 기쁨이야. ③ 천만에.
④ 그것에 대해 슬퍼하지 마.
⑤ 그 말을 들으니 기뻐.

해설 밑줄 친 표현은 감사에 대한 응답이다. '그것에 대해 슬퍼하지 마.'는 감사 인사에 대한 응답으로 적절하지 않다.

09-10

전문해석 A: 지민아, 상자 안에 이 물건들은 뭐니?
B: 그것들은 아동 센터의 내 멘티에게 줄 것들이야. 나는 오늘 그녀에게 내 오래된 책들을 주려고 해.
A: 너는 그녀를 주말마다 가르치니?
B: 응. 나는 그녀를 가르칠 때 행복해.
A: 너는 좋은 멘토로구나. 오, 상자가 무거워 보여. 내가 너를 도와줄게.
B: 고마워.

09 해석 지민이는 아동 센터에 있는 소녀의 멘토이다.

해설 지민이는 아동 센터에 있는 소녀를 가르치며 도움을 주고 있으며, 상대방이 지민이에게 좋은 멘토라고 하였으므로, 빈칸에는 mentor가 들어가야 한다.

10 해석 ① 지민이는 빈 상자를 운반하고 있다.
② 지민이는 그녀의 멘티에게 도움을 주는 것을 좋아한다.

③ 지민이는 금요일마다 그녀의 멘티를 가르친다.
④ 지민이의 멘티는 아동 센터에서 일한다.
⑤ 지민이는 그녀의 멘티에게 그녀의 오래된 장난감을 주려고 계획한다.

해설 ① 지민이는 책이 들어 있는 상자를 운반하고 있다.
③ 지민이는 멘티를 주말마다 가르친다.
④ 아동 센터에서 멘토 일을 하는 것은 지민이다.
⑤ 지민이는 멘티에게 그녀의 오래된 책을 주려고 한다.

Grammar Check

p. 51

A (1) that (2) which (3) me (4) to go

B (1) a girl, who (2) The news, which (3) the cake, that

C (1) want you to stay (2) ask me to dance (3) allowed me to leave

D (1) which → who(m)/that (2) whom → which/that (3) who → which/that (4) his → him (5) write → to write

A 해석 (1) 나는 내가 가지고 싶었던 선물을 받았다.
(2) Brian은 모두가 가입하고 싶어 하는 스터디 동아리를 만들었다.
(3) 부모님은 어제 나에게 내 방을 치울 것을 요청하셨다.
(4) 제가 그곳에 가는 것을 허락해 주실래요?

해설 (1) 선행사가 a present로 사물이므로 목적격 관계대명사 that이 적절하다.
(2) 선행사가 a study group으로 사물이므로 목적격 관계대명사 which가 적절하다.
(3) '~에게 …할 것을 요청하다'라는 의미의 'ask ~ to ...' 표현에서 ask 뒤에는 목적격이 와야 하므로 me가 적절하다.
(4) '~가 …하는 것을 허락하다'라는 의미의 'allow ~ to ...' 표현에서는 목적격 보어로 to부정사가 와야 하므로 to go가 적절하다.

B 해석 (1) 나는 내 남동생이 좋아하는 소녀를 우연히 만났다.
(2) 그가 신문에서 읽은 그 뉴스는 놀라웠다.
(3) 나는 아빠가 나에게 구워 주셨던 케이크의 맛을 기억한다.

해설 (1) 내가 우연히 마주친 대상이자 나의 남동생이 좋아하는 대상인 a girl이 두 문장에서 공통되는 명사이므로 선행사이고, 사람인 선행사에 대한 관계대명사는 who이다.
(2) 그가 읽은 것이자 놀라운 것인 The news가 두 문장에서 공통되는 명사이므로 선행사이고, 사물인 선행사에 대한 관계대명사는 which이다.
(3) 내가 기억하는 냄새의 대상이자 나의 아빠가 구워 주신 것인 the cake가 두 문장에서 공통되는 명사이므로 선행사이고, 사물인 선행사에 대한 관계대명사는 that이다.

C 해설 (1) want는 목적격 보어로 to부정사를 가지므로 want you to stay를 쓴다.
(2) ask는 '~에게 …을 요청하다'라는 의미의 표현으로 사용될 때 목적격 보어로 to부정사를 가지므로 ask me to dance를 쓴다.
(3) allow는 목적격 보어로 to부정사를 가지므로 allowed me to leave를 쓴다.

D 해석 (1) 내가 가장 존경하는 사람은 나의 선생님이다.
(2) 이것은 내 친구가 나에게 쓴 편지의 일부분이다.
(3) 저것은 레오나르도 다 빈치가 1489년에 완성한 그림이다.
(4) Smith 부인은 그에게 잠시 기다리라고 말했다.
(5) 너는 내가 그것들을 저 종이에 쓰기를 원하니?

해설 (1) 선행사 The person이 사람이므로 which를 who(m)나 that으로 고쳐 써야 한다.
(2) 선행사 a letter가 사물이므로 whom을 which나 that으로 고쳐 써야 한다.
(3) 선행사 a painting이 사물이므로 who를 which나 that으로 고쳐 써야 한다.
(4) 'tell ~ to ...' 구문에서 동사 tell 뒤에 목적격이 오므로 his를 him으로 고쳐 써야 한다.
(5) 'want ~ to ...' 구문에서 동사 want는 목적격 보어로 to부정사를 가지므로 write를 to write로 고쳐 써야 한다.

Grammar Test

p. 52

01 ③ **02** ① **03** ① **04** ⑤ **05** ②

01 해석 A: 나는 이 파일을 지금 출력해야 해. 어떻게 해야 할까?
B: 나는 네가 Mike에게 가야 한다고 생각해. 그는 네가 컴퓨터와 프린터를 사용하도록 허락해 줄 거야.

해설 ③ '~가 …하도록 허락하다'의 뜻인 'allow ~ to ...'의 형태가 되도록 빈칸에는 to use가 들어가야 한다.

02 해석 우리가 지난번에 Susan과 방문했던 그 식당의 이름이 뭐였지?

해설 ① 선행사가 the restaurant으로 사물이므로, 그에 맞는 목적격 관계대명사는 which나 that이며 선택지에 which가 없으므로 that이 알맞다.

03 해석 그는 내가 그 동아리에 가입할 것을 ___________.
① ~하게 해줬다 ② 허락했다 ③ 원했다 ④ 말했다
⑤ 요청했다

해설 ① let은 목적격 보어로 동사원형을 가진다.

04 해석 ① 내가 매일 길에서 만나는 그 개는 매우 귀엽다.
② 내가 2년 전에 만났던 친구가 내게 이메일을 보냈다.
③ 나는 친구들과 함께할 수 있는 영어 활동을 좋아한다.
④ 그는 그가 반 친구들을 기억하기 위해 만든 졸업 앨범을 가지고 있다.
⑤ 그 대회에 참가했던 사람들은 1,000명이 넘었다.

해설 ⑤ 밑줄 친 who는 주격 관계대명사이므로 생략할 수 없다. ①~④의 밑줄 친 부분은 목적격 관계대명사이므로 생략할 수 있다.

05 해석 ① 저것이 그가 발명한 엔진이다.
② 그가 다녔던 초등학교는 서울에 있다.
③ 선생님은 우리가 수업시간에 크게 이야기하는 것을 원하지 않는다.
④ 내 친구가 내게 그녀와 함께 모둠별 과제를 할 것을 요청했다.
⑤ 너는 선생님에게 너의 숙제를 고쳐달라고 요청했니?

해설 ① engine은 사물이므로 whom을 which나 that으로 바꿔 써야 한다.
② elementary school과 he attended 사이에는 목적격 관계대명사가 생략되어 있으므로 올바르다.
③ 'want ~ to ...' 구문에서 want는 목적격 보어로 to부정사를 가지므로 talking을 to talk으로 바꿔 써야 한다.
④ 'ask ~ to ...' 구문에서 ask 다음에 목적격이 오므로 주격인 I를 me로 바꿔 써야 한다.
⑤ 'ask ~ to ...' 구문에서 ask 다음에 목적격이 오므로 소유격인 your teacher's를 your teacher로 바꿔 써야 한다.

Reading & Writing Test

pp. 54-55

01 ② whom → which/that **02** pay phones **03** ② **04** ③ **05** ⑤ **06** ④ **07** ② **08** ③ to doing → to do **09** 화살표 스티커를 사서 자전거를 타고 다니며 버스 지도에 붙인 것 **10** ③

01 해석 여기 제가 어제 읽은 두 이야기가 있습니다. 들어 보실래요?
1. 당신이 사랑하는 누군가에게 전화하세요
2. 멘토가 되세요

해설 ② 선행사가 two stories로 사물이므로 목적격 관계대명사 whom을 which나 that으로 고쳐야 한다.

02-03

전문해석 뉴욕에는 길거리에 많은 공중전화가 있었다. 그러나 아무도 그것들을 사용하지 않았다. 어느 날, 한 남자에게 좋은 아이디어가 떠올랐다. 그는 공중전화 하나에 동전들을 붙였다. 그는 또한 "당신이 사랑하는 사람에게 전화하세요."라고 쓰인 표지판을 설치했다.

02 해설 밑줄 친 them은 복수 명사를 지칭하는 대명사이므로 앞 문장의 복수 명사인 공중전화들(pay phones)을 가리킨다.

03 해설 (A) stick ... to ~ ~에 …을 붙이다 (B) put up 설치하다

04-05

전문해석 곧 많은 사람들이 그 전화기를 사용했다. 그들이 사랑하는 누군가에게 이야기하고 있을 때, 그들은 미소 짓는 것을 멈추지 않았다. 그의 아이디어는 큰 문제(→ 성공)가 되었다. 그날 동안 모든 동전들이 사라졌다. 그 남자는 자신의 작은 아이디어가 많은 사람들에게 행복을 주었기 때문에 매우 행복했다.

04 해설 ③ 많은 사람들이 그 전화기를 사용했고 그날 동안 모든 동전이 사라졌다고 했으므로 남자의 아이디어는 많은 사람들에게 행복을 주며 큰 성공을 거두었음을 알 수 있다. 따라서 problem(문제)을 success(성공)로 고쳐 쓰는 것이 자연스럽다.

05 해석 ① 지루한 ② 화가 난 ③ 긴장된 ④ 걱정하는
⑤ 행복한

해설 자신의 아이디어가 큰 성공을 거두고 많은 사람들이 행복해 했으므로 남자도 역시 행복했을 것이다.

06-07

전문해석 몇 년 전, 서울의 버스 정류장 지도는 매우 혼란스러웠다. 지도에는 충분한 정보가 없었다. 사람들은 다른 사람들에게 지도를 설명해 달라고 요청해야 했다. "이 버스는 광화문으로 가나요?"

06 해석 ① 명확한 ② 보통의 ③ 색깔이 다양한 ④ 혼란스러운 ⑤ 재미있는

해설 버스 정류장의 지도에 충분한 정보가 없어 사람들에게 설명을 요청해야 했다고 했으므로, 빈칸에는 confusing(혼란스러운)이 가장 적절하다.

07 해석 ① 보통 5번 버스를 타시나요?
② 이 버스가 광화문으로 가나요?

③ 여기서 가장 가까운 버스 정류장이 어디죠?
④ 제 교통 카드를 어디서 충전할 수 있나요?
⑤ 광화문에 가신다면 택시를 타실 건가요?

해설 버스 정류장이나 특정 버스에 대해 질문하는 내용이 들어가야 하므로, 특정 버스의 행선지를 묻는 '이 버스가 광화문으로 가나요?'가 적절하다.

08-09

전문해석 어느 날, 한 청년이 이 문제를 해결하기로 결심했다. 그는 빨간 화살표 스티커를 많이 샀다. 매일 그는 자전거를 타고 시내를 돌아다니며 버스 지도에 스티커를 붙였다. 아무도 그에게 이것을 하라고 요청하지 않았다. 그는 단지 다른 사람들을 돕고 싶었다. 그의 노력 덕분에 사람들은 지도를 쉽게 이해하고 시간을 절약할 수 있었다.

08 해설 ③ ask는 목적격 보어로 to부정사를 취하므로 to doing을 to do로 고쳐 써야 한다.

09 해설 그 청년에게 아무도 화살표 스티커를 버스 정류장 지도에 붙이라고 요청하지 않았지만, 남을 돕고 싶은 마음에 빨간 화살표 스티커를 많이 사서 붙였다.

10 해석 제 이름은 세미이고 2학년입니다. 저는 제 멘티의 숙제를 돕고 싶습니다. 저는 방과후에 제 멘티를 만날 수 있습니다. 저는 제 멘티에게 제시간에 올 것을 요청할 것입니다. 저는 좋은 멘토는 좋은 친구가 될 수 있다고 생각합니다. 그래서 저는 제 멘티가 신뢰할 수 있는 좋은 친구가 되어 주고 싶습니다.
① 학생 ② 멘티 ③ 멘토 ④ 가족 ⑤ 학급 친구

해설 빈칸 뒤의 문장에서 자신이 자신의 멘티가 신뢰할 수 있는 좋은 친구가 되어 주고 싶다고 했으므로 멘토가 좋은 친구가 될 수 있다고 생각함을 알 수 있다. 따라서 빈칸에 알맞은 것은 mentor(멘토)이다.

단원평가

pp. 56-59

01 ③ **02** ④ **03** ④ **04** return **05** ②
06 ② **07** 2-3-1 **08** ② **09** ②
10 ② **11** me to take a rest
12 (who(m)/that) I met at the movie theater
13 ③ **14** ② **15** ① **16** ③ **17** ④
18 ⑤ **19** (w)rong **20** ④ **21** ③
22 ④ **23** ④ **24** ③ **25** ③ **26** ④
27 ⑤ which → who(m)/that
28 |예시 답안| Let me help you. / Let me give you a helping hand.
29 (1) I have a friend (who(m)/that) many people like.
(2) The pasta (which/that) I cooked was delicious.
30 asks / asked Tom to clean

01 해석 ① 조언 - 충고 ② 신뢰하다 - 믿다
③ 제시간에 - 늦게 ④ 혼란스러운 - 불명확한
⑤ 공중전화 - 공중전화

해설 ①, ②, ④, ⑤는 유의어 관계이고 ③은 반의어 관계이다.

02 해석 이 도서관에서 너는 한 주에 책을 5권까지 대출할 수 있다.

해설 check out (책을) 대출하다

03 해석 무언가가 서 있을 수 있도록 두다
① 붙이다 ② 막다 ③ 사라지다 ④ 설치하다 ⑤ …을 줄이다

04 해석 · 나는 도서관에 이 책들을 반납해야 한다.
· 우리 가족은 런던행 왕복 티켓을 샀다.

해설 return 반납하다 return ticket 왕복 티켓

05 해석 A: 어버이 날 축하해요! 엄마를 위해 준비했어요.
B: 정말 멋지구나! 고마워.
A: 그것을 좋아하시니 정말 기뻐요.
① 그 말을 들으니 유감이에요.
③ 제가 도와드릴 수 있을 것 같아요.
④ 다음번에는 더 잘할 수 있을 거예요.
⑤ 저를 위해 그것을 사셨다니 기뻐요.

해설 어버이 날 선물에 대해 칭찬하는 말의 응답으로 적절한 것은 ② '그것을 좋아하시니 정말 기뻐요.'이다.

06 해석 A: 나는 사진을 인쇄하는 데 어려움을 겪고 있어.
B: 내가 너를 도와줄게.

① 내가 너를 도와줄까? ② 내가 널 돕고 있니?
③ 내가 너를 도와줄게. ④ 내가 너를 도와줄 수 있어.
⑤ 내가 네게 도움의 손길을 줄게.

해설 밑줄 친 문장은 도움을 제안하는 표현이므로 '내가 널 돕고 있니?'로 바꿔 쓸 수 없다.

07 해석 A: 실례합니다. 제게 광화문 가는 방법을 알려 주실 수 있을까요?
B: 42번 버스를 타고 광화문 역에서 내리세요.
A: 저를 도와주셔서 감사합니다.
B: 천만에요. 당신을 도와줄 수 있어서 기뻐요.

해설 길을 물으며 도움을 요청했으므로 길 안내하는 표현이 오고, 그 뒤에 감사하는 말과 감사 표현에 응답이 이어지는 것이 자연스럽다.

08-09

전문해석 A: 이거 받으세요, 엄마. 미술 시간에 비닐봉지로 만들었어요.
B: 정말 귀엽구나, Alex. 내가 새로운 바구니가 필요했다는 것을 어떻게 알았니?
A: 지난번 우리가 저녁 먹을 때 그것에 대해 말씀하셨어요.
B: 정말 착하구나! 이 바구니 정말 마음에 들어. 여러 다른 색깔로 되어 있구나.
A: 마음에 드신다니 기뻐요.

08 해석 ① 교사 - 학생 ② 엄마 - 아들 ③ 멘토 - 멘티
④ 점원 - 손님 ⑤ 상사 - 직원

해설 A가 B에게 엄마라고 불렀고 A의 이름이 남자 이름인 Alex이므로 두 사람의 관계는 엄마와 아들이다.

09 해석 ① Alex가 무엇을 만들었나?
② 그들은 저녁으로 무엇을 먹었나?
③ 선물은 무엇으로 만들어졌나?
④ Alex는 어디에서 선물을 만들었나?
⑤ B는 Alex의 선물에 어떻게 느꼈나?

해설 ② 저녁을 먹었다는 정보가 있을 뿐 무엇을 먹었는지는 알 수 없다.

10 해석 Jack은 그가 1년 전에 그렸던 그림 두 점을 회색 머리 남자에게 팔았다.

해설 'Jack이 두 점의 그림을 회색 머리 남자에게 팔았다.'는 문장과 '그가 그 그림 두 점을 1년 전에 그렸다.'는 문장이 합쳐진 것이므로, 두 문장에서 공통되는 명사는 그림 두 점(two paintings)이다. 관계대명사는 선행사 뒤에 위치하므로 관계대명사 that이 들어갈 위치로 알맞은 것은 two paintings 뒤이다.

11 해설 '~에게 …하라고 말하다'에 해당하는 표현은 'tell ~ to …'이다. 이때, tell 뒤에 목적격이 와야 하므로 me를 쓰고, 목적격 보어는 to부정사가 와야 하므로 to take a rest를 쓴다.

12 해석 • Dave는 한 소녀를 안다.
• 나는 그 소녀를 영화관에서 만났다.

해설 사람 선행사 the girl에 맞는 목적격 관계대명사 who(m)이나 that을 써서 문장을 연결할 수 있고 목적격 관계대명사는 생략할 수 있다.

13 해석 ① 내가 먹고 싶은 음식은 스파게티이다.
② 나의 아버지는 나에게 집에 일찍 오라고 요청했다.
③ 그는 내가 매우 존경하는 사람이다.
④ 주원이는 그가 일주일 전에 잃어버린 자전거를 찾았다.
⑤ 그가 학교 홈페이지에 업로드한 글을 읽어 보는 것이 어때?

해설 ③ 관계대명사 whom과 that을 동시에 쓸 수는 없으므로 둘 중 하나를 삭제해야 한다.

14 해석 ① 나는 네가 좀 더 조심하길 원한다.
② 나는 좀 전에 네가 소리 지르는 것을 들었다.
③ 그녀는 Kevin에게 채소를 더 많이 먹으라고 말했다.
④ 그녀는 내가 가게 안에서 기다리도록 허락했다.
⑤ 선생님은 그에게 더 크게 이야기하라고 요청했다.

해설 ② 지각동사 hear는 목적격 보어로 동사원형을 취한다.

15-17

전문해석 뉴욕에는 길거리에 공중전화가 많이 있었다. 그러나, 아무도 그것들을 사용하지 않았다. 어느 날, 한 남자에게 아이디어가 떠올랐다. 그는 공중전화 하나에 동전들을 붙였다. 그는 또한 "당신이 사랑하는 사람에게 전화하세요."라고 쓰인 표지판을 설치했다. 곧, 많은 사람들이 그 전화기를 사용했다. 그들이 사랑하는 누군가에게 전화하고 있을 때, 그들은 미소 짓는 것을 멈추지 않았다. 그의 아이디어는 큰 성공이 되었다.

15 해석 어느 날, 한 남자에게 아이디어가 떠올랐다.

해설 주어진 문장은 공중전화가 많이 있었지만 그것을 아무도 사용하지 않았다는 문제점과 그것을 해결하는 방안인 동전들을 전화기에 붙이는 것 사이에 들어가는 것이 자연스럽다.

16 해석 ① 그러자 - 곧 ② 그러자 - 다시 ③ 그러나 - 곧
④ 그러나 - 다시 ⑤ 그러므로 - 곧

해설 공중전화가 있지만 사용하지 않았다는 내용이므로 (A)에는 However(그러나)가, 표지판 설치 후에 사람들이 전화기를

사용했다는 내용 앞인 (B)에는 Soon(곧)이 쓰이는 것이 자연스럽다.

17 해석 ① 뉴욕에는 공중전화가 별로 없었다.
② 뉴욕의 공중전화들은 인기 있었다.
③ 남자는 공중전화에 지폐를 붙였다.
④ 뉴욕의 많은 사람들은 자신이 사랑하는 사람들에게 전화했다.
⑤ 남자의 아이디어는 실패했다.
해설 ① 뉴욕에는 공중전화가 많았다.
② 뉴욕 사람들은 공중전화를 사용하지 않았다.
③ 남자는 공중전화에 지폐가 아닌 동전을 붙였다.
⑤ 남자의 아이디어는 큰 성공을 거두었다.

18-20
전문해석 몇 년 전, 서울의 버스 정류장 지도는 매우 혼란스러웠다. 지도에는 충분한 정보가 없었다. 사람들은 다른 사람들에게 지도를 설명해 달라고 요청해야 했다. "이 버스 정류장은 지도 어디에 있는 건가요?" 많은 사람들이 자주 잘못된 버스를 탔고 시간을 낭비했다. 어느 날, 한 청년이 이 문제를 해결하기로 결심했다.

18 해설 (A) 문장의 주어는 the maps이므로 복수 동사 were가 와야 한다.
(B) 'ask ~ to ...' 구문이므로 ask의 목적격 보어로 to explain이 와야 한다.
(C) decide는 목적어로 to부정사를 취하므로 to decide가 와야 한다.

19 해설 '사람들이 버스를 잘못 탔다'는 의미가 되도록 빈칸에는 (w)rong을 써야 한다.

20 해석 ① 서울의 버스 지도들은 이해하기 어려웠다.
② 버스를 잘못 타는 일이 많은 사람들에게 자주 일어났다.
③ 버스 정류장의 지도에는 충분한 정보가 없었다.
④ 많은 사람들이 버스 지도에 불평을 썼다.
⑤ 사람들이 버스 지도를 이해하기 위해 질문을 해야만 했다.
해설 ④ 버스 지도에 불평을 적었다는 내용은 없다.

21-23
전문해석 버스 정류장의 지도 문제를 해결하기 위해 한 젊은 청년이 빨간 화살표 스티커를 많이 샀다. 매일 그는 자전거를 타고 시내를 돌아다니며 버스 지도에 스티커를 붙였다. (사람들은 그가 지도를 꾸미기를 원했다.) 아무도 그에게 이 일을 하라고 요청하지 않았다. 그는 단지 다른 사람들을 돕고 싶었다. 그의 노력 덕분에, 사람들은 지도를 쉽게 이해할 수 있었다.

21 해설 ③ 버스 지도를 이해하기 쉽도록 스티커 붙이는 것에 대한 내용이 이어지는 중간에 사람들이 그가 지도를 꾸미기를 원했다는 내용이 나오는 것은 글의 흐름상 어색하다.

22 해석 왜 청년은 빨간 화살표 스티커를 붙였나?
① 사람들이 그에게 그 일을 하라고 시켰다.
② 그는 빨간 화살표 스티커들을 다 써 버리고 싶었다.
③ 버스 정류장에 지도가 충분히 없었다.
④ 그는 사람들이 지도를 쉽게 이해하도록 돕고 싶었다.
⑤ 그는 스티커로 지도가 더 예뻐질 것이라고 생각했다.
해설 청년은 다른 사람들을 돕고 싶은 마음에 빨간 화살표 스티커를 붙였다.

23 해석 ① 나쁜 소식은 빨리 전해진다.
② 비가 내리면 꼭 퍼붓는다.
③ 첫 번째 단계가 가장 어렵다.
④ 작지만 훌륭한 생각이 다른 사람들을 돕는다.
⑤ 당신의 일을 사랑하고, 당신이 사랑하는 일을 찾아라.
해설 작은 아이디어로 사람들을 도운 내용이므로 '작지만 훌륭한 생각이 다른 사람들을 돕는다.'가 글의 주제로 적절하다.

24 해석 며칠 전에 자원봉사 그룹이 바깥에 냉장고를 두었다. 그것에는 '행복 냉장고'라고 쓰인 표지판이 있었다. 그것은 도움이 필요한 사람들을 도울 것이다. 그들은 냉장고에서 신선한 음식을 얻을 수 있다.
① 책 ② 컴퓨터 ③ 신선한 음식 ④ 따뜻한 옷 ⑤ 신문
해설 냉장고에 들어있으면서 도움이 필요한 이들을 도울 수 있는 것은 신선한 음식이다.

25 해석 작은 무료 도서관
여러분은 독서를 즐기나요? 큰 도서관은 방문하기 힘든가요? 그러면 이 작은 도서관들이 여러분에게 좋은 소식입니다. 여러분은 거리에 있는 작은 도서관에서 책을 대출할 수 있고 언제든지 반납할 수 있습니다.
해설 작은 무료 도서관은 규모가 작고 거리에서 책을 무료로 대출할 수 있다. 독서 캠페인과 회원 가입에 대한 정보는 글에 나와 있지 않다.

26-27
전문해석 제 이름은 태원이고 2학년입니다. 저는 같은 학년인 누군가의 멘토가 되고 싶습니다. 저는 그/그녀의 학교생활을 돕고 싶습니다. 저는 주말에 제 멘티를 만날 수 있습니다. 저는 제 멘티에게 이해심을 가질 것을 요청할 것입니다. 저는 좋은 멘토는 좋은 친구가 될 수 있다고 생각합

니다. 그래서 저는 제 멘티가 많이 좋아하는 좋은 친구가 되기를 희망합니다.

26 해설 ④ 태원이는 자신의 멘티에게 이해심이 있을 것을 요청하려고 한다.

27 해설 ⑤ 선행사가 a good friend로 사람이므로 목적격 관계대명사 which를 who(m)나 that으로 바꿔 써야 한다.

28 해석 A: 병을 여는 데 문제가 있니? 내가 도와줄게.
B: 나를 도와줘서 고마워.

해설 병을 여는 데 어려움을 겪고 있고 도와줘서 고맙다고 답했으므로 빈칸에는 도움을 제안하는 표현이 들어가야 한다.

29 해석 (1) • 나는 한 친구가 있다.
• 많은 사람들이 그를 좋아한다.
(2) • 그 파스타는 맛있었다.
• 내가 그 파스타를 요리했다.

해설 (1) 두 문장의 공통 요소는 a friend로 선행사가 사람이므로 관계대명사 who(m)이나 that을 사용한다. 이때, 관계대명사가 목적격이므로 생략할 수 있다.
(2) 두 문장의 공통 요소는 The pasta로 선행사가 사물이므로 관계대명사 which나 that을 사용한다. 이때, 관계대명사가 목적격이므로 생략할 수 있다.

30 해석 엄마: 네 방은 너무 더럽구나. 청소 좀 하렴.
Tom: 네. 지금 바로 할게요.

해설 '엄마는 Tom에게 그의 방을 청소할 것을 요청하고 있다.'는 내용이 되어야 하므로 'ask ~ to ...' 구문을 활용한다. 이때, 동사 ask는 현재 시제로 3인칭 단수 주어인 Mom에 맞게 asks를 쓰거나 과거형인 asked를 써야 한다.

서술형 평가

p. 60

1 |예시 답안| (1) (who(m)/that) I can trust
(2) (which/that) I watched yesterday
(3) (which/that) most Koreans like

2 |예시 답안| (1) My parents ask me to exercise every day. (2) My homeroom teacher wants me to focus on classes. (3) My best friend tells me to go to school with her.

3 |예시 답안| (1) Let me help you. (2) Thank you for your advice. (3) I'm glad you like it.

1 해석 |예시 답안|
(1) 좋은 친구는 내가 믿을 수 있는 사람이다.
(2) 내가 어제 본 영화는 재밌었다.
(3) 김치는 대부분의 한국인들이 좋아하는 음식이다.

해설 a person은 사람 선행사이고 관계대명사절의 목적어이므로 who(m)이나 that으로 문장을 연결하고, The movie와 a food는 사물 선행사이고 관계대명사절의 목적어이므로 which나 that으로 연결한다. 이때, 목적격 관계대명사는 생략할 수 있다.

2 해석 (1) Q: 네 부모님은 네게 무엇을 하라고 하시니?
|예시 답안| A: 내 부모님은 나에게 매일 운동하라고 하셔.
(2) Q: 네 담임 선생님은 네가 무엇을 하기를 원하시니?
|예시 답안| A: 내 담임 선생님은 내가 수업에 집중하기를 원하셔.
(3) Q: 네 가장 친한 친구는 네게 무엇을 하라고 말하니?
|예시 답안| A: 내 가장 친한 친구는 학교에 같이 가자고 해.

해설 'ask/want/tell ~ to ...' 구문을 활용한다.

3 해석 Mike는 그의 반 친구인 지선이의 멘토이다. 지선이는 시험을 위한 공부 계획에 문제가 있다. Mike는 지선이에게 조언을 해 주고 그녀는 Mike의 도움에 매우 고마워한다. 그리고 Mike는 멘티를 도울 수 있어 매우 기쁘다.
M: 너의 공부 계획이 어떻게 돼 가고 있니?
J: 나는 내가 무엇을 먼저 해야 할지 모르겠어.
M: (1) |예시 답안| 내가 도와줄게. 이 책을 읽어 보는 것이 어때? 그것은 너의 스케줄을 어떻게 정리할지에 관한 것이야.
J: (2) |예시 답안| 조언 고마워.
M: 천만에. (3) |예시 답안| 네가 좋다니 나도 기뻐.

해설 (1), (2), (3)에는 순서대로 도움을 제안하는 표현과 감사 표현, 감사에 대한 응답 표현이 와야 한다.

어휘 How are things going with ...? …은 어떻게 돼 가고 있니? organize 정리하다 schedule 스케줄

Lesson 4

For a Healthy Summer

Word Check
p. 62

A (1) 가렵다 (2) 땀에 젖은 (3) 뾰족한 (4) 물 웅덩이 (5) 초파리 (6) …으로 고통 받다 (7) scratch (8) area (9) sense (10) trash can (11) at that moment (12) feed on

B (1) sweat (2) buzz (3) sleeve (4) wipe (5) tiny

C (1) food poisoning (2) million (3) brush (4) protein (5) sunscreen (6) bug spray

B 해석 (1) 덥거나 긴장될 때 피부로부터 맑은 액체를 만들어 내다
(2) 날아다니는 곤충이 낮고 지속적인 소리를 내다
(3) 사람의 팔을 덮는 옷의 부분
(4) 닦는 데에 사용되는 작고 젖어 있는 천
(5) 아주 작은

C 해설 (1) food poisoning 식중독 (2) million 100만
(3) brush one's teeth ~의 이를 닦다 (4) protein 단백질
(5) sunscreen 자외선 차단제 (6) bug spray 살충제

Word Test
p. 63

1 ⑤ **2** ① **3** (1) from (2) female (3) in
4 (1) sunburn (2) sharp (3) blood **5** sense
6 wipe **7** go for a walk

1 해석 ① (알을) 낳다 ② 감지하다 ③ 윙윙거리다 ④ 칫솔질하다 ⑤ 가려운
해설 ⑤는 형용사이고 ①~④는 동사이다.

2 해석 맞거나 물려서 솟아오른 피부의 부분
① 혹 ② 닦아내는 천 또는 솜 ③ 햇볕에 심하게 탐
④ 배, 위 ⑤ 가려움

3 해석 (1) 건강해지기 위해서 정크 푸드를 멀리하세요.
(2) 암컷 고양이는 일 년에 두 번에서 세 번 임신할 수 있다.
(3) 할머니의 조언을 명심하세요!
해설 (1) stay away from …을 멀리하다 (2) female 암컷의, male 수컷의 (3) keep ... in mind …을 명심하다

4 해석 (1) 당신은 햇볕에 심하게 타는 것을 예방하기 위해 자외선 차단제를 발라야 한다.
(2) 사자와 호랑이는 뾰족한 이빨이 있다.
(3) 그는 더 나이가 들면 피를 기증할 것이다. (헌혈을 할 것이다.)
해설 (1) prevent 예방하다 (2) sharp 뾰족한
(3) donate blood 헌혈하다

5 해석 • 나는 무언가 큰 일이 일어나고 있다는 것을 느낄 수 있다.
• 그는 유머 감각이 뛰어나다.
해설 sense 느끼다, 감지하다; 감각

6 해석 • 모기 물린 자국이 생기면 알코올 솜으로 닦아라.
• 그는 손을 닦기 위해 수건을 사용했다
해설 wipe 닦아내는 솜; 닦다

7 해설 go for a walk 산책하다

Listening & Speaking Test
pp. 66-67

01 (1) sorry to hear (2) Make sure **02** ①
03 terrible, in **04** ① **05** 4-3-1-2 **06** ③ **07** ③
08 ⑤ **09** (w)orried **10** ⑤

01 해설 (1) I'm sorry to hear that. 그것 참 안됐구나.
(2) Make sure (that) you .... 반드시 …해.

02 해석 A: 쓰레기 주변에 초파리가 많구나.
B: 오 이런. 꼭 쓰레기통을 더 자주 비우도록 해.
해설 Make sure (that) you ... 은 당부의 표현이다.

03 해석 A: 나는 목이 아파.
B: 안됐구나. 물을 더 자주 마시려 노력해 봐.
A: 알겠어, 명심할게.
해설 That's terrible. 안됐구나.
keep ... in mind …을 명심하다

04 해석 ① A: 엄마가 새 휴대 전화를 사 주셨어!
B: 그것 참 유감이다.
② A: 나는 열이 나. 의사에게 가 봐야 할 것 같아.
B: 오, 안됐구나.
③ A: 햇볕에 심하게 타서 많이 아파.
B: 오 저런! 곧 나아지길 바랄게.
④ A: 9시까지 돌아오는 것을 잊지 마.
B: 네, 그럴게요.
⑤ A: 오 이런! 어제 작업한 모든 파일들을 잃어버렸어!
B: 반드시 작업한 것을 매 순간 저장하도록 해.

해설 ① 엄마가 새 휴대 전화를 사 주신 것은 좋은 소식이므로 유감이라고 답하는 것은 자연스럽지 않다.

05 해석 A: 나는 모기에 많이 물렸어. 정말 가려워.
B: 정말 안됐구나. 가려운 부위에 얼음 팩을 대고 있어 봐.
A: 얼음 팩을? 그런 것은 전에 한 번도 해 보지 않았어.
B: 그리고 만약 네가 모기에 더 물리는 것을 방지하고 싶다면, 물 웅덩이를 피해.
A: 응, 명심할게.

해설 모기에 물렸다는 소식에 유감을 표하고 처치 방법을 알려준 뒤, 모기에 더 물리는 것을 피하는 방법에 대해 이야기하고 그것에 응답하는 것으로 대화를 마무리하는 것이 자연스럽다.

06 해석 A: 나는 시험을 통과하지 못했어. 그 결과에 정말 실망했어.
B: ______________________
①, ②, ④ 참 안됐구나.
③ 그것이 네 마음에 든다니 기뻐.
⑤ 다음번에 더 잘할 수 있을 거야.

해설 B에는 상대의 상황에 유감이나 격려를 표현하는 말이 들어가야 한다. ③은 '그것이 네 마음에 든다니 기뻐.'라는 뜻의 표현으로 이 대화에는 알맞지 않다.

07 해석 A: 네가 건강해지고 싶다면 손을 자주 씻어.
B: ______________________
① 응, 고마워. ② 응, 그렇게 해 볼게. ③ 오 저런, 안됐다.
④ 명심할게. ⑤ 조언 고마워.

해설 B에는 상대방의 조언이나 당부에 대한 응답이 들어가야 한다. ③은 '오 이런, 유감이다.'라는 뜻의 표현으로 이 대화에는 알맞지 않다.

08 해석 A: 명동에 어떻게 가나요?
B: 그곳에 전철로 갈 수 있어요. 4호선에 있답니다. 서울역에서 4호선으로 갈아타는 것을 명심하세요.
① 반드시 …해라
② …을 확실히 해라
③ …할 것을 기억해라
④ …할 것을 잊지 마

해설 ⑤는 '당신이 …한다고 확신한다'라는 뜻으로 '…하는 것을 명심하세요.'라는 뜻의 표현에 해당하지 않는다.

09-10

전문해석 A: 지민아, 걱정스러워 보인다. 무슨 일이니?
B: 내 고양이가 아파서 걱정이 돼.
A: 그것 참 안됐구나. 고양이를 수의사에게 데려가는 게 어때?
B: 응, 그렇게. 고마워 지호야.

09 해설 worried 걱정하는

10 해설 지호가 고양이를 수의사에게 데려갈 것을 제안하자 지민이가 그러겠다고 했으므로, 지민이는 고양이를 동물 병원에 데리고 갈 것이다.

Grammar Check

p. 69

A (1) have known (2) hasn't (3) since (4) eaten (5) started

B (1) something bad (2) anything hot to drink (3) someone trustworthy to lead

C (1) has learned, for 10 years (2) have met, before (3) has already started

D (1) cold to drink something → something cold to drink
(2) to read interesting → interesting to read
(3) study → studied
(4) have you arrived → did you arrive
(5) Do you get → Have you got(ten)

A 해석 (1) 나는 Kelly를 5년 동안 알아 왔다.
(2) Jean은 그의 컴퓨터를 아직 고치지 않았다.
(3) Brian은 지난 일요일부터 정크 푸드를 전혀 먹지 않았다.
(4) 이탈리아 음식을 먹어 본 적이 있니?
(5) 나의 남동생은 6개월 전부터 코딩을 배우기 시작했다.

해설 (1) 5년 동안 계속 알아 왔다는 의미이므로 현재완료 시제를 쓴다.
(2) yet은 현재완료 시제에서 부정 표현과 함께 쓰여 '아직 …하지 못했다'의 의미를 나타낸다.
(3) '… 이래로, …부터'의 의미를 갖는 것은 since이다.
(4) 경험을 물을 때는 현재완료 시제를 쓰며, eat의 과거분사는 eaten이다.
(5) 6개월 전이라는 명백한 과거 시점이 표현되어 있으므로 과거 시제를 써야 한다.

B 해석 (1) 나는 배가 아파. 내 생각에 무언가 상한 것을 먹은 것 같아.
(2) 바깥이 춥다. 따뜻한 마실 것이 있니?
(3) 우리는 회사를 이끌 믿을만한 누군가가 필요하다.

해설 (1) something은 형용사가 뒤에서 수식한다.
(2) anything + 형용사 + to부정사의 어순으로 써야 한다.
(3) someone + 형용사 + to부정사의 어순으로 써야 한다.

C 해석 (1) Chris는 스페인어를 10년 동안 배웠다.
(2) 나는 전에 그를 만난 적이 있다. 나는 그를 안다.

(3) 우리가 도착했을 때, 수업은 이미 시작되었다.

해설 (1) Chris는 3인칭 단수 주어이고 learn의 과거분사는 learned이므로 동사 부분은 has learned를 쓰고, learn의 목적어인 Spanish 뒤에 for 10 years를 써야 한다.
(2) I가 주어이고 meet의 과거분사는 met이므로 동사 부분에 have met을 쓰고, met의 목적어인 him 뒤에 before를 써야 한다.
(3) 주절의 주어인 the class는 3인칭 단수이고 start의 과거분사는 started이므로 동사 부분은 has started가 되는데, 이때 부사 already는 have 동사와 과거분사 사이에 위치해야 한다.

D 해석 (1) 저는 마실 시원한 것을 원해요.
(2) 신문에 읽을 재미있는 것이 있나요?
(3) 당신은 얼마나 오래 영어를 공부해 왔나요?
(4) 당신은 어제 몇 시에 도착했나요?
(5) 당신이 김 선생님과 이야기한 이후로 그로부터 어떤 메시지를 받았나요?

해설 (1) something + 형용사 + to부정사의 어순으로 써야 한다.
(2) anything + 형용사 + to부정사의 어순으로 써야 한다.
(3) 과거부터 현재까지 얼마나 오랫동안 영어 공부를 계속해 왔는지 묻고 있으므로 현재완료 시제를 써야 한다. study의 과거분사는 studied이다.
(4) yesterday라는 명백한 과거 시점을 나타내는 표현이 있으므로 과거 시제를 써야 한다.
(5) ever since라는 계속적인 상황을 나타내는 표현이 있으므로 현재완료 시제를 써야 한다. 현재완료 시제의 의문문은 「Have + 주어 + 과거분사」의 형태이며, get의 과거분사는 got 또는 gotten이다.

Grammar Test

p. 70

01 ⑤ **02** ② **03** ④ **04** ⑤ **05** ④

01 해석 A: 너는 뉴욕에 가 본 적이 있니?
B: 아니, 나는 해외에 가 본 적이 전혀 없어.

해설 경험을 이야기할 때에는 현재완료 시제를 쓰는데, 문장이 No로 시작하여 가 본 적이 없다고 답해야 하므로 조동사 have 뒤에 부정어 never가 있어야 한다.

02 해석 그는 아주 호기심이 많은 학생이어서 그에게는 언제나 배울 새로운 것이 있다.

해설 something+형용사+to부정사의 어순으로 써야 한다.

03 해석 ① 그녀는 서울에 다섯 번 방문했다.
② 그것은 Sally가 타 본 최고의 자전거이다.
③ Paul은 모든 쿠키를 다 먹었다. 남은 것이 없다.
④ 그는 아직 새 가방을 사지 않았다. 그는 아직도 오래된 것을 사용한다.
⑤ 아드님이 방금 건물을 떠났어요. 그는 10분 내로 도착할 겁니다.

해설 ④ yet은 부정문에서 쓰이므로 빈칸에는 hasn't(has not)가 들어가야 한다. ①~③, ⑤의 빈칸에는 has가 들어가야 한다.

04 해석 ① 아무도 화성에 가 본 적이 없다.
② 나뭇잎들이 아직 갈색으로 변하지 않았다.
③ 지호는 아침을 먹은 이후로 아무것도 먹지 않았다.
④ 그는 태국에서 맛있는 것을 많이 먹었다.
⑤ 나는 이 식당에서 인기 있는 것을 먹고 싶다.

해설 ⑤ something은 형용사가 뒤에서 수식하므로 popular something은 something popular가 되어야 한다.

05 해석 ① 그녀는 조용한 누군가를 선호한다.
② 나는 말할 중요한 것이 없다.
③ 콜럼버스는 자메이카를 1494년에 발견했다.
④ 그는 어린 시절부터 노래 부르는 것에 흥미를 가져 왔다.
⑤ 네가 어젯밤 나에게 전화했을 때 나는 샤워를 하고 있던 중이었다.

해설 ① someone을 수식하려면 뒤에 형용사가 와야 하므로 부사 quietly는 형용사 quiet이 되어야 한다.
② 형용사 important를 nothing과 to say 사이에 써야 한다.
③ 1494년이라는 명백한 과거 시점을 나타내는 표현이 있으므로 has discovered는 과거 시제인 discovered가 되어야 한다.
⑤ last night이라는 명백한 과거 시점을 나타내는 표현이 있으므로 have called는 과거 시제인 called가 되어야 한다.

Reading & Writing Test

pp. 72-73

01 ⑤ **02** has, bitten **03** ② **04** something sweaty
05 ① **06** ③ **07** ② **08** tried **09** scratch **10** ①

01-02
전문해석 무더운 여름 저녁이었습니다. 서준이는 공원에 산책을 갔습니다. 곧, 그는 땀을 흘리고 있었습니다.
서준: 목말라. 나는 시원한 것을 마시고 싶어.
그때, 무언가 작은 것이 그에게로 날아와서 그의 팔을 물었습니다.
모기: 이봐, 나를 잡을 수 있으면 잡아 봐.
서준: 너는 누구니? 나한테 무슨 짓을 한 거지?
모기: 나는 모기야. 방금 저녁 식사를 마쳤어.

01 해설 ⑤는 모기를 가리키고, 나머지는 서준이를 가리킨다.

02 해석 모기는 방금 서준이의 팔을 물었다.

해설 Mrs. Mosquito는 3인칭 단수 주어이므로 have 동사를 has로 바꿔 써야 하고, 모기가 서준이의 팔을 물었으므로 '물다'라는 뜻을 가진 동사 bite의 과거분사인 bitten을 쓴다.

03-05

전문해석 서준: 너는 어디에서 왔니? 너는 어떻게 나를 찾은 거야?
모기: 나는 근처 강에서 왔어. 나는 그곳에서 마실 피를 찾던 중이었지. 그러다 땀이 나는 무언가의 냄새를 맡았고, 여기서 너를 발견했어.
서준: 너는 어떻게 강에서 내 냄새를 맡았니?
모기: 모기들은 열과 냄새를 아주 잘 감지해. 그래서 우리가 수백만 년 동안 살아남은 거야.

03 해석 ① 너는 누구니? ② 나를 어떻게 찾았니?
③ Mrs. Mosquito는 어디 있니?
④ 너는 왜 피를 찾았니?
⑤ 너는 어떤 강에 대해 이야기하고 있는 거니?

해설 모기의 대답에 서준이를 찾은 방법에 대한 내용이 있으므로 빈칸에는 서준이를 찾은 방법을 묻는 말이 와야 한다.

04 해설 something은 형용사 sweaty가 뒤에서 수식한다.

05 해설 모기가 열과 냄새를 잘 감지해서 수백 년 동안 살아남았다는 내용이므로 결과의 내용을 이끄는 That's why가 빈칸에 적절하다.

06 해석 서준: 모든 모기가 너처럼 피를 마셔?
모기: 아니. 나와 같은 암컷 모기만 피를 마셔. 수컷 모기들은 과일과 식물의 즙만을 먹고 살아.
서준: 그거 재미있네. 그럼 너는 왜 피를 마시는 거야?
모기: 알을 낳으려면 핏속의 단백질이 필요해.
서준: 너는 피를 어떻게 마시는 거야? 날카로운 이빨이 있니?
모기: 아니, 나는 이빨이 없어. 하지만 길고 뾰족한 입이 있지. 그래서 나는 너의 피를 쉽게 마실 수 있는 거야.

해설 피를 마시는 것은 암컷 모기이고, 과일과 식물 즙을 먹고 사는 것은 수컷 모기이며 모기는 이빨이 없지만 길고 날카로운 입으로 피를 마신다.

07-09

전문해석 서준: 네가 나를 문 다음에 부어오른 자국이 생겼어. 가려워.
모기: 그 얘기를 들으니 유감이야. 그것을 긁지 않도록 해. 또한, 그것을 알코올 솜으로 닦아.
서준: 알코올 솜? 나는 전에 그것을 한 번도 해 보지 않았어.
모기: 그것은 가려움을 줄여 줄 거야.
서준: 알았어, 집에서 한번 해 볼게. 고마워.

07 해석 ① 잘됐다. ② 그 얘기를 들으니 유감이야. ③ 좋은 생각이야. ④ 네 맘에 든다니 기뻐. ⑤ 정말 고마워.

해설 서준이가 모기에 물려 가렵다고 불평하고 있고 모기가 뒤에 처치법을 말하고 있으므로 유감의 표현이 들어가는 것이 알맞다.

08 해설 이전에 해 보지 않았다는 경험을 나타내므로 현재완료 시제를 써야 한다. 따라서 try는 과거분사형인 tried가 되어야 한다.

09 해석 모기 물린 자국이 생기면 부어오른 자국을 긁으면 안 된다.

해설 서준이가 부어오른 곳이 가렵다고 하자 모기는 그것을 긁지 말 것을 명심하라고 조언했다.

10 해석 햇볕에 심하게 타는 것으로부터 고통 받은 적이 있나요? 여기 여름에 햇볕에 타는 것을 막기 위한 몇 가지 유용한 팁이 있습니다. 자외선 차단제를 바르거나 모자를 쓰세요.
① 햇볕에 타는 것 ② 심한 감기 ③ 복통 ④ 식중독
⑤ 귀에 생긴 문제

해설 자외선 차단제를 바르거나 모자를 써서 막을 수 있는 것은 햇볕에 타는 것이다.

단원평가 pp. 74-77

01 ③ **02** male **03** ① **04** ② **05** ②
06 not to get → to get **07** ⑤
08 mosquito bites **09** make sure you wear long sleeves **10** ④ **11** have already seen
12 ④ **13** something special **14** ③
15 ② **16** ⑤ **17** ② **18** have survived
19 ③ **20** ⑤ **21** ⑤ **22** stay cool and wear long sleeves **23** ② **24** ③ **25** ⑤
26 ⑤ **27** ⑤ **28** sorry to hear that
29 (1) has lived, for (2) has learned, since
30 I need something interesting to read in summer vacation.

01 해석 ① 햇볕에 심하게 탐 ② 많은 초파리 ③ 심한 감기 ④ 식중독 ⑤ 모기에 물림

해설 ③을 제외한 나머지는 여름철에 주로 생길 수 있는 문제이다.

02 해석 〈보기〉 작은 : 큰 여성의 : 남성의

해설 제시된 단어는 반의어 관계이므로 female(여성의)의 반대에 해당하는 male(남성의)을 써야 한다.

03 해석 ① 아주 작은 사물은 크기가 크다(→ 작다).
② 여성인 사람은 소녀이거나 여자이다.
③ 땀에 젖은 사람은 땀으로 덮여 있다.
④ 뾰족한 것은 끝에 날카로운 뾰족한 부분이 있다.
⑤ 가려움을 느끼는 사람은 그/그녀의 피부를 긁고 싶어 한다.

해설 ① tiny는 '아주 작은'이라는 뜻이다.

04 해석 그녀는 ________ 를 입고(쓰고, 바르고) 있다.

해설 ② wear는 입고, 쓰고, 바르는 것을 목적어로 가지므로 a bite(물린 자국)은 wear의 목적어가 되기에 어색하다.

05 해석 A: 오 저런! 사과가 모두 썩었어.
B: 참 안됐다.
① 그것은 도움이 될 거야. ② 그것 참 안됐다. ③ 잘됐다. ④ 반드시 그것들을 먹도록 해. ⑤ 내 결과가 나빠서 유감이야.

해설 B의 대답에는 좋지 않은 소식에 대한 유감의 표현이 들어가야 한다.

06 해석 A: 나는 너무 피곤해.
B: 좋은 휴식을 취하지 말도록 해(→ 취하도록 해).

해설 피곤한 친구에게 휴식을 취하라고 당부해야 하므로 부정의 표현인 not을 빼야 한다.

07 해석 ① A: 나는 매일 운동하는 것이 더 낫다고 생각해.
B: 알겠어, 명심할게.
② A: 너의 이름을 쓰는 것을 잊지 마.
B: 알겠어, 잊지 않을게.
③ A: 어젯밤에 잠을 잘 못 잤어.
B: 오 이런! 안됐구나!
④ A: 목이 너무 아파.
B: 참 안됐다. 따뜻한 차를 마셔.
⑤ A: 햇볕에 타는 것을 막기 위해서 매 두 시간마다 자외선 차단제를 바를 것을 기억해.
B: 그것 참 안됐구나.

해설 ⑤ I'm sorry to hear that.은 유감을 표현하는 말이므로 자외선 차단제를 바를 것을 기억하라는 충고의 말에 대한 대답으로 자연스럽지 않다.

08-09

전문해석 A: 모기에 많이 물렸어요.
B: 그것 참 안됐구나. 어떻게 된 거니?
A: 지난 주말에 캠핑 갔을 때 그렇게 됐어요.
B: 오 저런. 그것들을 긁지 마! 또, 캠핑을 갈 때 긴 소매 옷을 입는 것을 잊지 마.
A: 알겠습니다, 고맙습니다.

08 해설 긁지 말라고 하는 것은 '모기에 물린 자국(mosquito bites)'이다.

09 해설 '반드시 …해야 해'. 또는 '…하는 것을 명심해.'에 해당하는 표현은 Make sure you ....이며, 긴 소매 옷은 long sleeves이다.

10 해설 주절에는 계속의 의미를 표현하기 위해 현재완료 시제를 쓰고 '…때부터'라는 의미의 since 뒤에는 과거 시제를 써야 한다.

11 해석 A: 나는 오늘 밤에 영화 'Avengers'를 보러 갈 거야. 너도 나와 함께 갈래?
B: 고마워, 하지만 난 이미 그것을 보았어.

해설 완료의 의미를 표현하기 위해 현재완료 시제를 쓰고 부사 already는 have와 see의 과거분사 seen 사이에 쓴다.

12 해석 Susan은 한 시간 전에 책을 읽기 시작했다. 그녀는 책을 아직도 읽고 있다.
→ Susan은 책을 읽는 것을 아직 끝내지 못했다.

해설 과거에 읽기 시작한 책을 현재에도 읽고 있으므로 아직 끝내지 못했다는 의미를 나타내기 위해 현재완료 시제를 써야 한다.

13 해설 something은 형용사 special이 뒤에서 수식한다.

14 해석 ① 너는 개를 얼마나 오래 길렀니?
② 너는 읽을 새로운 것이 필요하니?
③ 나는 '슈렉 3'을 일 년 전에 보았다.
④ 나의 할머니는 컴퓨터를 사용해 본 적이 없다.
⑤ 그의 춤에는 신비한 점이 있다.

해설 ③의 a year ago는 명백한 과거 시점을 나타내므로 현재완료 시제와 함께 쓸 수 없다.

15-16

전문해석 무더운 저녁 여름이었습니다. 서준이는 공원에 산책을 갔습니다. 곧, 그는 땀을 흘리고 있었습니다.

서준: 목말라. 뭔가 시원한 것을 마시고 싶어.
그때 무언가 작은 것이 그에게로 날아와서 그의 팔을 물었습니다.
모기: 이봐, 나를 잡을 수 있으면 잡아 봐.
서준: 너는 누구니? 나한테 무슨 짓을 한 거지?
모기: 나는 모기야. 방금 저녁 식사를 마쳤어.

15 해설 ② something은 형용사가 뒤에서 수식해야 하므로 cold something은 something cold가 되어야 한다.

16 해설 ⑤ 모기가 서준이의 땀 냄새를 좋아하는지에 대한 여부는 언급되지 않았다.

17-19

전문해석 서준: 너는 어디에서 왔니? 너는 어떻게 나를 찾은 거야?
모기: 나는 근처 강에서 왔어. 나는 땀 냄새를 맡았고, 여기서 너를 발견했어.
서준: 너는 어떻게 강에서부터 내 냄새를 맡았니?
모기: 모기들은 열과 냄새를 매우 잘 감지할 수 있어. 그래서 수백만 년 동안 우리가 살아남은 거야.
서준: 모든 모기가 너처럼 피를 마셔?
모기: 아니. 오직 나와 같은 암컷 모기만이 피를 마셔. 수컷 모기들은 과일과 식물의 즙만을 먹고 살아.
서준: 그거 재미있네. 그럼 너는 왜 피를 마시는 거야?
모기: 알을 낳으려면 핏속의 단백질이 필요해.

17 해설 모기의 대답에서 가까운 강에서 왔고 땀 냄새를 맡고 서준이를 찾았다고 답하고 있으므로, 서준이가 모기가 온 장소와 자신을 찾은 방법을 묻고 있음을 알 수 있다.

18 해설 수백만 년 동안 계속 살아남아 왔다는 내용이므로 현재완료 시제로 써야 한다. 주어가 we이므로 have 동사는 복수 동사의 형태가 되어야 하고, survive의 과거분사는 survived이다.

19 해석 ① Mrs. Mosquito는 어디에서 왔는가?
② 모기들은 무엇을 잘하는가?
③ 우리는 어떻게 모기에게 물리는 것을 막을 수 있는가?
④ 수컷 모기는 무엇을 먹는가?
⑤ 왜 암컷 모기들은 피를 마시는가?

해설 ③ 모기에게 물리는 것을 방지하는 방법은 언급되어 있지 않다.
① Mrs. Mosquito는 근처 강에서 왔다.
② 모기들은 열과 냄새를 매우 잘 감지한다.
④ 수컷 모기는 과일과 식물의 즙을 먹는다.
⑤ 암컷 모기는 알을 낳기 위해 핏속의 단백질이 필요해서 피를 마신다.

20-22

전문해석 서준: 네가 나를 문 다음에 부어오른 자국이 생겼어. 가려워.
모기: 그 얘기를 들으니 유감이야. 그것을 긁지 않도록 해. 또한, 그것을 알코올 솜으로 닦아. 그것이 도움이 될 거야.
서준: 알코올 솜? 나는 전에 그것을 한 번도 해 보지 않았어.
모기: 그것은 가려움을 줄여 줄 거야.
서준: 알았어, 집에서 그것을 한번 해 볼게. 고마워.
모기: 나는 이제 가야겠어. 다음에 보자.
서준: 기다려! 많은 사람들이 모기에 물려서 오랫동안 고통 받아 왔어. 어떻게 우리가 그것을 막을 수 있을까?
모기: 시원하게 지내고 소매가 긴 옷을 입어.
서준: 고마워. 그것을 명심할게.

20 해설 ⑤는 시원하게 지내고 긴 소매 옷을 입으라는 조언을 가리키며, 나머지 ①~④는 모기에게 물린 부위를 알코올 솜으로 닦으라는 조언을 가리킨다.

21 해석 ① 아직 ② 오늘 ③ 내일 ④ 다음번에 ⑤ 오랫동안

해설 현재완료 시제의 문장에서는 yet이나 for+기간 같은 표현이 쓰일 수 있는데, 주어진 문장이 긍정문이므로 부정문과 쓰이는 yet은 들어갈 수 없다.

22 해석 모기에게 물리는 것을 방지하기 위한 Mrs. Mosquito의 조언은 무엇이었나요?

해설 Mrs. Mosquito는 시원하게 지내고 소매가 긴 옷을 입으라고 조언했다.

23 해석 많은 사람들은 모기가 피만 먹고 산다고 생각한다. 하지만 그것은 사실이 아니다. 암컷 모기들은 알을 낳기 위해 피를 마신다. 하지만 수컷 모기들은 그러지 않는다. 그들은 과일과 식물의 즙만을 먹고 산다.

해설 많은 사람들이 모기가 모두 피를 먹고 산다고 생각한다는 내용과 암컷 모기가 먹는 것과 수컷 모기가 먹는 것이 서로 다르다는 내용 사이에 주어진 문장이 들어가는 것이 가장 자연스럽다.

24-25

전문해석 햇볕에 심하게 타서 고통 받은 적이 있나요? 여기 여름에 햇볕에 타는 것을 막기 위한 몇 가지 유용한 팁이 있습니다.
1. 자외선 차단제를 바르세요.
2. 모자를 쓰세요.
현명하게 추운(→ 더운) 날씨를 즐기세요.

24 해석 ① 바다를 즐기는 방법
② 재미있는 여름 활동
③ 햇볕에 타는 것을 막기 위한 안내서
④ 햇볕에 타는 것이 왜 위험한가
⑤ 햇볕에 탄 것에 대한 의학적인 치료

해설 햇볕에 타는 것을 막기 위한 방법을 제시하고 있으므로 '햇볕에 타는 것을 막기 위한 안내서'가 제목으로 가장 적절하다.

25 해설 ⑤, 여름철 햇볕에 타는 것을 예방하기 위한 내용이므로 cold(추운)는 hot(더운) 같은 단어가 되어야 한다.

26-27

전문해석 Chaas는 인도에서 인기 있는 여름 음료이다. 사람들은 시원함을 유지하기 위해 Chaas를 마신다. 그것은 또한 건강에 매우 좋은 음료이다.

여름에 몇몇 한국 사람들은 시원함을 유지하기 위해 얇고 가벼운 바지를 입는다. 그들은 이 바지를 '냉장고 바지'라고 부른다. 냉장고 바지는 다양한 색깔의 무늬로 나온다. 어떤 것들은 매우 세련되어 보인다.

26 해설 인도와 한국에서 여름을 시원하게 보내는 방법을 설명한 글이다.

27 해설 냉장고 바지는 얇고 가벼우며 입었을 때 시원하고, 다양한 색깔로 나올 뿐만 아니라 스타일이 세련되어 보인다고 했다.

28 해석 Ian: 나는 시험을 통과하지 못했어, 너무 슬퍼.
Amy: 그것 참 안됐구나.

해설 시험을 망쳐 슬퍼하는 친구에게는 유감이나 동정의 표현을 이용해 답하는 것이 적절하며, I'm으로 시작하는 표현에는 I'm sorry to hear that.이 있다.

29 해석 (1) Chris는 2013년에 부산으로 이사했다. 지금까지 그는 그곳에 살고 있다. 그는 5년 이상 동안 부산에서 살았다.
(2) Chris는 11살 때 중국어를 배우기 시작했고 여전히 배우고 있다. 그는 11살 때부터 중국어를 배워 왔다.

해설 (1) 2013년부터 지금까지 계속 살았다는 내용이므로 현재완료 시제를 쓰며, 기간 앞에는 for를 쓴다.
(2) 11살 때부터 계속 배우고 있다는 내용이므로 현재완료 시제를 쓰며, 사건이 시작되는 특정 시점 앞에는 since를 쓴다.

30 해설 '읽을 재미있는 것'은 something+형용사+to부정사의 어순으로 쓴다.

서술형 평가 p. 78

1 (1) something important to do
(2) Don't forget to read
(3) I'll keep that in mind.

2 |예시 답안| (1) Make sure you wear a life jacket.
(2) Make sure you don't eat too much.

3 |예시 답안| (1) I've never visited Paris.
(2) I've never played curling.
(3) I've never played *Over Watch*.

1 해석 호준: 민호야, 방과 후에 우리와 축구하는 게 어때?
민호: 나도 그러고 싶은데, 아직 해야 할 중요한 것이 있어.
호준: 그게 뭔데?
민호: 음, 우리 엄마는 내가 영어 공부하기를 원하셔. 내가 어떻게 하면 영어 실력을 향상시킬 수 있을까?
호준: 영어 책을 많이 읽는 것을 잊지 마.
민호: 좋은 생각이야. 그것을 명심할게.

해설 (1) something+형용사+to부정사의 어순으로 쓴다.
(2) '…하는 것을 잊지 마.'라는 뜻의 표현은 Don't forget to ....이다.
(3) '…을 명심할게.'라는 뜻으로 충고나 조언에 대해 응답할 때는 keep ... in mind를 쓴다.

2 해석 〈보기〉 반드시 준비 운동을 하도록 해.
(1) 반드시 구명조끼를 입도록 해.
(2) 너무 많이 먹지 않을 것을 명심해.

해설 (1) '반드시 …하도록 해.' 또는 '…하는 것을 명심해.'의 의미인 Make sure you .... 표현을 사용한다. (2) '…하지 않을 것을 명심해.'의 의미인 Make sure you don't .... 표현을 사용한다.

어휘 life jacket 구명조끼

3 해석 〈보기〉 한 번도 먹어 보지 않은 음식의 이름을 대시오.
→ 나는 아보카도 샌드위치를 먹어 본 적이 없다.
(1) 한 번도 방문해 보지 않은 도시의 이름을 대시오.
→ |예시 답안| 나는 파리를 한 번도 방문해 본 적이 없다.
(2) 한 번도 해 보지 않은 운동의 이름을 대시오.
→ |예시 답안| 나는 컬링을 한 번도 해 본 적이 없다.
(3) 한 번도 해 보지 않은 컴퓨터 게임의 이름을 대시오.
→ |예시 답안| 나는 '오버워치'를 한 번도 해 본 적이 없다.

해설 과거부터 현재까지의 경험에 대해 표현하는 것이므로 현재완료 시제를 사용한다.

중간고사 1회

pp. 80-83

01 ② 02 ⑤ 03 ① 04 break 05 ⑤
06 ② 07 ⑤ 08 ⓐ taking ⓑ to take
09 ④ 10 One, the other 11 ③ 12 ①
13 ⑤ 14 ⓐ what to do ⓑ how to be safe
15 ③ 16 ② 17 ② 18 ② 19 ④
20 ② 21 take 22 find an empty space that / which is far from buildings 23 ② 24 survived
25 ⑤ 26 planning to read books
27 You should take some rest.
28 (1) There are two balls. One is a basketball, and the other is a baseball. (2) There are three books. One is yellow, another is red, and the other is black. 29 |예시 답안| If I go to Egypt, I will see the Pyramids. / If I go to Switzerland, I will ski in the Alps. 30 |예시 답안| who/that is kind to all people / who/that cares about me very much

01 해석 ① 살다 - 삶 ② 구하다 - 안전한 ③ 다루다 - 손잡이 ④ 상처를 입히다 - 상처 ⑤ 결정하다 - 결정

해설 ①, ③, ④, ⑤는 동사와 명사의 관계이고 ②는 동사와 형용사의 관계이다.

02 해석 자연재해가 발생하기 전에 우리는 그것들에 준비해야 한다.
① 물다 ② 잡다 ③ 놓치다 ④ 피하다 ⑤ 준비하다

03 해석 사실이 아닌 무언가를 말하거나 쓰다
① 거짓말하다 ② 다치게 하다 ③ 잊다 ④ 살아남다
⑤ 보호하다

04 해석 • 너는 휴식을 취해야만 해.
• 나는 나쁜 습관들을 고치고 싶어.

해설 break 휴식; ~을 깨다, (나쁜 습관을) 버리다, 없애다

05 해석 나는 영화를 볼 계획이다.
① 나는 영화를 봐야 한다.
② 나는 영화를 보고 싶다.
③ 나는 이미 영화를 봤다.
④ 영화를 보는 게 어때?
⑤ 나는 영화를 볼 생각이다.

해설 미래의 계획을 나타내는 표현은 I'm thinking of ...와 I'm planning to ... 등이 있다.

06 해석 A: 나는 내 수학 성적이 걱정이야. 어떻게 수학 성적을 향상시킬 수 있을까?
① 너는 많은 문제를 풀어야 해.
② 너는 왜 많은 문제를 푸니?
③ 많은 문제를 풀어 보는 것이 어때?
④ 많은 문제를 풀어 보는 것이 어때?
⑤ 많은 문제를 풀어 보는 것이 네게 도움이 많이 될 거야.

해설 걱정에 대해 조언을 하는 상황에서 왜 많은 문제를 푸는지 묻는 것은 대화의 흐름상 어색하다.

07 해석 ① A: 내일 비가 올 거야.
B: 너는 우산을 챙겨야 해.
② A: 나는 나의 심한 감기가 걱정이야.
B: 휴식을 좀 취하는 게 어때?
③ A: 너의 여름 방학 계획은 무엇이야?
B: 나는 중국어를 배울 생각이야.
④ A: 너 그거 아니? 내가 경기에서 이겼어!
B: 오, 진짜? 멋지다!
⑤ A: 나는 팬케이크를 만들 생각이야. 너는 어떠니?
B: 그 말을 들으니 유감이야.

해설 ⑤ 자신의 계획을 말하고 상대의 계획을 물었는데 유감을 표현하는 것은 자연스럽지 않다.

08-09

전문해석 E: 있잖아. 나는 그림 그리기 수업을 수강할 생각이야.
J: 진짜? 왜 너는 그림 그리기 수업을 수강하기로 결심했니?
E: 나는 예술 고등학교에 가고 싶기 때문이야.
J: 너 미래에 예술가가 될 생각이야?
E: 그러길 바라. 나는 그림 그리는 것에 관심이 있어.

08 해설 ⓐ I'm thinking of 뒤에는 동명사가 와야 하므로 taking이 와야 한다. ⓑ decide는 목적어로 to부정사를 취하므로 to take가 와야 한다.

09 해석 ① Emily는 그림 그리기 수업을 수강했다.
② Emily는 고등학생이다.
③ 준수는 그림 그리기 수업에 관심이 있다.
④ Emily는 그림 그리는 것에 관심이 많다.
⑤ 준수는 예술가가 되기를 희망한다.

해설 대화에서 Emily는 그림 그리는 것에 관심이 있다고 했다. be into 빠져 있다, 관심이 많다

10 해석 나는 두 명의 여동생이 있다. 한 명은 Jane이고, 나머지 한 명은 Wendy이다.

해설 두 가지 대상을 가리킬 때는 one, the other 표현을 사용한다.

11 해석 만약 내일 화창하다면 나는 친구들과 해변에 갈 것이다.

해설 if 조건절에서는 현재 시제가 미래의 의미를 나타내므로 ⓐ에는 is가, 주절의 ⓑ에는 미래 시제인 will go가 와야 한다.

12 해석 • 그녀는 나에게 갈색 가방을 줬다.
• 나는 그의 강아지를 산책하는 남자를 봤다.

해설 첫 번째 문장의 선행사는 a bag으로 사물이고 두 번째 문장의 선행사는 a man으로 사람이므로 공통으로 쓸 수 있는 관계대명사는 that이다.

13 해석 ① 나는 정직한 사람들이 좋다.
② 그는 굉장히 긴 책을 읽고 있다.
③ 선생님은 나에게 다음에 무엇을 할지를 말씀해 주셨다.
④ 너 나에게 어떻게 샌드위치를 만드는지 알려 줄래?
⑤ 나는 바이올린 켜는 것을 좋아하는 친구 한 명이 있다.

해설 ① 관계대명사절의 동사는 선행사의 수에 일치시키므로 is는 복수 명사 people의 수에 일치시켜 복수 동사 are가 되어야 한다.
② 선행사가 a book으로 사물이므로 who는 which나 that이 되어야 한다.
③ '무엇을 ~할지'라는 뜻의 표현은 'what + to부정사'이므로 doing은 do가 되어야 한다.
④ '어떻게 ~하는지'라는 뜻의 표현은 'how + to부정사'이므로 make는 to make가 되어야 한다.

14 해석 뱀을 만났을 때 무엇을 해야 할지와 안전할 수 있는 방법을 내게 말해 줘.

해설 '무엇을 ~할지'라는 뜻의 표현은 'what + to부정사'이고, '~할 수 있는 방법'이라는 뜻의 표현은 'how + to부정사'이다.

15-17

전문해석 Eric에게

서울은 아름다운 봄이야. 지난 겨울 방학은 나에게 멋진 시간이었어. 나는 방학 동안 두 가지 개인적인 변화를 이뤘어. 하나는 나의 새로운 취미야. 그것은 컵케이크를 만드는 거야. (너는 팬케이크 만드는 법을 아니?) 나만의 컵케이크를 만드는 것은 정말 재미있어. 나머지 다른 변화는 나의 나쁜 습관 중 하나를 버린 거야. 예전에 나는 종종 손톱을 물어뜯었어. 이제 나는 더 이상 그러지 않아. 나는 그런 변화가 정말 기분 좋아. 만약 네가 변화하려고 노력하면 너도 나처럼 기분이 좋을 거라고 확신해. 곧 너로부터 소식 듣기를 바라.

너의 친구 준호가

15 해설 준호가 친구인 Eric에게 자신의 겨울 방학 소식을 전하는 글이다.

16 해설 자신의 새로운 취미인 컵케이크 만들기에 대해 이야기하다가 상대에게 팬케이크 만드는 법을 아는지 묻는 것은 글의 전체 흐름과 관계가 없다.

17 해설 두 가지 대상을 가리킬 때는 one, the other 표현을 사용한다. 준수가 앞에서 두 가지 변화를 이뤘다고 했고 the other는 형용사로 쓰일 뿐 아니라 대명사로 쓰일 수 있으므로 '변화'를 나타내는 단어인 change는 생략할 수 있다.

18-20

전문해석 준호에게,

시드니에서는 3월이 가을이야. 너는 이메일에서 너에게 일어난 변화들을 말해 주었지. 이제 나의 새로운 변화를 말해 줄 때구나. 요즘 나는 3D 프린팅에 빠져 있어. 나는 3D 프린터로 두 가지를 인쇄했어. 하나는 내 꿈의 자동차 모형이야. 교통이 혼잡할 때 그것은 날 수 있는 차로 바뀔 거야. 나머지 다른 하나는 우리 할아버지를 위한 특별한 컵이야. 할아버지는 편찮으셔서 컵을 잘 들지 못하셔. 나의 특별한 컵은 손잡이가 세 개 있어서 들기 쉬워. 할아버지는 아주 행복해하셔. 그건 그렇고, 나는 너의 컵케이크를 언젠가 맛보고 싶어, 준호야. 잘 지내.

행운을 빌며, Eric이

18 해설 if 조건절에서 미래를 표현할 때는 현재 시제를 사용하므로 ② will be는 is가 되어야 한다.

19 해석 ① 차 ② 컵 ③ 이메일 ④ 변화 ⑤ 날씨

해설 앞 문장에서 준호가 보낸 이메일에 준호의 변화들이 언급되었다고 했고, 뒤 문장에서 Eric의 요즘 관심거리에 대해 이야기하고 있으므로 빈칸에는 '변화'를 나타내는 단어인 changes가 알맞다.

20-22

전문해석 지진 발생 시 도움이 될 수 있는 몇 가지 안전 팁이 있습니다. 그것들을 하나씩 확인하면서 무엇을 해야 하

는지 배워 봅시다.

물건이 흔들릴 때 밖으로 뛰어나가지 마세요. 탁자나 책상을 찾아 그 밑에 숨으세요. 자신을 보호하기 위해 다리를 꼭 잡고 있어도 됩니다. 또한 창문에서 떨어져 있으세요. 지진이 일어나는 동안 그것들이 깨져 여러분을 다치게 할 수 있습니다.

흔들림이 멈췄을 때 밖으로 나가도 됩니다. 건물 밖으로 나가기 위해 엘리베이터를 이용하지 마세요. 계단을 이용하세요. 그것이 훨씬 더 안전합니다. 일단 밖으로 나가면, 건물로부터 멀리 떨어진 빈 공간을 찾으세요.

20 해석 ① 지진의 위험 ② 지진 발생 시 안전 팁
③ 자연재해의 종류 ④ 지진의 원인과 영향
⑤ 어떻게 자연재해가 우리의 삶을 파괴하는가

해설 지진이 발생했을 때 어떤 행동을 해야 하는지 알려 주는 내용이다.

21 해설 take cover 숨다 take stairs 계단을 이용하다

22 해설 명령문으로 써야 하므로 동사원형으로 문장을 시작하고, 선행사인 an empty space가 사물이므로 관계대명사는 which나 that을 사용하여 문장을 완성한다. 관계대명사절의 동사는 선행사에 수를 일치시키므로 단수 동사 is를 사용한다.

23 해석 기둥이나 나무를 꼭 잡고 싶어 하는 사람들이 있을 수 있지만, 다시 생각해 보세요. (B) 그것이 당신 위로 넘어질 수 있으므로 그것은 좋지 않은 생각입니다. 지진은 언제든지 발생할 수 있습니다. (A) 그것들은 모두에게 무서운 경험일 것입니다. 따라서 지진이 있을 때 안전을 지키는 법을 배우세요. (C) 부상을 방지하고 자신을 보호할 수 있습니다.

해설 주어진 글에서 기둥이나 나무를 잡는 것을 다시 생각해 보라고 했으므로 그것으로 인해 생길 수 있는 상황을 언급한 (B)가 먼저 나오고 지진이 모두에게 무서운 경험이라는 (A)가 그 뒤에 오는 것이 적절하다. 마지막으로 지진 시 안전을 지키는 법을 배워야 하는 이유인 (C)가 오는 것이 글의 순서로 적절하다.

24-25

전문해석 60세 여성인 Wang Youqiong은 2008년 중국을 강타한 지진에서 살아남았다. 사람들은 그녀를 지진이 발생한 8일 후에 발견했다. 그녀는 빗물을 마시며 살아남기 위해 매우 열심히 노력했다.

16살 소녀 Darlene Etienne는 2010년 아이티를 강타한 지진에서 살아남았다. 사람들은 그녀를 지진이 발생한 15일 후에 발견했다. 사람들은 그녀가 아마도 목욕물을 마시며 살아남았을 것이라고 생각한다.

24 해설 문맥상 '살아남았다'라는 내용이 되어야 하므로 survived가 적절하다.

25 해석 ① 언제 중국에서 지진이 발생했는지
② 어떻게 Wang이 지진에서 살아남았는지
③ 2010년에 Darlene은 몇 살이었는지
④ 지진 며칠 후에 Darlene이 발견되었는지
⑤ 지진 중에 Darlene이 어떻게 목욕을 할 수 있었는지

해설 Darlene이 지진 중에 목욕을 했다는 내용은 언급되지 않았다.

26 해석 Q: 너의 이번 주말 계획은 무엇이니?
A: 나는 책을 읽을 생각이야.

해설 미래의 계획을 말할 때 I'm planning to ... 표현을 사용할 수 있으며, to 뒤에는 동사원형을 쓴다.

27 해석 A: 나는 심한 감기에 걸려 걱정이야.

해설 '~해야 해.'라고 조언할 때는 'should+동사원형'을 사용한다.

28 해석 두 마리의 개가 있다. 한 마리는 크고 나머지 한 마리는 작다. 공이 두 개 있다. 하나는 농구공이고 나머지 하나는 야구공이다. 책이 세 권 있다. 하나는 노란색이고 다른 한 권은 빨간색이고 나머지 한 권은 검은색이다.

해설 두 가지 대상을 가리킬 때는 one, the other 표현을 사용하며, 세 가지 대상을 가리킬 때는 one, another, the other 표현을 사용한다.

29 해석 내가 오스트레일리아에 간다면 나는 코알라를 볼 것이다.

|예시 답안|
내가 이집트에 간다면 나는 피라미드를 볼 것이다.
내가 스위스에 간다면 알프스에서 스키를 탈 것이다.

해설 「If + 주어 + 동사 ~, 주어 + 동사」 구문을 이용하며 if 조건절에서는 현재 시제로 조건의 의미를 나타낸다.

30 해석 나의 가장 친한 친구는 모든 사람들에게 친절한 / 나를 정말 많이 위해 주는 사람이다.

해설 선행사가 사람인 a person이므로 주격 관계대명사 who나 that을 사용하여 문장을 완성한다.

중간고사 2회

pp. 84 - 87

01 ④ **02** ⑤ **03** ⑤ **04** anymore **05** ③
06 2-4-1-3 **07** ⑤ **08** was worried about the people at the city library yesterday
09 ② **10** ② **11** ① **12** (A) can't (B) will visit (C) read **13** One, another, the other
14 ① **15** ③ **16** ⓐ One ⓑ The other
17 ⑤ **18** think about how to be safe
19 ⓐ which / that ⓑ what **20** ③ **21** ④
22 ⑤ **23** ③ **24** ② **25** it can fall on people **26** |예시 답안| (1) She is thinking of studying. (2) She is thinking of playing the piano. (3) She is thinking of watching a movie.
27 (1) I lost my bag which / that is yellow and green. (2) Jimmy helped an old lady who / that was carrying a heavy bag.
28 |예시 답안| not eat too much chocolate, should brush your teeth before going to bed
29 reading a book, the other is listening to music
30 |예시 답안| (1) I will say hello to the cat (2) I will watch a youtube channel

01 해석 무언가에 대한 선택을 하다
① 소망하다 ② 흔들다 ③ 변하다 ④ 결정하다 ⑤ 살아남다

02 해석 • 나는 작년에 Jane으로부터 소식을 못 들었다.
• 요즘 나는 K-pop에 관심이 많다.
해설 hear from ~로부터 소식을 듣다
be into ~에 관심이 많다

03 해석 • 나는 이 문제를 처리할 수 있다.
• 그는 문 손잡이를 잡았다.
① 물다; 물린 자국 ② 닦다; 닦는 것 ③ 변하다; 변화 ④ 발생하다; 파업 ⑤ 처리하다; 손잡이

04 해설 not ... anymore 더 이상 …않다

05 해석 A: 나는 나의 치통이 걱정이야.
B: 너는 의사에게 가 봐야 해.
① 어떻게 내가 의사에게 갈 수 있을까?
② 의사에게 가는 것은 어려워.
③ 의사에게 가 보는 것이 어때?
④ 나는 의사에게 가는 것이 두려워.
⑤ 나는 의사에게 갈 생각이야.
해설 고민에 대해 조언을 하는 상황이므로 '~하는 게 어때?'라는 뜻의 How about ...?을 이용한 표현으로 바꿔 쓸 수 있다.

06 해석 A: 그녀는 지난주에 막 이것을 알았고 지금 굉장히 속상해 하고 있어.
B: 그거 아니? Jenny의 가족이 일본으로 이사를 간대.
A: 그녀의 마음을 이해할 수 있어. 나는 그녀가 정말 그리울 거야.
B: 정말이야? Jenny는 내게 그것에 대해 말하지 않았어.
해설 친구의 가족이 이사를 간다는 화제를 먼저 꺼낸 뒤 그 사실에 대해 반응하고 그 이후 그 친구의 심정에 대해 이야기하고 그녀를 그리워 할 것이라고 말하는 것이 자연스럽다.

07 해석 A: Kevin이 요즘 기분이 안 좋아. 나는 그가 걱정돼.
B: 진짜? 그에게 무슨 일 있니?
해설 I'm worried about ...은 걱정을 나타내는 표현이다.

08-09
전문해석 A: 미나야, 그거 아니? 어제 시립 도서관에서 큰 화재가 있었어.
B: 응, 들었어. 나는 그곳에 있는 사람들이 걱정됐어.
A: 걱정하지 마. 모두 괜찮대. 그들 모두는 안전 수칙을 따랐어.
B: 진짜? 그 수칙이 뭐야?
A: 젖은 수건으로 코와 입을 덮어야 해. 그러고 나서 낮은 자세로 탈출해야 해.
B: 아, 그건 몰랐네.
A: 너는 그것을 꼭 기억해야 해. 그것은 언젠가 도움이 될 거야.

08 해석 Q: 미나는 누구에 대해 걱정했는가?
A: 그녀는 어제 시립 도서관에 있던 사람들에 대해 걱정했다.
해설 미나는 어제 시립 도서관에 불이 났다는 소식을 들었으며 그곳에 있던 사람들이 걱정된다고 했다.

09 해석 ① 나는 안전 수칙에 관심이 있어.
② 너는 그것을 꼭 기억해야 해.
③ 안전 수칙을 배우는 것은 어려워.
④ 너는 수칙을 비밀로 해야 해.
⑤ 너는 그 사고를 기억해야 해.

해설 안전 수칙을 꼭 기억하라고 당부하는 것이 자연스럽다.

10 해석 ① 나는 Sam으로부터 이메일을 받았다.
② 나는 그가 축구하는 것을 좋아한다는 것을 안다.
③ 4쪽에 있는 사진을 보아라.
④ 나는 지진에 관한 책을 읽었다.
⑤ Jim은 음악에 관심이 있는 내 친구이다.

해설 ①, ③~⑤의 that은 주격 관계대명사이고 ②의 that은 접속사이다.

11 해석 나는 이 문제를 어떻게 푸는지 안다.

해설 '어떻게 ~하는지'라는 뜻의 표현은 'how + to부정사'이다.

12 해석 안녕. 나는 내일 학교 앞에서 너를 만나고 싶어. 그런데 내가 너를 거기서 못 만난다면 내가 너의 집에 갈게. 네가 이 메시지를 읽으면 나에게 다시 전화해 줄래?

해설 (A), (C) if 조건절에서는 현재 시제로 미래의 의미를 나타낸다. (B) if 조건절의 주절에서는 원래 시제에 맞는 시제를 사용한다.

13 해석 미나는 세 마리의 개가 있다. 한 마리는 갈색 털을 가지고 있고, 다른 한 마리는 곱슬 털을 가지고 있으며, 나머지 한 마리는 하얀색 털을 가지고 있다.

해설 세 가지 대상을 가리킬 때는 one, another, the other 표현을 사용한다.

14 해석 ① 나는 폭풍이 오면 무엇을 해야 할지 모른다.
② 너는 햄버거를 어떻게 만드는지 아니?
③ 만약 네가 지금 출발한다면 너는 늦지 않을 거야.
④ 줄 서 있는 여자가 나의 언니야.
⑤ 선생님께서 이 게임을 하는 방법을 우리에게 보여 주실 거야.

해설 ② '어떻게 ~하는지'라는 뜻의 표현은 'how + to부정사'이므로 make는 to make가 되어야 한다.
③ if 조건절에서는 현재 시제로 조건의 의미를 나타내므로 will leave는 leave가 되어야 한다.
④ 주격 관계대명사절의 동사는 선행사에 수를 일치시키며, 선행사가 The girl로 단수이므로 are는 is가 되어야 한다.
⑤ '어떻게 ~하는지'라는 뜻의 표현은 'how + to부정사'이므로 playing은 to play가 되어야 한다.

15-17

전문해석 준호에게

시드니에서는 3월이 가을이야. 너는 이메일에서 너에게 일어난 변화들을 말해 주었지. 이제 나의 새로운 변화를 말할 때야. 요즘 나는 3D 프린팅에 열중하고 있어. 나는 3D 프린터로 두 가지를 인쇄했어. 하나는 내 꿈의 자동차 모형이야. 교통이 혼잡할 때 그것은 나는 자동차로 바뀔 거야. 나머지 다른 하나는 우리 할아버지를 위한 특별한 컵이야. 할아버지는 편찮으셔서 컵을 잘 들지 못하셔. 나의 특별한 컵은 손잡이가 세 개 있어서 들기 쉬워. 할아버지는 아주 행복해하셔. 그건 그렇고, 나는 너의 컵케이크를 언젠가 맛보고 싶어, 준호야. 잘 지내.

행운을 빌며, Eric이

15 해설 ① '~할 시간(때)이다'라는 뜻의 표현은 'It's time to + 동사원형'으로 나타내므로 to talking은 to talk이 되어야 한다.
② if 조건절에서는 현재 시제가 미래의 의미를 나타내므로 will be는 is가 되어야 한다.
④ 부사는 주격 보어로 쓰일 수 없으므로 easily는 형용사 easy가 되어야 한다.
⑤ want는 to부정사를 목적어로 취하므로 to trying은 to try가 되어야 한다.

16 해설 Eric은 3D 프린터로 두 가지를 인쇄했다고 했다. 두 가지 대상을 가리킬 때는 one, the other 표현을 쓴다.

17 해석 ① 준호는 Eric에게 이메일을 보냈다.
② Eric은 3D 프린팅에 관심이 있다.
③ Eric은 3D 프린터로 두 개를 만들었다.
④ Eric은 그의 할아버지를 위해 컵을 만들었다.
⑤ 준호는 Eric을 위해 컵케이크를 만들 것이다.

해설 Eric이 준호의 컵케이크를 먹어 보고 싶다고 했을 뿐 실제로 준호가 Eric에게 컵케이크를 만들어 줄 것이라는 내용은 언급되지 않았다.

18 해석 지진이 발생할 때 해야 할 일을 알고 있습니까? 이 퀴즈를 풀며 이러한 종류의 자연재해 동안 어떻게 해야 안전할 수 있는지에 대해 생각해 보세요.

해설 문장이 명령문이 되어야 하므로 think about으로 문장을 시작한다. '어떻게 해야 안전할 수 있는지'라는 뜻의 표현인 'how + to부정사'를 사용하여 문장을 완성한다.

19-20

전문해석 당신은 지진에서 안전하게 살아남을 수 있나요? 여기에 지진 발생 시 도움이 될 수 있는 몇 가지 안전 팁이 있습니다. 그것들을 하나씩 확인하면서 무엇을 해야 하는지 배워 봅시다.

19 해설 ⓐ 선행사가 tips로 사물이므로 주격 관계대명사 which나 that을 써야 한다.
ⓑ '무엇을 ~해야 할지'라는 뜻이 되어야 하므로 'what + to 부정사' 표현 중 what을 써야 한다.

20 해설 마지막 문장에 안전 팁을 하나씩 확인해 보고 무엇을 해야 하는지 배워 보자고 했으므로 뒤에 지진을 대처하는 방법과 관련된 내용이 이어지는 것이 자연스럽다.

21-22
전문해석 위험할 수 있는 많은 상황들이 있습니다. 여기에 몇 개의 팁이 있습니다. 무엇을 해야 할지 배우고 안전하게 지냅시다! 젖은 바닥은 위험할 수 있습니다. 사람들은 미끄러지고 넘어질 수 있습니다. 그래서 바닥에 있는 물을 닦아야 합니다.

21 해석 ① 덮다 ② ~을 형성하다 ③ 뛰어오르다 ④ 닦다 ⑤ 떠오르다
해설 젖은 바닥의 물을 '닦다'라는 의미가 되는 것이 가장 적절하다.

22 해석 ① 위험한 상황들 ② 토네이도에 대한 안전 팁 ③ 젖은 바닥에 대한 안전 팁 ④ 자연재해의 종류 ⑤ 위험한 상황에 무엇을 해야 하는가
해설 젖은 바닥은 위험하며 바닥의 물을 닦아야 한다는 내용이다.

23-25
전문해석 물건이 흔들릴 때 밖으로 뛰어나가지 마세요. 탁자나 책상을 찾아 그 밑에 숨으세요. 자신을 보호하기 위해 다리를 꼭 잡고 있어도 됩니다. 또한 창문으로부터 떨어져 있으세요. 지진이 일어나는 동안 그것들이 깨져 여러분을 다치게 할 수 있습니다. 흔들림이 멈췄을 때 밖으로 나가도 됩니다. 건물 밖으로 나가기 위해 엘리베이터를 이용하지 마세요. 계단을 이용하세요. 그것이 훨씬 더 안전합니다. 일단 밖으로 나가면, 건물로부터 멀리 떨어진 빈 공간을 찾으세요. 기둥이나 나무를 꼭 잡고 싶어 하는 사람들이 있을 수 있지만, 다시 생각해 보세요. 그것이 당신 위로 넘어질 수 있으므로 그것은 좋지 않은 생각입니다.

23 해석 지진이 일어나는 동안 그것들이 깨져 당신을 다치게 할 수 있습니다.
해설 주어진 문장의 They가 지칭하는 깨질 수 있는 것은 windows이다. 따라서 windows에 대해 언급한 문장 다음인 ③에 오는 것이 알맞다.

24 해설 ⓐ와 ⓑ에는 두 문장을 연결하는 주격 관계대명사가 들어가야 한다. ⓐ의 선행사는 an empty space로 사물이고, ⓑ의 선행사는 people로 사람이므로 사물과 사람에 공통으로 쓸 수 있는 that이 알맞다.

25 해석 Q: 글에 따르면, 지진이 일어났을 때 나무나 기둥을 꼭 잡고 있는 것이 왜 좋지 않은 생각인가?
A: 그것이 사람들 위로 넘어질 수 있기 때문에 좋지 않은 생각이다.
해설 본문에서 나무나 기둥이 넘어질 수 있기 때문에 그것을 꼭 잡고 있고 싶은 사람들에게 다시 생각하라고 조언했다.

26 해석 Q: Lisa의 이번 월요일 계획은 무엇이니?
A: 그녀는 테니스를 칠 생각이야.
(1) Q: Lisa의 이번 화요일 계획은 무엇이니?
A: 그녀는 공부할 생각이야.
(2) Q: Lisa의 이번 목요일 계획은 무엇이니?
A: 그녀는 피아노를 칠 생각이야.
(3) Q: Lisa의 이번 금요일 계획은 무엇이니?
A: 그녀는 영화를 볼 생각이야.
해설 미래의 계획을 이야기할 때는 be thinking of 구문을 사용할 수 있다. 이때 of 뒤에는 동명사를 써야 한다. will, be going to, be planning to 구문도 사용할 수 있으며, 이 표현 뒤에는 동사원형을 써야 한다.

27 해석 (1) 나는 내 가방을 잃어버렸다. 그것은 노란색과 초록색이다.
→ 나는 노란색과 초록색인 내 가방을 잃어 버렸다.
(2) Jimmy는 한 할머니를 도왔다. 그녀는 무거운 가방을 들고 있었다.
→ Jimmy는 무거운 가방을 들고 있었던 한 할머니를 도왔다.
해설 (1) 선행사가 my bag으로 사물이므로 관계대명사 which나 that을 이용하여 한 문장으로 연결한다.
(2) 선행사가 an old lady로 사람이므로 관계대명사 who나 that을 이용하여 한 문장으로 연결한다.

28 해석 Tom은 최근 심한 치통이 있다. 그는 초콜릿을 너무 많이 먹고 잠자리에 들기 전에 이를 닦지 않는다.
|예시 답안| Tom, 너는 초콜릿을 많이 먹지 않아야 한다. 또한 너는 잠자리에 들기 전에 이를 닦아야 한다.
해설 You should 뒤에 동사원형을 써서 조언을 표현할 수 있다. 부정문은 You should not 뒤에 동사원형을 쓴다.

29 해석 두 명의 사람이 공원에 있는 벤치에 앉아 있다. 한

명은 책을 읽고 있고, 나머지 한 명은 음악을 듣고 있다.

해설 두 가지 요소를 설명할 때는 One, the other 구문을 이용한다.

30 해석 |예시 답안| (1) 내가 길에서 귀여운 고양이를 만난다면 나는 그 고양이에게 인사를 할 것이다.
(2) 이번 일요일에 시간이 있으면 나는 유튜브 채널을 볼 것이다.

해설 조건문의 주절은 원래 시제를 사용하므로 미래 시제로 문장을 완성한다.

기말고사 1회

pp. 88-91

01 sweaty **02** ⑤ **03** ④ **04** ② **05** ④ **06** sorry **07** ③ **08** I'm glad you like them. **09** ① **10** that **11** ④ **12** ② **13** ③ **14** to come back home by 5:00 **15** (C) – (B) – (A) **16** ② **17** ③ **18** ④ **19** ③ **20** ③ **21** ③ **22** Make sure you don't scratch it. **23** ⑤ **24** 비누 안에 장난감을 넣어 아이들이 손을 자주 씻도록 한 것 **25** ⑤
26 I'm sorry to hear that
27 We need someone smart to lead our group.
28 that / which they have had for a week, to attend a meeting
29 |예시 답안| sure you take your umbrella
30 |예시 답안| (1) 나의 부모님, 15, My parents and I have known each other for 15 years. (2) 태권도 배우기, I have always wanted to learn taekwondo.
(3) 제주도, I have been to Jeju.

01 해석 〈보기〉 가렵다 : 가려운 땀을 흘리다 : 땀에 젖은

해설 제시된 단어는 동사와 형용사 관계이므로, 동사 sweat(땀을 흘리다)의 형용사형인 sweaty(땀에 젖은)를 써야 한다.

02 해석 갑자기 그는 아이디어가 생겼다.
① …을 설치했다 ② 포기했다 ③ 나눠 줬다 ④ 들어왔다 ⑤ 떠올랐다

해설 아이디어가 생긴 것이므로 '(생각이) 떠오르다'의 뜻을 갖는 come up with를 과거 시제로 바꾼 came up with와 바꿔 쓸 수 있다.

03 해석 • 제시간에 수업에 도착할 것을 명심해.
• 나는 귀 문제로 고통 받는다.

해설 on time 제시간에 suffer from …으로 고통 받다

04 해석 만약 네가 누군가를 신뢰하면, 너는 그 사람이 정직하다고 생각할 것이다.
① 듣다 ② 신뢰하다 ③ 감지하다 ④ 막다 ⑤ 긁다

05 해석 ① A: 내가 도와줄게.
B: 그렇게 말해 줘서 고마워.
② A: 나는 어제 내 휴대 전화를 잃어버렸어.
B: 그것 참 안됐구나.
③ A: 네가 만든 케이크 정말 맛있었어.
B: 네가 좋아했다니 기뻐.
④ A: 네 방을 꼭 청소하도록 해라.
B: 그 말을 들으니 기뻐.
⑤ A: 오늘 수업을 복습하는 것을 잊지 마.
B: 알겠어, 명심할게.

해설 ④ 당부하는 말에는 명심하겠다고 대답하는 것이 자연스러우며 기쁜 이유에 대해 말하는 것은 자연스럽지 않다.

06 해석 당신이 누군가에게 "그것 참 안됐군요."라고 말할 때, 당신은 그 사람의 상황에 유감을 느낀다. 당신은 또한 "그 말을 들으니 유감이네요."라고 말할 수 있다.

해설 feel sorry for ...는 '…에 유감을 느끼다'라는 의미의 표현이고 I'm sorry to hear that.은 상대방의 좋지 못한 상황을 들었을 때 동정이나 유감을 나타내는 표현이다.

07 해석 내가 너를 도와줄게.
① 나는 전에 너를 도왔어.
② 나를 도와줄 수 있니?
③ 내가 너를 도와줄게.
④ 나를 도와주고 싶니?
⑤ 나를 도와줘서 고마워.

08-09
전문해석 A: 너를 위해 이 꽃을 샀어.
B: 고마워. 정말 마음에 들어.
A: 네가 좋아하니 나도 기뻐.
B: 내가 이것을 어떻게 보관해야 할까?
A: 매주 물을 갈아 주는 것을 잊지 마.

08 해설 칭찬이나 감사에 대한 응답으로 I'm glad you like ... 표현을 쓴다.

09 해석 ① ~하지 마 ② 제발 ③ 너는 ~할 수 있어 ④ 나는 ~하고 싶어 ⑤ ~하는 것을 명심해

해설 물을 갈아 주는 것을 잊지 말라고 하는 것이 자연스럽다.

10 해석 • 그녀는 내가 좋아하는 선생님이다.
• 이것은 내가 찍은 사진이다.

해설 빈칸에는 두 문장을 이어 주는 목적격 관계대명사를 써야 하며, 사람 선행사인 a teacher와 사물 선행사인 the photo를 받을 수 있는 목적격 관계대명사는 that이다.

11 해석 A: 너는 한 달 동안 프로젝트를 준비했잖아. 너의 일을 다 끝냈니?
B: 아니, 아직. 미안해.
A: 뭐라고? 나는 네가 어젯밤에 그것을 다 끝낸 줄 알았어.

해설 ⓐ에는 한 달 동안 준비해 왔다는 의미를 표현하기 위해 현재완료 시제를 써야 하고, ⓑ에는 last night이라는 명백한 과거를 나타내는 말이 있으므로 과거 시제를 써야 한다.

12 해석 • 나에게 이것을 하라고 요청하지 마. 나는 그것을 잘 못해.
• 나는 먹을 특별한 것을 원해.

해설 'ask ~ to ...'는 '~가 …하도록 요청하다'라는 의미이고, to부정사가 형용사를 수식할 때는 '형용사 + to부정사' 순으로 쓴다. 따라서 빈칸에 공통으로 알맞은 것은 to이다.

13 해석 ① 나는 일주일 동안 그에게 말을 걸려고 노력했다.
② 나에게 마실 차가운 것을 주세요.
③ 이탈리아는 내가 방문하고 싶은 나라이다.
④ 너는 내가 하기를 원하는 무언가가 있니?
⑤ 이 호텔에 머무는 손님들은 할인을 받을 수 있다.

해설 ③ 밑줄 친 which는 목적격 관계대명사이므로 생략할 수 있다.

14 해석 엄마: 5시까지 집에 돌아와.
Sam: 알겠어요, 명심할게요.
➡ Sam의 엄마는 그가 5시까지 집에 돌아오기를 원한다.

해설 Sam의 엄마가 Sam에게 5시까지 집에 돌아올 것을 요청하고 있으므로, '~가 …하기를 원하다'라는 뜻의 'want ~ to ...' 표현을 사용하여 문장을 완성한다.

15 해석 뉴욕에는 길거리에 공중전화가 많이 있었다. (C) 그러나 아무도 그것들을 사용하지 않았다. (B) 어느 날, 한 남자에게 좋은 아이디어가 떠올랐다. 그는 공중전화 하나에 동전들을 붙였다. (A) 그는 또한 "당신이 사랑하는 사람에게 전화하세요."라고 쓰인 표지판들을 설치했다. 곧 많은 사람들이 그 전화기를 사용했다.

해설 뉴욕에 공중전화가 많지만 그것을 아무도 사용하지 않았다는 내용의 (C)가 오고, 그러던 어느 날 한 남자에게 아이디어가 떠올랐다는 내용과 그 아이디어에 대한 내용의 (B)가 온 다음, 그가 또한(also) 표지판을 설치해서 사람들이 공중전화를 쓰게 됐다는 (A)가 이어지는 것이 자연스럽다.

16 해석 그들이 사랑하는 누군가에게 이야기하고 있을 때, 그들은 미소 짓는 것을 멈추지 않았다. 그의 아이디어는 큰 성공이었다. 그날 동안 모든 동전들이 사라졌다. 그 남자는 자신의 아이디어가 사람들에게 행복을 주었기 때문에 매우 행복했다.

해설 ② 선행사가 someone으로 사람이므로 관계대명사 which는 who나 that이 되어야 한다.

17 해석 몇 년 전, 서울의 버스 정류장 지도는 매우 혼란스러웠다. 지도에는 충분한 정보가 없었다. 사람들은 다른 사람들에게 지도를 설명해 달라고 요청해야 했다. "이 버스 정류장은 지도에서 어디에 있는 건가요?" "이 버스가 광화문으로 가나요?" 많은 사람들이 자주 맞는(→잘못된) 버스를 탔고 시간을 낭비했다. 어느 날, 한 청년이 이 문제를 해결하기로 결심했다.

해설 ③ 지도가 혼란스러워 시간을 낭비한다고 했으므로 사람들은 버스를 잘못 탔음을 유추할 수 있다. 따라서 right(맞는) 대신 wrong(잘못된)이 되는 것이 글의 흐름상 자연스럽다.

18-19

전문해석 무더운 저녁 여름이었습니다. 서준이는 공원에 산책을 갔습니다. 곧, 그는 땀을 흘리고 있었습니다.
서준: 목말라. 시원한 것을 마시고 싶어.
이때, 무언가 작은 것이 그에게로 날아와서 그의 팔을 물었습니다.
모기: 이봐, 나를 잡을 수 있으면 잡아 봐.
서준: 너는 누구니? 나한테 무슨 짓을 한 거지?

18 해설 at that moment 이때

19 해설 ③ 마실 시원한 것을 원한 이는 모기가 아니라 서준이다.

20-21

전문해석 모기: 모기들은 열과 냄새를 아주 잘 감지해. 그래서 우리가 수백만 년 동안 살아남은 거야.
서준: 모든 모기가 너처럼 피를 마셔?
모기: 아니. 오직 나와 같은 암컷 모기만이 피를 마셔.

수컷 모기들은 과일과 식물의 즙만을 먹고 살아.
서준: 그거 재미있네. 그럼 너는 왜 피를 마시는 거야?
모기: 알을 낳으려면 핏속의 단백질이 필요해.
서준: 너는 피를 어떻게 마시는 거야?

20 해설 ⓐ에는 수백만 년 동안 살아남았다는 의미를 표현하기 위해 현재완료 시제를 쓰고 ⓑ에는 불변의 사실을 표현하기 위해 현재 시제를 쓴다.

21 해설 글의 마지막에 서준이가 모기에게 어떻게 피를 마시는지를 물었으므로 글의 뒤에는 이에 해당하는 내용이 이어지는 것이 알맞다.

22 해석 서준: 네가 나를 문 다음에 부어오른 자국이 생겼어.
모기: 그 말을 들으니 유감이야. 그것을 긁지 않도록 해.

해설 모기가 물린 자국을 긁지 말라고 조언하는 내용이므로, '…하는 것을 명심해'라는 의미인 Make sure you ... 표현을 쓴다. you 뒤에는 부정문을 만드는 don't와 동사원형 scratch, 목적어 it을 순서대로 쓴다.

23 해석 제 이름은 준수이고 저는 2학년입니다. 저는 저의 멘티의 수학 시험을 도와주고 싶습니다. 저는 방과후에 멘티를 만날 수 있습니다. 저는 저의 멘티에게 자신의 숙제를 할 것을 요청할 것입니다. 저는 좋은 멘토는 좋은 친구가 될 수 있다고 생각합니다. (저는 좋은 멘티가 될 수 있습니다.) 그래서 저는 저의 멘티가 좋아하는 좋은 친구가 되고 싶습니다.

해설 멘토가 되어 자신의 멘티에게 어떤 도움을 주고 싶은지, 어떤 멘토가 되고 싶은지를 설명하는 글 중간에 자신이 좋은 멘티가 될 수 있다는 내용이 나오는 것은 글의 흐름에 맞지 않는다.

24 해석 남아프리카에는 그 안에 장난감이 들어 있는 비누가 있습니다. 남아프리카의 어린이들은 장난감을 갖기 위해 더 자주 손을 씻습니다. 손을 씻는 것은 많은 건강 문제를 막을 수 있습니다. 이 아이디어 덕분에 아픈 어린이들이 줄어들고 있습니다.

해설 아이들의 건강 문제를 해결하는 이 아이디어는 비누 안에 장난감을 넣어 아이들이 장난감을 가지기 위해 빨리 비누를 닳게 하는 것으로, 이를 위해 아이들은 손을 자주 씻게 된다.

25 해석 식중독으로 고통 받은 적이 있나요? 여기 여름에 식중독을 방지하기 위한 몇 가지 유용한 방법이 있어요.
1. 신선하거나 조리된 음식을 드세요.
2. 무언가를 드시기 전에 손을 씻으세요.

① 두통 ② 치통 ③ 모기에 물린 자국 ④ 눈 문제
⑤ 식중독

해설 신선하거나 조리된 음식을 먹고, 먹기 전에는 손을 씻는 것은 식중독을 방지하는 방법이다.

26 해석 A: 내가 스마트폰을 잃어버린 것 같아.
B: 오, 안됐구나.

해설 친구의 좋지 못한 소식에 유감을 표하는 말로 응답하는 것이 자연스러운데, 그 중 sorry를 사용한 표현은 I'm sorry to hear that.이다.

27 해설 형용사 smart는 someone 바로 뒤에서 수식해야 하고 '우리 모둠을 이끌'이라는 뜻으로 형용사를 수식할 to부정사구 to lead our group이 형용사 smart 뒤에 와야 한다.

28 해석 Jenny와 Andy는 학교의 영어 프로젝트 팀의 조원이다. 그들은 일주일 동안 어려움을 겪어 왔다. Andy는 이 문제를 해결하고 싶어서 Jenny에게 "회의에 참석할 수 있겠니?"라고 물었다.
→ 그들이 일주일 동안 가져왔던 문제를 해결하기 위해, Andy는 Jenny에게 회의에 참석할 것을 요청했다.

해설 problem은 사물 선행사이고 관계대명사절에서 목적어로 쓰이므로 첫 번째 표현은 목적격 관계대명사 which나 that으로 시작하는 관계대명사절로 써야 한다. 이때, 목적격 관계대명사는 생략할 수 있다. 두 번째 표현은 '~에게 …할 것을 요청하다'라는 뜻의 'ask ~ to ...' 표현을 이용하여 쓴다.

29 해석 |예시 답안| 우산을 가져갈 것을 명심해.

해설 비가 오고 있으므로 우산을 챙길 것 등을 조언할 것이다. '꼭 …하도록 해.'라고 조언하는 표현은 Make sure you ...이다.

30 해설 (1) '오래 전부터 서로 알아 왔다'라는 뜻을 나타낼 때는 계속의 의미를 가진 현재완료형인 have known을 쓴다.
(2) '예전부터 …하기를 원해 왔다'라는 뜻을 나타낼 때는 계속의 의미를 가진 현재완료형 have wanted를 쓰며 빈도부사 always는 have와 wanted 사이에 쓴다.
(3) '…에 가 본 적이 있다'라는 뜻을 나타낼 때는 경험을 나타내는 현재완료형 have been을 쓴다.

기말고사 2회

pp. 92-95

01 success **02** ① **03** (e)ffort **04** ④
05 ⑤ **06** ③ **07** ⑤ **08** wear a hat
09 ④ **10** I want something cold to drink
11 me to clean **12** ④ **13** ④ **14** ④
15 ②, ⑤ **16** ② **17** ⑤ **18** ⓐ the maps at bus stops in Seoul ⓑ Many people **19** ④
20 (1) a nearby river (2) to sense heat and smell (3) blood **21** ④ **22** 부어오른 부위를 알코올 솜으로 닦는 것 **23** ④ **24** ③ **25** ②
26 I'm glad you like it.
27 (1) which / that Tim's sister wants to buy (2) who(m) / that Tim respects **28** want you to
29 Do you have anything cold to drink?
30 |예시 답안| Be sure to review your textbook. / Make sure you review your textbook.

01 해석 〈보기〉 가렵다 : 가려움 성공하다 : 성공

해설 주어진 단어는 동사와 명사 관계이므로, 동사 succeed (성공하다)의 명사 변화형인 success(성공)를 써야 한다.

02 해석 • 수건을 이용하여 깨끗하게 하거나 말리다
• 닦기 위해 사용되는 작고 젖은 천
① 닦다; 닦는 천 ② 감지하다; 느낌 ③ 땀을 흘리다; 땀 ④ 긁다; 긁힌 자국 ⑤ 돌아오다; 반납

해설 동사 '닦다'와 명사 '닦는 천'의 의미를 모두 가지는 것은 wipe이다.

03 해석 그는 게임에서 이기기 위해 매우 열심히 노력했다.

해설 make an effort 노력하다

04 해석 차의 안전벨트는 심각한 부상을 막을 수 있다.
① (알을) 낳다 ② 믿다 ③ 고통 받다 ④ ~을 막다 ⑤ 사라지다

05 해석 ① 약속을 지켜야 해. ② 꼭 약속을 지키도록 해. ③ 약속을 지키는 것을 잊지 마. ④ 약속을 지킬 것을 기억해. ⑤ 네가 약속을 지킨다는 말을 들으니 유감이구나.

해설 should (…해야 한다), Make sure to ... (꼭 …하도록 해.) Don't forget to ... (~할 것을 잊지 마.) Just remember to ... (~할 것을 기억해.)는 충고나 조언의 표현이지만, Sorry to hear that ...은 '…라는 말을 들으니 유감이다'라는 뜻의 표현이다.

06 해석 A: 어버이날 축하드려요! 이거 엄마 드리는 거예요.
B: 고마워! 정말 멋지다!
A: 마음에 드신다니 기뻐요.
① 알겠어요, 제가 그것을 할게요. ② 오, 저런. 안됐네요. ③ 마음에 드신다니 기뻐요. ④ 그것을 드릴 수 없어요. ⑤ 제가 도와드릴게요.

해설 선물을 마음에 들어 하며 감사하는 말에 응답하는 표현이 알맞다.

07-08
전문해석 A: Tim, 나와 같이 쇼핑 가고 싶니?
B: 미안해, Sally. 오늘 오후에 Alex와 야구할 거야.
A: 괜찮아. 모자 쓰는 것을 잊지 마. 매우 더울 거야.
B: 내가 너를 돕게 해 줘.

07 해설 더울 것이니 모자를 쓰라는 조언에 Let me help you.로 답하는 것은 어색하다. Let me help you.는 도움을 제안하는 표현이다.

08 해석 Sally는 더운 날씨 때문에 Tim에게 모자를 쓸 것을 충고했다.

해설 날씨가 더울 것이기 때문에 모자 쓰는 것을 잊지 말라고 충고했다. '~에게 …할 것을 충고하다'라는 뜻의 'advise ~ to ...' 표현을 사용한다.

09 해석 A: 오늘 기분이 안 좋아.
B: ____________
① 안됐구나. ② 참 안됐구나.
③ 이런, 무엇이 잘못됐니?
④ 좋은 소식이 무엇이니?
⑤ 그 말을 들으니 유감이야.

해설 기분이 좋지 않다고 했으므로 무슨 일인지 묻거나 유감을 표현하는 것이 자연스러우며, 좋은 소식이 무엇인지 묻는 것은 자연스럽지 않다.

10 해석 날씨가 덥고 내가 목마름을 느낄 때, 나는 마실 시원한 것을 원한다.

해설 주어와 동사인 I want 뒤에 목적어인 something을 쓴다. something을 형용사가 수식할 때는 뒤에 위치하고, to부정사가 형용사를 수식할 때에도 뒤에 위치한다.

11 해석 선생님이 나에게 책상을 청소하라고 하셨어.

해설 '~에게 …하도록 요청하다'라는 의미인 'ask ~ to …'가 되어야 하므로 '~에게'에 해당하는 목적격이 와야 하므로 I를 me로 고쳐 써야 하고, clean 앞에 to를 써야 한다.

12 해석 ⓐ 나는 내가 만든 에코백을 사용하고 있다.
ⓑ 그는 내게 그의 비밀을 지켜 달라고 요청했다.
ⓒ 그녀는 듣기에 거북한 것을 절대 말하지 않는다.

해설 ⓐ 사물 선행사 ecobag 뒤에 목적격 관계대명사 which가 쓰였으므로 어법상 바르다.
ⓑ 'ask ~ to …'의 대명사 목적격인 me와 to부정사 to keep이 쓰였으므로 어법상 바르다.
ⓒ something, 형용사, to부정사 순으로 쓰여야 하므로 something to hear bad는 something bad to hear가 되어야 한다.

13 해석 Ian은 한 시간 전에 책을 읽기 시작했다. 그는 책을 아직도 읽고 있다.
→ Ian은 책을 읽는 것을 아직 끝내지 못했다.

해설 과거에 읽기 시작한 책을 현재에도 읽고 있으므로 아직 끝내지 못했다는 현재완료 부정형을 써야 하고 '아직'이라는 뜻의 부사 yet을 사용하여 표현한다.

14 해석 점원은 우리에게 카페 안에서 종이컵을 쓰면 안 된다고 말했다.

해설 '~에게 …하지 말라고 말하다'의 의미이므로 'tell ~ not to …' 형태로 쓸 수 있다.

15-17

전문해석 여기 내가 어제 읽은 이야기가 하나 있어. 그것을 들어 보고 싶니?
뉴욕에는 길거리에 공중전화가 많이 있었다. 그러나 아무도 그것들을 사용하지 않았다. 어느 날, 한 남자에게 좋은 아이디어가 떠올랐다. 그는 공중전화 하나에 동전들을 붙였다. 그는 또한 "당신이 사랑하는 사람에게 전화하세요."라고 쓰인 표지판을 설치했다. 곧 많은 사람들이 그 전화기를 사용했다. 그들이 사랑하는 누군가에게 이야기하고 있을 때, 그들은 미소 짓는 것을 멈추지 않았다. 그의 아이디어는 큰 성공이었다. 그날 동안 모든 동전들이 사라졌다. 그 남자는 자신의 작은 아이디어가 많은 사람에게 행복을 가져다주었기 때문에 매우 행복했다.

15 해설 선행사가 a story로 사물이기 때문에 목적격 관계대명사 that이나 which를 사용할 수 있다.

16 해설 stick ~ to … …에 ~를 붙이다 talk to … …에게 말하다 give ~ to … …에게 ~을 주다

17 해석 한 남자의 생각 덕분에 사람들은 공중전화로 그들이 사랑하는 누군가에게 전화했고 행복해졌다.

해설 공중전화로 사랑하는 사람에게 전화했고 덕분에 많은 사람들이 행복해졌다는 내용이 되어야 하므로 ⓐ에는 '전화를 걸다'라는 뜻의 동사 call의 과거형 called가 알맞고 ⓑ에는 '행복한'이라는 뜻의 형용사 happy가 알맞다.

18-20

전문해석 몇 년 전, 서울의 버스 정류장 지도는 매우 혼란스러웠다. 지도에는 충분한 정보가 없었다. 사람들은 다른 사람들에게 지도를 설명해 달라고 요청해야 했다. "이 버스 정류장은 지도에서 어디에 있는 건가요? 이 버스가 광화문으로 가나요?" 많은 사람들이 자주 잘못된 버스를 탔고 시간을 낭비했다. 어느 날, 한 젊은 청년이 이 문제를 해결하기로 결심했다. 그는 빨간 화살표 스티커를 많이 샀다. 그는 매일 자전거를 타고 서울 시내를 돌아다니며 버스 지도에 스티커를 붙였다. 아무도 그 청년에게 이 일을 하라고 요청하지 않았다. 그의 노력 덕분에 사람들은 지도를 쉽게 이해하고 시간을 절약할 수 있었다.

18 해설 ⓐ They는 앞 문장의 the maps at bus stops in Seoul을 ⓑ their는 같은 문장의 주어 Many people을 가리킨다.

19 해설 (A) 'ask ~ to …' 구문이므로 to explain이 맞다.
(B) decide는 목적어로 to부정사를 취하므로 to decide가 맞다.
(C) 'ask ~ to …' 구문에서 ~에는 목적격이 들어가야 하므로 him이 맞다.

20 해석 서준: 너는 어디에서 왔니?
모기: 나는 근처 강에서 왔어.
서준: 너는 어떻게 강에서 내 냄새를 맡았니?
모기: 모기들은 열과 냄새를 아주 잘 감지해. 그래서 우리가 수백만 년 동안 살아남은 거야.
서준: 모든 모기가 너처럼 피를 마셔?
모기: 아니. 나와 같은 암컷 모기만 피를 마셔. 수컷 모기들은 과일과 식물의 즙만을 먹고 살아.

해설 모기는 가까운 강에 살고, 열과 냄새를 잘 감지하며, 암컷 모기들만 피를 마신다고 했다.

21 해석 서준: 너는 왜 피를 마시니?
모기: 알을 낳으려면 핏속의 단백질이 필요해.
서준: 너는 피를 어떻게 마시는 거야? 날카로운 이빨이 있니?
모기: 아니, 나는 이빨이 없어. 하지만 길고 뾰족한 입이 있지. 그래서 나는 너의 피를 쉽게 마실 수 있는 거야.

해설 주어진 문장은 이빨이 없다는 내용이므로 서준이가 모기에게 이빨이 있냐고 물은 뒤 모기가 하는 대답 첫 부분에 들어가는 것이 알맞다.

22-23
전문해석 서준: 네가 나를 문 다음에 부어오른 자국이 생겼어. 가려워.
모기: 그 얘기를 들으니 유감이야. 그것을 알코올 솜으로 닦아.
서준: 알코올 솜? 나는 전에 그것을 한 번도 해 보지 않았어.
모기: 그것은 가려움을 줄여 줄 거야.
서준: 알았어, 집에서 한번 해 볼게. 고마워.
모기: 나는 이제 가야겠어. 다음에 보자.
서준: 기다려! 많은 사람들이 모기에 물려서 고통 받아 왔어. 어떻게 우리가 그것을 막을 수 있을까?
모기: 시원하게 지내고 소매가 긴 옷을 입어. (그것들을 긁지 않도록 해.)
서준: 고마워. 너의 충고를 명심할게.

22 해설 that은 Mrs. Mosquito의 말 Clean it with alcohol wipes.를 가리킨다.

23 해설 ④ 모기 물린 상처를 다루는 방법에 대한 내용이며, them이 가리키는 것이 바로 앞에 언급되어 있지 않으므로 전체 흐름과 관계 없다.

24 해석 햇볕에 심하게 타서 고통 받은 적이 있나요? 여기 여름에 햇볕에 타는 것을 막기 위한 몇 가지 유용한 팁이 있습니다.
1. 자외선 차단제를 바르세요. 2. 모자를 쓰세요.
현명하게 더운 날씨를 즐기세요.

해설 햇볕에 심하게 타는 것을 방지하기 위한 조언을 하는 내용이므로, 여러 사람에게 정보를 주기 위한 공익 광고임을 알 수 있다.

25 해석 Tenugui는 일본의 얇은 손수건이다. 뜨거운 여름에 더위를 식히기 위해서, 사람들은 그것을 차가운 물에 적셔서 목에 두른다.

해설 cool down 식히다, 차갑게 하다 cool 시원한

26 해석 A: 나는 정말 네 선물이 마음에 들어. 고마워
B: 천만에. 네 마음에 든다니 기뻐.

해설 glad를 사용하여 상대방의 칭찬에 응답하는 표현은 I'm glad you like it.이다.

27 해석 Tiffany: 나는 새 노트북을 샀어.
Tim: 내 여동생도 그 노트북을 사고 싶어 해.
Tiffany: 그렇구나. 그건 그렇고 너의 담임 선생님은 누구니?
Tim: Britney 선생님이셔. 나는 그녀를 존경해.
(1) Tiffany는 Tim의 여동생이 사고 싶어 하는 노트북을 가지고 있다.
(2) Britney 선생님은 Tim이 존경하는 선생님이다.

해설 (1) a laptop이라는 사물 선행사에 맞는 목적격 관계대명사 which나 that으로 두 문장을 연결하며, Tim의 여동생이 사고 싶어 하는 노트북이라는 내용으로 관계대명사절을 완성한다.
(2) the teacher라는 사람 선행사에 맞는 목적격 관계대명사 who(m)이나 that으로 두 문장을 연결하며, Tim이 존경하는 선생님이라는 내용으로 관계대명사절을 완성한다.

28 해석 A: 내가 물을 엎질렀어. 미안해.
B: 괜찮아, 하지만 나는 네가 물을 닦기를 원해.

해설 '~가 …하기를 원하다'의 표현인 'want ~ to ...' 구문을 활용하여 문장을 완성한다.

29 해석 Kate: 오늘 너무 덥다. 차가운 마실 것이 있니?
지호: 콜라가 있는데, 그렇게 차갑지는 않아.

해설 지호의 대답에서 콜라가 차갑진 않다고 했으므로, Kate가 차가운 마실 것이 있는지 묻고 있다는 것을 알 수 있다. 의문문이기 때문에 Do you have ...? 표현에 'anything + 형용사 + to부정사'의 어순을 활용하여 문장을 완성한다.

30 해석 A: 어떻게 더 좋은 성적을 받을 수 있을까?
B: 꼭 교과서를 복습하도록 해.

해설 '꼭 …하도록 해.'라는 뜻으로 조언이나 충고할 때 쓰는 표현은 Make/Be sure to .... .와 Make sure you .... .이다.

듣기평가 1회

pp. 96-97

01 ②	02 ④	03 ④	04 ④	05 ①
06 ②	07 ①	08 ②	09 ⑤	10 ②
11 ②	12 ⑤	13 ④	14 ③	15 ④
16 ②	17 ⑤	18 ③	19 ④	20 ④

01 M: What's your plan for this weekend?
W: I'm going to go to Busan this weekend.
M: That sounds great! Did you check the weather?
W: Yes, it'll be very sunny.
M: Then, make sure to bring your sunglasses.

해석 M: 너의 이번 주말 계획이 무엇이니?
W: 나는 이번 주말에 부산에 갈 거야.
M: 좋겠다! 날씨는 확인했어?
W: 응, 매우 화창할 거래.
M: 그럼 너의 선글라스를 꼭 챙겨.

해설 남자가 대화의 마지막에 선글라스를 챙기라고 했다.

02 M: Oh, no, what happened to you?
W: I broke my leg yesterday during the soccer game.
M: Sorry to hear that. I hope you get better soon.
W: Thank you.

해석 M: 아니, 너 무슨 일이 있었니?
W: 어제 축구 경기 중에 다리가 부러졌어.
M: 안됐다. 곧 낫기를 바랄게.
W: 고마워.
① 두통 ② 감기 ③ 팔이 부러짐 ④ 다리가 부러짐 ⑤ 배탈

해설 여자는 축구 경기 중에 다리가 부러졌다고 했다.

03 M: Hello, can I help you?
W: Yes, I'm looking for a bag.
M: What size do you prefer, big or small?
W: Big. I want a bag that carries many things.
M: Okay. How about this one?
W: Well, I don't like yellow. Do you have this bag in brown?
M: Sure. Here you are.
W: Good. I'll take it.

해석 M: 안녕하세요, 도와드릴까요?
W: 네, 저는 가방을 찾고 있어요.
M: 큰 것 또는 작은 것 중에 어떤 사이즈를 선호하시나요?
W: 큰 것이요. 저는 많은 물건을 담을 가방을 원해요.
M: 네. 그럼 이건 어떠세요?
W: 음, 저는 노란색을 싫어해요. 이 가방이 갈색으로 있나요?
M: 그럼요. 여기 있습니다.
W: 좋네요. 이것을 살게요.

해설 여자는 큰 가방을 원하고 노란색은 싫어하며 갈색 가방을 산다고 했다.

어휘 prefer 선호하다

04 M: Do you have any plans for the summer vacation?
W: I'm thinking of going to Jeju.
M: Oh, that sounds wonderful!
W: I'm really looking forward to it. How about you? Do you have any plans?
M: I'm going to join an English camp.

해석 M: 너 여름 방학 계획 있니?
W: 나는 제주도에 갈 생각이야.
M: 와, 좋겠다!
W: 나는 그것을 정말 기대하고 있어. 너는? 계획 있니?
M: 나는 영어 캠프를 갈 거야.

해설 두 사람은 각자의 여름 방학 계획을 이야기하고 있다.

05 W: I'm not good at math. What should I do?
M: Do you answer a lot of questions?
W: Yes.
M: Then why don't you take an online class?
W: Okay, I'll try that. Thanks for your tip.
M: No problem. I'm glad you like it.

해석 W: 나는 수학을 잘 못해. 내가 무엇을 해야 할까?
M: 너는 많은 수학 문제를 푸니?
W: 응.
M: 그러면 온라인 강의를 듣는 게 어때?
W: 그래, 그것을 시도해 볼게. 조언 고마워.
M: 별말을. 네가 좋아해서 기뻐.

해설 남자가 여자에게 온라인 강의를 듣는 것이 어떠냐고 조언했다.

06 M: Hello, Ms. Park. Do you have a minute?
W: Sure. Jinsu, what can I do for you?
M: I can't find my basketball. I brought it for our sports league and I think I lost it.

W: Oh, I'm sorry to hear that. Did you check the basketball court?

M: I did, but it wasn't there.

W: There's nothing in the lost and found box, either.

M: Oh, no.

해석 M: 안녕하세요, 박 선생님. 시간 있으세요?

W: 그럼. 진수야, 무엇을 도와줄까?

M: 제 농구공을 찾을 수가 없어요. 스포츠 리그를 위해 가져왔는데 잃어버린 것 같아요.

W: 오, 유감이구나. 농구장을 확인해 봤니?

M: 네, 그런데 그곳에 없었어요.

W: 분실물 상자에도 아무것이 없구나.

M: 오, 이런.

① 행복한 ② 속상한 ③ 희망찬 ④ 신이 난 ⑤ 만족스러운

해설 남자는 농구공을 잃어버렸으므로 속상한 상황이다.

어휘 lost and found 분실물 보관함

07 M: Mom, may I go to James' house?

W: Well, have you finished your homework?

M: No, not yet. Can I do it later?

W: No. You promised me you would do your homework first.

M: Okay, I'll do my homework and then go.

W: Great. Don't forget to be home by 5 o'clock.

M: Okay.

해석 M: 엄마, James네 집에 가도 돼요?

W: 글쎄, 너 숙제는 끝냈니?

M: 아니요, 아직요. 그건 나중에 해도 될까요?

W: 안 돼. 너는 숙제를 먼저 하기로 약속했잖아.

M: 네, 그럼 숙제하고 갈게요.

W: 좋아. 5시까지 집에 오는 것을 잊지 마.

M: 네.

해설 대화 후반부에 남자가 숙제를 하고 James네 간다고 했으므로 남자가 먼저 해야 할 일은 숙제를 하는 것이다.

08 W: Alex, I made sandwiches at my cooking club today. So I'm thinking of making them for dinner.

M: That sounds great. Do we have any vegetables at home?

W: Yes. But there's no cheese. I'll get some on my way home.

M: Okay. Mom will love it.

해석 W: Alex, 나는 오늘 요리 동아리에서 샌드위치를 만들었어. 그래서 나는 그걸 저녁으로 만들 생각이야.

M: 좋은 생각이야. 집에 채소가 있을까?

W: 응. 그런데 치즈는 없어. 내가 집에 가는 길에 좀 살 거야.

M: 그래. 엄마가 좋아하시겠다.

해설 샌드위치를 만들 치즈가 없어서 집에 가는 길에 치즈를 산다고 했다.

09 M: Sora, I'm thinking of watching a movie tomorrow. Would you like to go with me?

W: Really? When does it start?

M: At 6:30.

W: I'd love to, but I can't.

M: Why? Do you have other plans?

W: It's my mom's birthday and I have to have dinner with my family.

해석 M: 소라야, 나는 내일 영화를 볼 생각이야. 나랑 같이 갈래?

W: 진짜? 언제 시작해?

M: 6시 30분에.

W: 가고는 싶지만 그럴 수 없어.

M: 왜? 다른 계획이 있니?

W: 우리 엄마 생신이라 가족과 저녁을 먹어야 해.

해설 여자가 대화의 마지막에 가족과 저녁을 먹어야 한다고 했다.

10 M: You know what? Our science teacher will be on TV tonight.

W: Really? What is she going to talk about?

M: She is going to talk about how to protect our nature.

W: Oh, that sounds interesting. I should watch it.

해석 M: 너 그거 아니? 우리 과학 선생님이 오늘 밤 TV에 출연하신대.

W: 진짜? 무엇에 관해 이야기하실 거래?

M: 선생님은 우리 자연을 보호하는 방법에 관해 이야기하실 거야.

W: 오, 재미있겠다. 꼭 봐야겠어.

해설 여자는 그들의 과학 선생님이 자연을 보호하는 방법에 관해 이야기하는 TV 프로그램을 저녁에 볼 예정이다.

어휘 protect 보호하다

11 M: Ma'am, may I help you?
W: Yes. I'm lost. How can I get to Jihak Middle School?
M: First, go straight for two blocks. When you see a flower shop, turn left.
W: Okay, go straight and turn left.
M: Then, go straight for one more block and turn right. It'll be on your right side. It's next to the post office.
W: Thank you so much.
M: My pleasure.

해석 M: 아주머니, 도와드릴까요?
W: 네, 길을 잃었어요. 지학 중학교에 어떻게 가나요?
M: 우선, 두 블록 직진하세요. 꽃 가게가 보이면 왼쪽으로 도세요.
W: 알았어요, 직진하고 왼쪽으로 도는거죠.
M: 그러고 나서 한 블록 더 직진하고 오른쪽으로 도세요. 그것은 오른쪽에 있어요. 우체국 옆에 있어요.
W: 정말 고마워요.
M: 별 말씀을요.

해설 두 블록 직진, 좌회전 후 추가로 한 블록 직진, 우회전하면 우체국 맞은편에 있는 곳이다.

12 [*Telephone rings.*]
M: Hello. This is Minsu. May I speak to Yejin?
W: Hi, Minsu. This is Yejin.
M: I called you to remind you something.
W: Oh, what is it?
M: Make sure to bring a sleeping bag for the camping.
W: Okay, I will.

해석 [*전화벨이 울린다.*]
M: 안녕하세요. 저 민수인데요. 예진이와 통화할 수있을까요?
W: 안녕, 민수야. 나 예진이야.
M: 너에게 뭔가를 상기시켜 주려고 전화했어.
W: 오, 뭔데?
M: 캠핑을 위해 침낭을 꼭 가져와.
W: 응, 그럴게.

해설 민수는 예진이에게 침낭을 챙기라고 당부하기 위해 전화했다.

어휘 remind 상기시키다 sleeping bag 침낭

13 W: Hi, Junyeong. How can I help you?
M: Can you change my seat to the front?
W: Why? What's the problem?
M: Actually, my glasses got broken during the lunch break. So, I can't read the letters on the board well.
W: Oh, I'm sorry to hear that. I'll tell the class president to change your seat.
M: Thank you.

해석 W: 안녕 준영아. 무엇을 도와줄까?
M: 제 자리를 앞쪽으로 바꿔 주실 수 있나요?
W: 왜? 무엇이 문제니?
M: 사실 점심시간에 제 안경이 부러졌어요. 그래서 칠판에 있는 글자를 잘 볼 수 없어요.
W: 오, 안됐구나. 내가 반장에게 네 자리를 바꾸라고 얘기할게.
M: 감사합니다.

해설 점심시간이 있고, 칠판의 글씨를 봐야 하며, 반장이 있는 곳은 학교이다.

어휘 seat 자리 lunch break 점심시간
class president 반장

14 W: Hey, you did a great job at dance practice yesterday. Your dancing was awesome.
M: Thanks. But I'm still worried about the contest next week.
W: Why?
M: I'm so nervous when I'm on stage.
W: Then why don't you take a deep breath before you go on?

해석 W: 너 어제 춤 연습에서 진짜 잘하더라. 네 춤은정말 멋있었어.
M: 고마워. 그런데 다음 주 대회가 여전히 걱정이야.
W: 왜?
M: 나는 무대에 올라가면 너무 긴장돼.
W: 그러면 무대에 나가기 전에 심호흡을 하는 게 어때?

해설 여자는 남자에게 무대에 나가기 전에 심호흡을 해 보라고 제안했다.

어휘 awesome 굉장한 nervous 긴장한 stage 무대
deep breath 심호흡 go on (무대에) 나가다, 나오다

15 M: I heard there was an earthquake in the city yesterday.
W: Yes, I also heard about it. I was worried about the people there.
M: Don't worry. Everyone was safe. They all

followed the safety rules.
W: Really? What are the rules?
M: You should find a table or a desk and take cover under it.
W: Oh, I didn't know that. Anything else?
M: Make sure you take the stairs, not the elevator.

해석 M: 어제 그 도시에 지진이 발생했대.
W: 응, 나도 들었어. 나는 그곳의 사람들이 걱정돼.
M: 걱정하지 마. 모두들 안전해. 그들 모두 안전 규칙을 따랐대.
W: 정말? 그 규칙이 무엇인데?
M: 탁자 또는 책상을 찾아 그 아래에 숨어야만 해.
W: 오, 나는 그것을 몰랐어. 더 있니?
M: 엘리베이터가 아니라 계단을 이용할 것을 명심해.

해설 지진 발생 시 붙잡을 것에 대해서는 언급하지 않았다.

16 M: Excuse me. Where can I find books about Shakespeare?
W: They're on the fourth floor.
M: Thank you. May I ask you one more thing?
W: Of course. What is it?
M: I have waited for two weeks to borrow *Harry Potter*. When will it be returned?
W: Let me check. It will be returned in three days.
M: Okay. Thanks.

해석 M: 실례합니다. 셰익스피어와 관련된 책을 어디서 찾을 수 있을까요?
W: 4층에 있습니다.
M: 감사합니다. 한 가지 더 여쭤 봐도 될까요?
W: 그럼요. 뭐죠?
M: 제가 2주 동안 '해리 포터' 책을 빌리려고 기다렸어요. 언제 그것이 반납되나요?
W: 확인해 볼게요. 3일 안에 반납될 거예요.
M: 네. 감사합니다.

해설 여자가 마지막 말에 책이 3일 안에 반납될 것이라고 했다.

어휘 return 반납하다

17 W: Jason, you know what? The Korean national soccer team won its game against Germany.
M: Oh, really? I didn't know that. How many goals did Korea score?
W: Two. And Germany scored one.
M: That's surprising!
W: I'm thinking of watching the next game with my friends on Friday. Would you like to join us?
M: Sure, I'd love to.

해석 W: Jason, 너 그거 아니? 한국 축구 국가 대표팀이 독일과의 경기에서 이겼어
M: 오, 진짜? 몰랐어. 한국이 몇 골을 득점했니?
W: 두 골. 그리고 독일이 한 골을 득점했어.
M: 놀랍구나!
W: 나는 금요일에 친구들과 다음 경기를 보려고 생각 중이야. 우리와 함께할래?
M: 좋아, 물론이지.

해설 여자는 금요일에 다음 축구 경기를 친구들과 함께 보려고 한다면서 남자에게 함께할 것을 제안했다.

어휘 score 득점하다

18 M: What are your plans for the summer vacation?
W: I'm going to do volunteer work.
M: Where are you going to do that?
W: At the Korean Culture Center. Foreign people who live in Korea learn about Korean culture there.
M: How did you find out about the place?
W: My mother volunteered there. She taught Korean to foreign workers.
M: I see. That's interesting.

해석 M: 너의 여름 방학 계획은 무엇이니?
W: 나는 자원봉사를 할 거야.
M: 어디서 그것을 할 거야?
W: 한국 문화 센터에서. 한국에 사는 외국인들이 그곳에서 한국 문화에 관해 배워.
M: 그 장소를 어떻게 알게 되었니?
W: 우리 엄마가 그곳에서 자원봉사를 하셨어. 외국인 노동자들에게 한국어를 가르치셨어.
M: 그렇구나. 흥미롭다!

① 여자는 방학 계획이 없다.
② 남자는 한국 문화 센터에서 자원봉사를 할 것이다.
③ 외국인들은 한국 문화 센터에서 한국어를 배울 수 있다.
④ 남자의 엄마는 한국 문화 센터에서 자원봉사를 했다.
⑤ 남자는 한국 문화 센터에서 한국어를 가르칠 것이다.

해설 여자는 한국 문화 센터에서 자원봉사를 할 것이며, 이전에 여자의 엄마가 그곳에서 외국인들에게 한국어를 가르쳤다.

어휘 volunteer 자원봉사, 자원봉사 하다 foreign 외국의

19 M: Minji and I are thinking of starting a club.
W: Really? What kind of club?

M: We want to improve speaking skills. So we're thinking of starting a debating club.
W: Good for you!
M: Jina, how about joining our club?
W: ______________________________

해석 M: 민지와 나는 동아리를 시작할까 생각 중이야.
W: 진짜? 어떤 종류의 동아리?
M: 우리는 말하기 기술을 향상시키고 싶어. 그래서 우리는 토론 동아리를 시작할까 생각 중이야.
W: 좋다!
M: 지나야, 우리 동아리에 가입하는 게 어때?
W: 나도 그러고 싶지만 다른 동아리에 들었어.
① 오랜만이야.
② 나는 글쓰기에 관심이 있어.
③ 나는 연설을 할 생각이야.
⑤ 내가 좋은 동아리 만드는 방법을 말해 줄게.

해설 남자가 마지막에 동아리에 가입할 것을 제안했으므로 제안에 수락하거나 거절하는 말이 와야 한다.

어휘 improve 향상시키다 skill 능력, 기술 debating 토론

20 M: Today I'd like to introduce an amazing figure skater to you. So far, she has won two medals at the Olympics in 2010 and 2014. I love all her performances. Please welcome Yuna Kim, the queen of figure skating.
W: ______________________________

해석 M: 오늘 저는 여러분에게 대단한 피겨 스케이트 선수를 소개하려고 합니다. 지금까지 그녀는 2010년과 2014년에 올림픽에서 2개의 메달을 땄습니다. 저는 그녀의 모든 공연을 사랑합니다. 피겨 스케이팅의 여왕 김연아씨를 반갑게 맞이해 주세요.
W: 감사합니다, 제 공연을 사랑해 주시다니 정말 기쁘네요.
① 고마워요, 하지만 저는 스케이트를 탈 줄 몰라요.
② 당신도 스케이트를 정말 잘 타네요.
③ 다음 올림픽에서는 더 잘할 거예요.
⑤ 그거 아세요? 저는 피겨 스케이트 타는 법을 배우기 위해 스케이트 동아리에 가입했어요.

해설 남자가 여자의 모든 공연을 사랑한다고 했고 청중들에게 반갑게 맞이해 달라고 했으므로 여자는 반갑게 맞이해 준 것과 자신의 공연을 사랑해 준 것에 대해 감사하는 것이 알맞다.

어휘 figure skater 피겨 스케이트 선수 so far 지금까지 performance 공연

듣기평가 2회

pp. 98-99

01 ②	02 ③	03 ④	04 ②	05 ③
06 ④	07 ③	08 ③	09 ③	10 ⑤
11 ③	12 ③	13 ④	14 ④	15 ⑤
16 ⑤	17 ⑤	18 ①	19 ③	20 ⑤

01 M: Let's have a look at the weather for this week. On Monday, it'll be sunny. Make sure to bring your sunglasses. From Tuesday to Wednesday, it will be rainy. Don't forget to take your umbrella. On Thursday, it will snow. It will be windy and cloudy on Friday.

해석 M: 이번 주 날씨를 보겠습니다. 월요일에는 화창하겠습니다. 선글라스를 꼭 챙기세요. 화요일부터 수요일까지는 비가 오겠습니다. 우산을 챙기는 것을 잊지 마세요. 목요일에는 눈이 내리겠습니다. 금요일에는 바람이 불고 구름이 끼겠습니다.

해설 화요일부터 수요일까지 비가 온다고 했으므로 화창한 날씨 그림은 내용과 일치하지 않는다.

02 M: What's wrong, Amy? You look worried.
W: My puppy is sick. He's in the pet clinic.
M: Oh, no! For how long has he been sick?
W: For three days.
M: I'm sorry to hear that. I hope he gets well soon.
W: Thank you for your concern.

해석 M: 무슨 일이야, Amy? 너 걱정스러워 보여
W: 내 강아지가 아파. 그것은 지금 동물 병원에 있어.
M: 이런! 얼마 동안 오래 아팠는데?
W: 3일 동안.
M: 안됐구나. 빨리 낫기를 바랄게.
W: 걱정해 줘서 고마워.
① 행복한 ② 놀란 ③ 걱정되는 ④ 신이 난 ⑤ 놀란

해설 여자는 지금 강아지가 아파 걱정 중이다.

어휘 pet clinic 동물 병원 concern 걱정

03 W: Hey, Minsu. How can I get better grades?
M: You should study more.
W: Of course, but is there anything else?
M: Remember to take good notes in class.
W: Okay, I will.

해석 W: 민수야. 내가 어떻게 하면 더 좋은 성적을 받을

수 있을까?

M: 공부를 더 많이 해야지.

W: 당연하지, 그런데 다른 방법이 더 있니?

M: 수업 시간에 필기를 열심히 할 것을 기억해.

W: 그래, 그럴게.

해설 남자가 여자에게 한 조언은 공부를 더 많이 하라는 것과 수업 시간에 필기를 열심히 하라는 것이다.

어휘 take notes 필기하다

04 W: Jack, do you have any plans for this Saturday?

M: Well, not really.

W: Then would you like to go on a picnic with my friends?

M: Of course, I'd love to.

W: Let's meet at 11 o'clock.

M: Okay. Thank you for inviting me!

해석 W: 너 이번 주 주말 계획 있니, Jack?

M: 글쎄, 그렇지는 않아.

W: 그럼 내 친구들이랑 같이 소풍 갈래?

M: 그럼, 좋지.

W: 11시에 만나자.

M: 그래. 초대해 줘서 고마워!

해설 남자는 여자의 초대로 토요일에 여자의 친구들과 함께 소풍을 갈 예정이다.

어휘 invite 초대하다

05 W: Why the long face?

M: I got the seat at the back again.

W: Sitting at the back is great, isn't it?

M: I don't agree with you.

W: What's wrong with a seat at the back?

M: I can't pay much attention to the teacher.

해석 W: 왜 그렇게 표정이 안 좋니?

M: 나 또 뒷자리에 앉아.

W: 뒷자리 앉는 것은 좋아, 그렇지 않니?

M: 나는 네 생각에 동의하지 않아.

W: 뒷자리가 무슨 문제야?

M: 내가 선생님께 많이 집중할 수 없어.

해설 남자는 선생님께 집중할 수 없어서 뒷자리가 싫다고 했다.

어휘 pay attention 집중하다

06 M: Can I help you?

W: Yes, I'd like to buy a water bottle for my daughter.

M: How about this one with a picture of a teddy bear? It's very popular with girls.

W: That's nice, but I don't think she will like it.

M: How about this one with flowers?

W: It's pretty, but I'll take the one with the hearts. She will like that one better.

해석 M: 도와 드릴까요?

W: 네, 딸을 위한 물병을 사고 싶어요.

M: 곰 인형 그림이 있는 이것은 어떠세요? 여자 아이들에게 매우 인기 있어요.

W: 좋기는 한데 딸이 좋아하지 않을 것 같아요.

M: 꽃이 있는 이것은 어떠세요?

W: 예쁘네요, 그런데 하트가 있는 것으로 할게요. 딸이 저것을 더 좋아할 거예요.

해설 여자가 구입할 물병은 하트가 있는 물병이다.

어휘 bottle 병 teddy bear 곰 인형

07 W: Hi, how was the singing contest last weekend?

M: Oh, it was bad.

W: Why? What happened?

M: It was okay at first, but after everyone arrived, I forgot the lyrics.

W: I'm sorry to hear that.

M: I'm thinking of not taking part in singing contests again.

W: What? Don't give up! I believe you will do better next time.

해석 W: 안녕, 지난 주말에 있던 노래 대회는 어땠어?

M: 오, 별로였어.

W: 왜? 무슨 일이 있었니?

M: 처음에는 괜찮았는데 모두가 도착한 후에 나는 가사를 잊어버렸어.

W: 그 말을 들으니 유감이야.

M: 나는 노래 대회에 다시 참여하지 않으려고 생각 중이야.

W: 뭐? 포기하지 마! 다음번에는 훨씬 더 잘할 거야.

해설 남자는 처음에는 괜찮았지만, 사람들이 도착한 후에 가사를 잊어버렸다.

어휘 arrive 도착하다 lyric 가사 give up 포기하다

08 M: Ms. Smith, I scored two goals in the soccer match.

W: Congratulations!

M: You taught me well. I really appreciate it.

W: It's my pleasure.

M: From now on, I will concentrate more in your classes.

W: Good idea.

해석 M: Smith 선생님, 저 축구 경기에서 2골을 넣었어요.

W: 축하해!

M: 선생님이 잘 가르쳐 주셨어요. 정말 감사드려요.

W: 내 기쁨이란다.

M: 이제부터 선생님 수업에 더 집중할게요.

W: 좋은 생각이구나.

해설 남자가 여자로부터 무언가를 배웠고, 여자의 수업에 더 집중하겠다고 한 것으로 보아 학생과 선생님의 대화이다.

어휘 appreciate 감사하다 concentrate 집중하다

09 M: You don't look well, Mina. Do you have a cold?

W: Yes. How can I get better?

M: You should drink a lot of water.

W: I have already drunken a lot of water. What else can I do?

M: Why don't you go see a doctor?

W: Okay, I will.

M: I hope you get better soon.

해석 M: 너 안 좋아 보여, 미나야. 감기 걸렸니?

W: 응. 어떻게 하면 이 감기가 더 나아질 수 있을까?

M: 물을 많이 마셔야 해.

W: 나는 이미 물을 많이 마셨어. 또 뭘 할 수 있을까?

M: 병원에 가는 게 어때?

W: 그래, 그럴게.

M: 곧 낫기를 바랄게.

해설 남자가 물을 많이 마시라고 조언을 했을 때 여자가 이미 물을 많이 마셨다고 했고, 그 이후에 남자가 병원에 가 볼 것을 조언했고 여자가 그러겠다고 대답했다.

10 M: Minji, I'm going to go to a cafeteria this afternoon. Would you like to come?

W: Yes, I'd love to. What time shall we meet?

M: Let's meet at 4:00 in front of the post office.

W: How about thirty minutes later?

M: Why?

W: My violin lesson ends at 3:50. And it takes half an hour or so to get to the post office.

M: Okay, see you then.

해석 M: 민지야, 나는 오늘 오후에 카페테리아에 갈 거야. 너도 올래?

W: 그래, 좋아. 몇 시에 만날까?

M: 4시에 우체국 앞에서 만나자.

W: 30분 뒤에 보는 게 어때?

M: 왜?

W: 바이올린 수업이 3시 50분에 끝나. 그리고 우체국까지 가는 데 30분 정도 걸려.

M: 그래, 그때 보자.

해설 남자가 4시에 만나자고 했는데 여자가 바이올린 수업 후 우체국까지 가는 시간을 고려하여 30분 뒤인 4시 30분에 만나자고 했다.

어휘 lesson 수업

11 W: Hello, students. I'm your music teacher, Kim Yunsu. May I have your attention, please? Are you thinking of doing some volunteer work? Come and join our club. At our club, you can help old people in the neighborhood. If you are interested in joining, please come to my desk in teachers' room by this Friday.

해석 W: 안녕하세요, 학생 여러분. 저는 여러분의 음악 선생님인 김윤수입니다. 잠시 집중해 주시겠어요? 봉사 활동을 하려고 생각하고 있나요? 우리 동아리에 가입하러 오세요. 우리 동아리에서 여러분은 이웃에 있는 어르신들을 도와드릴 수 있어요. 우리 동아리 가입에 관심이 있다면 이번 금요일까지 교무실에 있는 제 자리로 오세요.

해설 여자는 이웃 어르신들을 돕는 봉사 활동 동아리를 소개하고 가입하러 오라고 말하고 있다.

어휘 neighborhood 이웃

12 M: I'm thinking of joining a movie club.

W: Are you interested in movies?

M: Yes, I want to learn more about them these days.

W: Jennifer is a member of a movie club. You could ask her.

M: Oh, really? I didn't know that. I'll have to meet her.

W: Yes, but you can't meet her right now. She is traveling with her family. She will be back in four days.

M: I see. I'll ask her then.

해석 M: 나는 영화 동아리에 가입할 생각이야.

W: 너 영화에 관심 있니?

M: 응, 요즘 영화에 관해 더 배우고 싶어.
W: Jennifer가 영화 동아리 회원이야. 그녀에게 물어봐.
M: 오, 진짜? 그걸 몰랐어. 그녀를 만나 봐야겠다.
W: 응, 근데 지금 당장은 못 만날 거야. 그녀는 가족과 여행을 하고 있어. 4일 후에 돌아올 거야.
M: 그렇구나. 그때 물어봐야겠다.
남자아이는 4일 뒤에 무엇을 할 것인가?
① 그는 영화를 볼 것이다.
② 그는 영화 동아리에 가입할 것이다.
③ 그는 Jennifer를 만날 것이다.
④ 그는 영화 감상문을 쓸 것이다.
⑤ 그는 가족과 여행을 할 것이다.

해설 남자아이는 4일 뒤에 가족 여행에서 돌아오는 Jennifer를 만나 영화 동아리에 대해 물어볼 것이다.

13 M: Eva, happy birthday. This is for you. I made some soap at my club yesterday.
W: You're so sweet. How did you make it?
M: I just followed the teacher's demonstration. It was easy and interesting.
W: How nice! It smells of peach. I have to use it right now. Thank you.
M: I'm glad you like it.

해석 M: Eva, 생일 축하해. 이거 너를 위한 거야. 내가 어제 동아리에서 비누를 만들었어.
W: 정말 자상하구나. 어떻게 만들었니?
M: 그냥 선생님 시범을 따라했어. 그것은 쉽고 재미있었어.
W: 멋지다! 복숭아 향이 나네. 당장 써 봐야겠다. 고마워.
M: 네가 좋아하니 나도 좋아.

해설 비누의 모양은 언급되지 않았다.

어휘 soap 비누 demonstration (과정에 대한) 시범 peach 복숭아

14 M: Minji, I have a concern about my school life.
W: Mike, what is it?
M: I want to make many friends in my class, but I don't know how to get closer to people.
W: How about talking about something they like?
M: That sounds helpful. I'll try it.
W: You can do it!
M: Thanks.

해석 M: 민지야, 나 학교생활에 대해 걱정이 있어.
W: Mike, 그게 뭔데?
M: 나는 반에서 많은 친구를 사귀고 싶은데 사람들과 더 가까워지는 방법을 모르겠어.
W: 그들이 좋아하는 것에 대해 이야기하는 게 어때?
M: 그거 도움이 되겠다. 시도해 볼게.
W: 너는 할 수 있어!
M: 고마워.

해설 남자가 반에서 많은 친구를 사귀고 싶은데 그러지 못해서 조언을 구하는 상황이다.

15 M: Let's go swimming this weekend, Yujin.
W: I'd love to, but I can't.
M: Why not?
W: I have a skin problem. Doctor told me to stop swimming in swimming pools for a while.
M: I'm sorry to hear that. Maybe we can go next time.

해석 M: 유진아, 이번 주말에 수영하러 가자.
W: 그러고 싶지만 안 돼.
M: 왜 안 돼?
W: 나 피부에 문제가 생겼어. 의사 선생님이 나에게 수영장에서 수영하는 것을 잠시 멈추라고 하셨어.
M: 그 말을 들으니 안됐네. 아마 다음번에는 함께 갈 수 있을 거야.

해설 여자도 수영하러 같이 가고 싶었으나 피부에 문제가 생겨 병원에서 수영을 당분간 쉬라고 했기 때문에 남자의 수영하러 가자는 제안을 거절했다.

어휘 skin 피부 swimming pool 수영장

16 W: Excuse me, I'm looking for a book called *The Broken Bike*. But I can't find it here.
M: I'm sorry, but it's sold out.
W: I really need it because I have to write a book review for my English class.
M: Then I'll call you when it's back in stock.
W: Thank you.

해석 W: 실례합니다, '망가진 자전거'라는 책을 찾고 있어요. 그런데 여기서는 찾을 수가 없네요.
M: 죄송하지만 그 책은 품절입니다.
W: 저는 영어 수업에 독후감을 써야 해서 그 책이 꼭 필요해요.
M: 그러면 그 책이 들어오면 전화해 드릴게요.
W: 감사합니다.
① 은행 ② 도서관 ③ 공항 ④ 우체국 ⑤ 서점

해설 책이 품절되었다는 것으로 보아 도서관이 아닌 서점에서

대화가 이뤄지고 있다.

(어휘) sold out 품절된 book review 독후감
in stock 재고가 있는

17 W: If this happens, the ground will shake very hard. It can cause lots of dangerous situations. Things on high shelves can drop and buildings and houses can fall down. This can destroy bridges and roads. People shouldn't take subways or trains because the roads or the tracks can shake again.

해석 W: 만약 이것이 일어난다면, 땅이 굉장히 흔들릴 것입니다. 그것은 많은 위험한 상황을 불러일으킬 수 있습니다. 높은 선반에서 물건이 떨어질 수 있고 건물과 집들이 무너질 수 있습니다. 이것은 다리와 길을 파괴할 수 있습니다. 사람들은 도로와 선로가 다시 흔들릴 수 있기 때문에 지하철이나 기차를 타지 말아야 합니다.
① 홍수 ② 쓰나미 ③ 화산 ④ 토네이도 ⑤ 지진

해설 땅이 흔들리고 건물과 집이 무너질 수 있으며 다리와 길이 파괴될 수 있는 자연재해는 지진이다.

(어휘) ground 땅 shake 흔들리다 situation 상황
shelf 선반 drop 떨어지다 destroy 파괴하다

18 W: Your classmate is trying to go to City Hall to volunteer. However, she doesn't know how to get there. You know the way, so you decide to help her. In this situation, what can you say to her?

해석 W: 당신의 반 친구는 자원봉사를 하러 시청에 가려고 한다. 그러나 그녀는 그곳에 가는 방법을 모른다. 당신은 길을 알아서 그녀를 돕기로 결심한다. 이 상황에서 당신은 그녀에게 무엇이라고 말할 수 있을까?
① 내가 도와줄게. ② 저를 도와주실 수 있나요?
③ 그들을 함께 돕자. ④ 너의 도움 덕분에 그것을 할 수 있었어. ⑤ 우리가 그녀를 도와준다면 더 좋을 거야.

해설 도움을 제안하는 표현을 해야 하므로, '도와줄게.'라는 뜻을 갖는 Let me help you.라는 말을 하는 것이 가장 적절하다.

19 W: Jiyong, how was your summer vacation?
M: Good. You know what? I took surfing lessons.
W: That's amazing! I didn't know you were interested in surfing.
M: It was really fun. I'm planning to take more lessons next year.
W: Great!
M: By the way, what did you do during the vacation?
W: ______________________________

해석 W: 지용아, 너의 여름 방학은 어땠어?
M: 좋았어. 너 그거 아니? 나 방학 동안 서핑 수업 받았어.
W: 대단하다! 나는 네가 서핑에 관심이 있는 줄 몰랐어.
M: 진짜 재미있었어. 나는 내년에 수업을 더 들을 계획이야.
W: 좋다!
M: 그나저나 너는 방학 동안 뭐 했니?
W: 나는 어르신들을 위해 자원봉사를 했어.
① 나는 바다에서 서핑하는 것을 즐겨.
② 서핑을 갈 생각이야.
④ 정말 안됐다. 곧 나을 거야.
⑤ 나는 방학 동안 휴식을 취하고 싶어.

해설 과거 표현을 사용하여 방학 동안 자신이 한 행동을 설명하는 말이 이어져야 하므로 어르신들을 위해 자원봉사를 했다는 말이 알맞다.

(어휘) surfing 서핑(파도타기)

20 [*Telephone rings.*]
M: Hello, Dr. Grace's hospital. How can I help you?
W: I have a sore throat and I want to make an appointment.
M: Okay, let me help you. How about 4 p.m. today?
W: Well, I'm afraid I can't. Do you have another time?
M: Is 11 o'clock in the morning okay with you?
W: ______________________________

해석 [*전화벨이 울린다.*]
M: 안녕하세요, 'Grace 박사의 병원'입니다. 무엇을 도와드릴까요?
W: 제가 목이 아파서 예약을 하고 싶어요.
M: 네, 제가 도와 드릴게요. 오늘 오후 4시 어떠세요?
W: 음, 죄송하지만 안 될 것 같아요. 다른 시간 있나요?
M: 오전 11시는 괜찮으세요?
W: 네, 딱이네요. 그때 가겠습니다.
① 통화 중이세요.
② 그럼요. 제가 도와드릴 수 있어요.
③ 다른 조언은 더 없나요?
④ 메시지 남기시겠어요?

해설 거절하거나 승낙하는 말이 이어져야 한다.

어휘 sore throat 인후염(목이 아픔) appointment 예약, 약속

듣기평가 3회 pp. 100 - 101

01 ④	02 ①	03 ④	04 ⑤	05 ④
06 ⑤	07 ③	08 ③	09 ④	10 ③
11 ②	12 ③	13 ②	14 ⑤	15 ④
16 ③	17 ④	18 ④	19 ②	20 ⑤

01 ① W: I have a bad cold and a runny nose.
M: I think you should take a rest.
② W: You know what? I passed the English exam!
M: Wow! That's great! Congratulations!
③ W: What are you going to do in summer vacation?
M: I'm thinking of going camping with my family.
④ W: I'm worried about the upcoming final exam.
M: I'm glad you like it.
⑤ W: What should I do to improve my English?
M: Try to join a study group. That'll help.

해석 ① W: 나는 심한 감기에 걸려서 콧물이 나.
M: 내 생각에 너는 쉬어야 할 것 같아.
② W: 너 그거 아니? 나 영어 시험 통과했어!
M: 와! 잘됐다! 축하해!
③ W: 너는 여름 방학에 무엇을 할 거니?
M: 나는 가족들과 함께 캠핑을 가려고 생각 중이야.
④ W: 나는 곧 있을 기말고사가 걱정돼.
M: 네 맘에 든다니 기뻐.
⑤ W: 내 영어 실력을 향상시키기 위해 무엇을 해야 할까?
M: 스터디 동아리에 가입해 봐. 도움이 될 거야.

해설 ④ 기말고사가 걱정된다는 말에 칭찬에 답하는 표현인 I'm glad you like it.은 어울리지 않으며 격려하는 표현으로 답하는 것이 알맞다.

어휘 runny nose 콧물 upcoming 다가오는, 곧 있을

02 M: What is your problem?
W: Oh, I have a terrible headache.
M: That's too bad. Are you coughing a lot, too?
W: No, I'm not.
M: Then you should take this medicine three times a day.
W: Okay. Is there anything else I should keep in mind?
M: Make sure you come to see me again.
W: Okay, I will.

해석 M: 무엇이 문제인가요?
W: 오, 저는 심한 두통이 있어요.
M: 그것 참 안됐군요. 기침도 많이 하나요?
W: 아니요, 안 해요.
M: 그렇다면 이 약을 하루에 세 번 드세요.
W: 네. 제가 명심해야 할 다른 것이 있나요?
M: 꼭 다시 저를 보러 오세요.
W: 네, 그럴게요.
① 의사 - 환자 ② 점원 - 손님 ③ 선생님 - 학생
④ 운전자 - 경찰 ⑤ 비행기 승무원 - 승객

해설 남자는 어디가 아픈지 묻고 약을 처방해 주는 사람이므로 의사이고, 머리가 아프다는 여자는 환자이다.

어휘 cough 기침하다 medicine 약

03 M: You know what? Kevin is having a 15th birthday party at his house!
W: I know. It's this Saturday, right?
M: Yeah. Let's go together. How about meeting at 11:30?
W: But the party starts at 12:00. Why do we have to meet so early?
M: Kevin's home is far from here. It will take about 20 minutes to get there.
W: I see. Make sure to save Kevin's phone number. It's 010-1234-5678.
M: Okay, see you then.

해석 M: 너 그거 아니? Kevin이 15번째 생일 파티를 그의 집에서 열 거래.
W: 나도 알아. 이번 토요일이지, 맞지?
M: 응. 우리 같이 가자. 11시 30분에 만나는 게 어때?
W: 하지만 파티는 12시에 시작할 거야. 왜 우리가 그렇게 일찍 만나야 하니?
M: Kevin네 집은 여기서 멀어. 그곳에 도착하는 데 20분 정도 걸릴 거야.
W: 알겠어. 꼭 Kevin의 전화번호를 저장하도록 해. 010-1234-5678이야.
M: 알겠어, 그때 보자.

해설 Kevin의 파티가 12시에 시작한다고 했으므로, ④의 11:30은 잘못된 정보이다.

어휘 early 일찍 far 먼 save 저장하다

04 M: Mom, you know what? I have something to tell you.
W: What is it?
M: I won the first prize in the school essay contest.
W: Wow! Congratulations!
M: I worked very hard to write a perfect essay.
W: I know you did. I am so proud of you, David.

해석 M: 그거 아세요, 엄마? 드릴 말씀이 있어요.
W: 뭔데?
M: 제가 학교 에세이 대회에서 1등을 했어요.
W: 와! 축하해!
M: 저는 완벽한 에세이를 쓰기 위해 정말 열심히 했어요.
W: 네가 그랬다는 것을 알아. 네가 매우 자랑스럽구나, David.

해설 엄마는 아들이 에세이 대회에서 1등을 해서 자랑스러워하며 기뻐하고 있다.

어휘 be proud of ~을 자랑스러워하다

05 M: I think I lost my cell phone. I can't find it!
W: What? That's terrible! Where did you go today?
M: I went to ABC Shopping Mall and bought some clothes, and ... .
W: Did you make a call to your phone?
M: Yes, but no one answered.
W: Maybe somebody picked up your phone and returned it to the information desk.
M: Then I should call the information desk first.
W: And if your phone isn't there, call the police.

해석 M: 내 휴대 전화를 잃어버린 것 같아. 찾을 수가 없어!
W: 뭐라고? 끔찍한 일이구나! 오늘 어디에 갔었니?
M: ABC 쇼핑몰에 가서 옷을 좀 사고, 그리고 ….
W: 너의 전화기에 전화는 걸어 봤니?
M: 응, 그런데 아무도 안 받아.
W: 아마도 누군가가 네 전화기를 주워서 안내 데스크에 돌려줬을 수도 있어.
M: 그럼, 먼저 안내 데스크에 전화해야 겠네.
W: 그리고 네 휴대 전화가 거기에 없다면 경찰에 신고해.

해설 남자는 먼저 안내 데스크에 전화해 보겠다고 했다.

06 W: I heard that there will be heavy rain tonight.
M: I'm worried about floods.
W: Same here. There was a flood four years ago.
M: My teacher said that we should listen to the news and call 119 if there's an emergency.
W: That's correct. Let's think about other ways to deal with heavy rain.

해석 W: 오늘 밤 폭우가 내릴 거래.
M: 나는 홍수가 걱정돼.
W: 나도 그래. 4년 전에 홍수가 났었어.
M: 선생님께서 뉴스를 듣고 비상사태가 되면 119에 전화해야 한다고 하셨어.
W: 맞아. 폭우에 대처할 다른 방법들을 생각해 보자.

해설 두 사람은 폭우가 온다는 일기예보를 듣고 폭우의 여러 대처 방법에 대해 이야기하고 있다.

어휘 heavy rain 폭우 flood 홍수
emergency 비상사태 deal with …를 다루다

07 M: I'm thinking of baking a strawberry cake. Can you help me?
W: Sure. Do you know the recipe?
M: Well actually, I don't know how to make it.
W: Oh, first, you should buy some strawberries, milk, eggs, and flour. I'll go with you when you go shopping.
M: Thank you so much! And where can I find a recipe?
W: Why don't you search for one on the internet?

해석 M: 나는 딸기 케이크를 구울 생각이야. 나를 도와줄 수 있니?
W: 물론이지. 요리법을 알고 있니?
M: 음, 사실 나는 그것을 만드는 방법을 몰라.
W: 오, 먼저 딸기, 우유, 달걀, 그리고 밀가루를 좀 사야 해. 네가 쇼핑하러 갈 때 내가 같이 갈게.
M: 정말 고마워! 그런데 요리법은 어디서 찾아야 할까?
W: 인터넷에서 찾아보는 게 어때?

해설 인터넷에서 찾아보라는 여자의 마지막 말은 '…하는 게 어때?'라는 뜻의 조언하는 표현이다.

어휘 recipe 요리법 flour 밀가루 search for ~을 찾다

08 M: Good morning, everyone. Thank you for visiting Happy Amusement Park. We have been a true friend of all children. To give you a more fun experience, we have decided to close the park for one month. During that time, we will work to improve the park environment. We will open again on November 1st. If you want to get more information, please call us at 123-4567. Thank you.

해석 M: 안녕하세요, 여러분. Happy 놀이공원을 방문해 주셔서 감사합니다. 저희는 모든 어린이들의 진정한 친구가 되어 왔습니다. 여러분에게 더 재미있는 경험을 드리기 위해, 저희는 한 달 동안 문을 닫기로 결정했습니다. 그 기간 동안 저희는 공원의 환경을 개선하는 작업을 할 것입니다. 저희는 11월 1일에 다시 문을 열 것입니다. 더 많은 정보를 얻기를 원하신다면 123-4567로 전화주세요. 감사합니다.

해설 놀이공원이 환경 개선을 위해 한 달간 문을 닫는다는 안내 방송이다.

어휘 amusement park 놀이공원 environment 환경

09 W: Are you ready to order?

M: Yes, I'd like to have spaghetti. How about you?

W: I'll have beef steak and chocolate cake. Do you think this is too much?

M: Well, I think it'll be okay because Mike is coming here, too. He eats a lot.

W: Good. Then, let's order another dish for him. Will pizza be okay with Mike?

M: Let's order chicken wings. Mike doesn't like pizza.

해석 W: 주문할 준비됐니?

M: 응, 나는 스파게티를 먹고 싶어. 너는?

W: 나는 소고기 스테이크와 초콜릿 케이크를 먹을래. 너무 많을 것 같니?

M: 음, Mike도 여기에 오고 있기 때문에 괜찮을 것 같아. 그는 많이 먹잖아.

W: 잘됐네. 그럼 그를 위해 다른 요리도 시키자. 피자가 Mike에게 괜찮을까?

M: 닭 날개를 주문하자. 그는 피자를 좋아하지 않아.

해설 Mike는 피자를 좋아하지 않기 때문에 닭 날개를 주문하기로 하였다.

어휘 order 주문하다 beef 소고기 dish 요리 wing 날개

10 M: Mom, I'm home! I'm hungry. Is there anything to eat?

W: I'm making *bibimbap* for you.

M: Wow, sounds delicious! Let me help you, mom.

W: Can you wash these carrots? I'll cut them after you wash them.

M: Okay, I'll wash my hands first.

W: Okay.

해석 M: 엄마, 저 집에 왔어요! 저 배고파요. 뭐 먹을 것이 있나요?

W: 너를 위해 비빔밥을 만들고 있단다.

M: 와, 맛있겠어요! 제가 도와 드릴게요, 엄마.

W: 이 당근들을 씻어 주겠니? 네가 씻고 나면 내가 그것들을 자를게.

M: 네, 먼저 손을 씻을게요.

W: 그래.

해설 여자는 아들에게 당근들을 씻어 달라고 요청했다.

11 M: ① More than 60 students feel stressed out because of their looks.

② 60 students worry about their school life.

③ More than half of the students feel stressed because of the family problems.

④ Less than 50 students feel stressed out about friendships.

⑤ More students are worried about their looks than exams.

해석 ① 60명이 넘는 학생들이 외모 때문에 스트레스를 받는다.

② 60명의 학생들이 그들의 학교생활에 대해 걱정한다.

③ 반 이상의 학생들은 가족 문제 때문에 스트레스를 느낀다.

④ 50명 미만의 학생들이 교우 관계에 스트레스를 느낀다.

⑤ 시험에 대해서보다 외모에 대해서 더 많은 학생들이 걱정한다.

해설 60명의 학생들이 학교생활에 스트레스를 받는다.

어휘 feel stressed out 스트레스를 받다 looks 외모

12 M: Hey, Jihee! Do you have any special plans for the summer vacation?

W: I'm thinking of learning yoga. I want to become healthier. What about you, Steve?

M: I'm planning to visit my grandparents in Daegu and travel around there.

W: That's great! After you come back, let's go to watch a movie together.

M: Cool! Shall we ask Mina and Jumin to join us?

W: Why not? But Mina told me that she's going to visit China. Let's ask her first.

해석 M: 지희야! 여름 방학에 무슨 특별한 계획이 있니?

W: 요가를 배우려고 어떠니 생각 중이야. 나는 더 건강해지고 싶거든. Steve, 너는 어떠니?

M: 나는 대구에 계신 조부모님을 방문하고 그 주변을 여행하기로 계획 중이야.
W: 멋지다! 돌아오고 나서 함께 영화 보러 가자.
M: 좋아! 미나와 주민이에게도 같이 가자고 해 볼까?
W: 왜 안 되겠어? 그런데 미나는 나에게 중국을 방문할 거라고 말했어. 그녀에게 먼저 물어보자.
① 지희는 여름 방학 동안 요가를 배울 것이다.
② Steve는 여름 방학 동안 조부모님을 방문할 것이다.
③ 지희는 대구 주변을 여행할 것이다.
④ 지희와 Steve는 영화를 보러 갈 것이다.
⑤ 미나는 여름방학 동안 중국을 방문할 것이라고 말했다.

해설 대구 주변을 여행할 사람은 Steve이다.

13 M: When will Mike arrive?
W: His flight is supposed to get to the airport at 8:00 p.m.
M: Before going to the airport to get him, we should finish cleaning the house.
W: Okay. You clean the living room and I'll wash the dishes.
M: Sounds good. Oh, and don't forget to take out the trash to the garbage dump.

해석 M: Mike가 언제 도착하나요?
W: 그의 비행기가 오후 8시에 공항에 도착하도록 되어 있어요.
M: Mike를 데리러 공항에 가기 전에, 우리는 집 청소를 마쳐야 해요.
W: 알겠어요. 당신이 거실을 청소하고 제가 설거지를 할게요.
M: 좋아요. 오, 그리고 쓰레기장에 쓰레기를 가져다 버리는 것 잊지 말아요.

해설 두 사람은 집 청소를 먼저 끝내고 공항으로 간다고 했으므로 지금은 집에 있다.

어휘 flight 비행기 be supposed to …하도록 되어 있다
garbage dump 쓰레기장

14 W: Hello, students. Welcome to my studio. My job is making movies. Choosing actors to play main characters is my job, too. Casting actors for a movie is one of the most difficult jobs. Also, I have to organize all schedules and take care of the movie staffs. And I have to edit film and put scenes together.

해석 W: 안녕하세요, 학생 여러분. 제 작업실에 오신 것을 환영합니다. 제 일은 영화를 만드는 것입니다. 주연을 맡을 배우를 선택하는 것도 역시 제가 하는 일입니다. 영화의 배우들을 캐스팅하는 것은 가장 어려운 일 중 하나이지요. 또한, 저는 모든 스케줄을 조직하고 영화 스태프들을 관리해야 합니다. 그리고 저는 영화를 편집하고 장면을 연결해야 합니다.
① 작가 ② 편집자 ③ 사진가
④ 여배우 ⑤ 영화감독

해설 영화를 만들고 배우들을 캐스팅하며 전체 스케줄을 조직하는 등의 일을 하는 사람은 영화감독이다.

어휘 studio 작업실 character 등장 인물, 배역
casting 캐스팅, 배역 선정 organize 조직하다
take care of 관리하다, 살피다 edit 편집하다

15 M: I'm thinking of decorating Dad's birthday cake by myself.
W: Good! Let's draw a red heart in the center of the cake. On the left of it, I want to write my name, Yuna, and on the other side, your name, Yunsu.
M: That's a good idea. One more thing: be sure to write down Mom's name, Jihye, at the bottom.
W: Dad will love it!

해석 M: 나는 아빠 생일 케이크를 직접 장식하려고 해.
W: 좋아! 케이크의 가운데에 빨간 색 하트를 그리자. 그 왼쪽에는 내 이름 유나를 쓰고 다른 쪽에는 네 이름 윤수를 쓰고 싶어.
M: 좋은 생각이다. 하나 더, 엄마 이름 지혜를 아래쪽에 쓰는 것을 명심해.
W: 아빠가 좋아하실 거야!

해설 케이크의 가운데에는 빨간 하트가, 하트의 왼쪽에는 유나, 오른쪽에는 윤수의 이름을, 아래쪽에는 엄마의 이름인 지혜를 쓰기로 했다.

어휘 decorate 장식하다 center 중앙
the other side 다른 쪽 bottom 아래

16 W: What are you going to do next weekend?
M: I'm thinking of doing volunteer work at the library.
W: Oh, really? That'll be great. Can I join you?
M: Sure. How about meeting at 2:00? The work starts at 2:30.
W: Is it okay if we meet an hour earlier? I want to look around the library.

M: Do you want to meet at 1:00?
W: No, I mean 1:30. An hour before the volunteer program starts.
M: Good. Let's meet then.

해석 W: 너는 다음 주말에 무엇을 할 거니?
M: 나는 도서관에서 자원봉사하려고 생각 중이야.
W: 오, 정말? 좋을 것 같아. 나도 같이 해도 될까?
M: 물론이지. 2시에 만나는 게 어때? 그 일은 2시 반에 시작해.
W: 우리 한 시간 일찍 만나도 될까? 나는 도서관을 둘러보고 싶어.
M: 1시에 만나기를 원하니?
W: 아니, 1시 반이야. 자원봉사 프로그램이 시작하기 한 시간 전.
M: 좋아. 그때 만나자.

해설 자원봉사는 2시 반에 시작하고, 여자가 남자에게 프로그램 시작 한 시간 전인 1시 반에 만나자고 했다.

어휘 look around 둘러보다

17 M: I'm planning to travel to Japan with my family.
W: Have you ever been to Japan before?
M: Yes. This is my second visit. I've eaten sushi and Japanese ramen a lot.
W: What are you going to do in Japan?
M: I am going to go to Tokyo Disneyland because I couldn't go there last time.
W: Sounds interesting!
M: Thank you. I also want to buy some animation character goods. I bought some last time and I really liked them.

해석 M: 나는 가족과 일본 여행을 하려고 해.
W: 전에 일본에 가 본 적이 있니?
M: 응. 이번이 두 번째 방문이야. 나는 스시와 일본 라면을 많이 먹었어.
W: 일본에서는 무엇을 할 거니?
M: 지난번에 방문했을 때 못 갔기 때문에 도쿄 디즈니랜드에 가려고 해.
W: 재미있겠네!
M: 고마워. 나는 애니메이션 캐릭터 상품도 좀 사고 싶어. 지난번에 몇 개 샀는데 나는 그것들이 정말 좋아.

해설 남자는 일본에 방문해서 스시와 일본 라면을 먹어 본 경험이 있고 애니메이션 캐릭터 상품을 산 적이 있다. 디즈니랜드에는 못 가 봐서 이번에 가 볼 계획이다.

어휘 ramen 라면 goods 용품

18 M: Excuse me. I saw a sign saying that you want a part time worker.
W: Yes. You should work at least 5 hours a day. Can you do that?
M: Sure.
W: Great! We will pay you 8,000 won per hour on weekdays and 9,000 won per hour on weekends.
M: I can work on Mondays, Wednesdays, and Fridays. But I can't work on weekends.
W: That's okay. You can work for 5 hours on each of the three weekdays, right?
M: That's right.

해석 M: 실례합니다. 아르바이트생을 구한다는 표지판을 봤는데요.
W: 네. 하루에 적어도 5시간을 일해야 해요. 가능한가요?
M: 물론이죠.
W: 잘됐네요! 우리는 평일에는 한 시간에 8,000원을, 주말에는 한 시간에 9,000원을 드려요.
M: 저는 월, 수, 금요일에 일할 수 있는데, 주말에는 일할 수 없어요.
W: 괜찮아요. 평일 사흘에 각각 5시간씩 일할 수 있는 거네요, 맞지요?
M: 맞아요.

해설 남자는 평일 월, 수, 금 3일을 5시간씩 일하기로 했으므로, 일주일에 8,000원×3일×5시간인 120,000원을 받을 수 있다.

어휘 sign 표지판 part time worker 파트 타임 근무자 at least 적어도 pay 돈을 지급하다 weekday 평일

19 W: My dog hasn't eaten anything since Tuesday.
M: Oh, no. I'm sorry to hear that. Did you take her to the animal doctor?
W: Yes, the doctor said she's fine. I don't know what to do.
M: How about giving her dog vitamins?
W: That didn't work, either. Maybe I should take her to the animal hospital again.
M: ______________________

해석 W: 우리 개가 화요일 이후로 아무것도 먹지 않아.
M: 오, 이런. 유감이구나. 그녀를 수의사에게 데려가 봤니?
W: 응, 의사 선생님이 내 개는 괜찮대. 무엇을 해야 할지 모르겠어.
M: 개 비타민을 줘 보는 건 어떨까?

W: 그것 역시 소용이 없었어. 아마 동물 병원에 다시 데려가 봐야 할 것 같아.

M: 그것 참 안됐구나. 슬프겠다.

① 그 소식을 들으니 기쁘다.

③ 너는 약속을 지켜야 해.

④ 너는 그것에 대해 걱정하지 않아도 돼.

⑤ 네가 의사 선생님을 만나야 한다는 것을 기억해.

해설 개가 아픈데 이유를 몰라 다시 병원에 가야겠다는 여자의 말 뒤에는 유감이나 동정의 표현이 오는 것이 자연스럽다.

어휘 either (부정문에서) 또한

20 W: Sam, You look happy. Do you have good news?

M: Yes, my class will do a musical at the school festival next month.

W: I see. That sounds fun.

M: And you know what? I got the main role!

W: That's amazing! I'm so proud of you.

M: ______________________

해석 W: Sam, 행복해 보인다. 좋은 소식이 있니?

M: 네, 저희 반은 다음 달에 학교 축제에서 뮤지컬을 해요.

W: 그렇구나. 재미있겠다.

M: 그리고 그거 아세요? 제가 주연을 맡았어요!

W: 멋지구나! 네가 정말 자랑스러워.

M: 고맙습니다. 뮤지컬을 공연하는 게 너무 기대돼요.

① 그 뉴스를 들으니 유감이네요.

② 조언 감사합니다.

③ 제가 주연을 못 맡을까 봐 걱정돼요.

④ 맞아요. 그의 뮤지컬은 놀라울 거예요.

해설 학교 축제의 뮤지컬에서 주연을 맡아 기뻐하는 내용이므로, 뮤지컬 공연이 기대된다는 남자의 말이 자연스럽다.

어휘 festival 축제 main role 주연 amazing 놀라운, 굉장한 can't wait to ... …하는 것이 기대되다

듣기평가 4회

pp. 102 - 103

01 ①	02 ②	03 ①	04 ④	05 ③
06 ①	07 ③	08 ③	09 ⑤	10 ④
11 ④	12 ①	13 ⑤	14 ②	15 ①
16 ③	17 ⑤	18 ④	19 ②	20 ④

01 M: Hello, this is the weather report. Today is a good day for enjoying bright, sunny skies. We will see this fine weather until Tuesday. On Wednesday, it's going to rain, so don't forget to take your umbrella when you go out. The rain will continue on Thursday. It will be windy and cloudy on Friday. Don't worry if you are thinking of going outdoors on Sunday. At the end of this week, we will have sunny weather again.

해석 M: 안녕하세요, 일기 예보입니다. 오늘은 밝고 맑은 하늘을 즐기기에 좋은 날입니다. 우리는 이 좋은 날씨를 화요일까지 볼 수 있습니다. 수요일에는 비가 올 것이므로 외출하실 때 우산 가져가는 것을 잊지 마세요. 비는 목요일에도 계속될 것입니다. 금요일에는 바람이 불고 흐릴 것입니다. 일요일에 야외로 나가려고 생각하신다면 걱정하지 마세요. 이번 주말에는 다시 맑은 날씨가 될 것입니다.

해설 일요일에 외출하려고 생각해도 걱정하지 말라고 했고 주말에는 다시 맑은 날씨가 된다고 했다.

어휘 bright 밝은 continue 계속되다 go outdoors 바깥으로 나가다

02 ① W: What are you going to do after school?

M: I'm planning to play soccer.

② W: What's wrong? You look worried.

M: I'm worried about the math quiz tomorrow.

③ W: Can you open the windows? It's hot.

M: Sure. I'll do that for you.

④ W: Thanks for your help.

M: Don't mention it. I just wanted to help you.

⑤ W: You know what? I'm going to Russia!

M: Wow, good for you.

해석 ① W: 방과 후에 무엇을 할 거니?

M: 축구를 할 계획이야.

② W: 무슨 일이야? 너 걱정스러워 보여.

M: 나는 내일 있을 수학 시험이 걱정이야.

③ W: 창문 좀 열어 줄 수 있니? 덥다.

M: 당연하지. 너를 위해 그렇게 할게.

④ W: 도와줘서 고마워.

M: 천만에. 나는 그냥 널 도와주고 싶었을 뿐이야.

⑤ W: 너 그거 아니? 나 러시아에 갈거야!

M: 와, 좋겠구나.

해설 남학생이 걱정스러운 표정을 짓고 있으므로 수학 시험 때문에 걱정이라는 내용의 대화가 알맞다.

03 M: Julia, you look busy. What are you doing?
W: I'm working on a presentation for science class.
M: Wow. What is it about?
W: It's about Mars. Each member was supposed to research it, but Mike didn't do anything.
M: Then how will you finish your presentation?
W: That's what I'm saying! I'm worried about it.

해석 M: Julia, 너 바빠 보인다. 뭐 하고 있니?
W: 나는 과학 시간에 할 프레젠테이션을 준비하고 있어.
M: 와. 무엇에 관한 것인데?
W: 화성에 관한 거야. 각 조원이 그것을 조사했어야 했는데, Mike가 아무것도 하지 않았어.
M: 그러면 너는 어떻게 프레젠테이션을 끝낼거야?
W: 내 말이 그 말이야! 난 그게 걱정돼.
① 속상한 ② 지루한 ③ 희망찬 ④ 신이 난 ⑤ 기쁜

해설 조원 중 한 명이 프레젠테이션 준비를 하지 않아 걱정하고 있는 상황이므로 여자의 심정으로 가장 적절한 것은 upset(속상한)이다.

어휘 presentation 프레젠테이션, 발표 Mars 화성 research 조사하다

04 W: I can't choose a birthday card for Sora. Can you help me?
M: Okay, let me help you. I think Sora will like a card with a flower pattern.
W: I know, but I gave her that card last year. So I want something different.
M: How about these ones with two hearts? They look fancy.
W: Oh, they look perfect. I'll buy the pink one. Thanks for your help.

해석 W: 나 소라의 생일 카드를 못 고르겠어. 나 좀 도와줄 수 있어?
M: 그래, 내가 도와줄게. 내 생각에 소라는 꽃무늬가 있는 카드를 좋아할 것 같아.
W: 알아, 그런데 내가 작년에 똑같은 카드를 줬어. 그래서 다른 것을 원해.
M: 하트 두 개가 있는 이 카드들 어때? 멋져 보여.
W: 오, 완벽하다. 분홍색 카드를 사야겠어. 도와줘서 고마워.

해설 하트 두 개가 있는 카드 중 분홍색으로 된 것을 구입할 예정이다.

05 W: This announcement is for all students and teachers. We're planning to close the school library an hour earlier next week. The library will open at 9 a.m. and close at 4 p.m. because we need to clean it. So make sure to check out or return books by 4 p.m.

해석 W: 이 방송은 모든 학생들과 선생님들을 위한 것입니다. 우리는 다음 주에 학교 도서관을 한 시간 일찍 닫을 계획입니다. 도서관을 청소해야 하기 때문에 도서관은 아침 9시에 열어 오후 4시에 닫을 것입니다. 그러니 반드시 오후 4시까지 책을 대출하거나 반납해 주세요.

해설 방송은 학생들과 선생님들이 대상이었다. 학교 도서관 운영 시간이 방송에서 한 시간 일찍 닫는 것으로 변경되었고, 책 대출과 반납을 오후 4시까지 마쳐야 함을 유의해야 한다고 했다. 도서관에서 대출하는 방법은 언급되어 있지 않다.

어휘 announcement 방송 check out 대출하다

06 W: What are you planning to do during the winter vacation?
M: Well, I'm thinking of learning taekwondo.
W: Great! We have winter vacation from December 24th. Do your classes start after that?
M: No. I signed up for the classes that start one week before the vacation.
W: Good for you. And how about going to the swimming pool on the 25th? Do you have a taekwondo class on that day?
M: No, I don't. I only have taekwondo classes on Mondays, so I can go there that day.

해석 W: 겨울 방학 동안 무엇을 할 계획이니?
M: 음, 나는 태권도를 배울까 생각 중이야.
W: 좋다! 우리 겨울 방학은 12월 24일부터지. 수업이 그 이후에 시작하니?
M: 아니. 나는 방학 시작 일주일 전에 시작하는 수업을 등록했어.
W: 잘됐다. 그리고 우리 25일에 수영장 가는 게 어때? 그 날 태권도 수업이 있니?
M: 아니, 없어. 태권도 수업은 월요일에만 있으니 그날 그곳에 같이 갈 수 있어.

해설 방학이 시작하는 24일보다 한 주 앞선 월요일은 17일이다.

어휘 sign up for …에 등록하다

07 M: Who is that man in the photo? He looks nice in his uniform.
W: He's my uncle, James.
M: What does he do for a living?

W: He flies an airplane. He travels all around the world.

M: Awesome! I've always wanted to work at an airline.

W: You know what? If you want, he will take you around his company.

해석 M: 사진에 있는 그 남자 분은 누구니? 제복을 입은 모습이 멋지다.

W: 그분은 나의 삼촌인 James야.

M: 그분은 직업은 뭐니?

W: 그분은 비행기를 조종하셔. 그는 전 세계를 여행하시지.

M: 멋지다! 나는 언제나 항공사에서 일하고 싶었어.

W: 그거 아니? 네가 원한다면 그분이 회사를 견학시켜 줄 수 있어.

해설 유니폼을 입고 비행기를 조종해 전 세계를 여행하는 사람은 비행기 조종사이다.

어휘 uncle 삼촌 awesome 멋진

08 M: Why don't we go to the movies after school?

W: I'd love to, but I can't.

M: Why not?

W: I'm going to watch a movie with my cousin.

M: Oh, I see. Does your cousin live near here?

W: No, he lives in Gongju. He came here to visit my grandparents.

M: Okay. Then let's just have sandwiches near here.

W: Cool. I'm a bit hungry.

해석 M: 우리 방과 후에 영화 보러 갈까?

W: 가고 싶은데, 못 가.

M: 왜 못 가니?

W: 나는 사촌과 영화를 볼 거거든.

M: 아, 알았어. 네 사촌이 근처에 사니?

W: 아니, 그는 공주에 살아. 조부모님을 방문하러 여기 온 거야.

M: 알겠어. 그럼 가까운 데서 샌드위치나 먹자.

W: 좋아. 조금 배고프다.

해설 여자는 공주에서 조부모님을 방문하러 온 사촌과 영화를 볼 예정이라 남자와 영화를 볼 수 없다고 했다.

어휘 cousin 사촌 a bit 조금

09 W: What did you do with Jane yesterday? I saw you guys at the library.

M: I'm teaching her Chinese every weekend.

W: Did she ask you to do that?

M: Not exactly. There's a mentor program at school and I joined it as a mentor.

W: That's amazing! Can I join the program, too?

M: Sure, let me help you if you want.

W: Thank you. Can you tell me how to become a mentee?

해석 W: 어제 Jane하고 무엇을 했니? 너희들을 도서관에서 봤어.

M: 나는 매 주말마다 그녀에게 중국어를 가르쳐 주고 있어.

W: 그녀가 너에게 그렇게 해 달라고 요청했니?

M: 정확하게 그런 건 아니야. 학교에 멘토 프로그램이 있는데 나는 멘토로 그것에 가입했어.

W: 멋지다! 나도 그 프로그램에 가입할 수 있니?

M: 그럼, 네가 원한다면 내가 도와줄게.

W: 고마워. 멘티가 되는 방법을 알려 줄래?

해설 여자는 남자에게 멘티가 되는 방법을 알려 달라고 하고 있다.

10 [*Telephone rings.*]

W: Hello.

M: Hello. This is David. Is that you, Mei?

W: Oh, hi, David. What's up?

M: I called you to change our study group meeting date. I need to go to see a doctor on Monday.

W: Oh, no. Are you okay? I'm worried about you.

M: I just have a cold. Is Tuesday okay? I'm so sorry.

W: Don't worry. It's totally fine.

해석 [*전화벨이 울린다.*]

W: 여보세요.

M: 여보세요. 나 David이야. Mei, 너니?

W: 오, 안녕, David. 무슨 일이니?

M: 나는 우리 스터디 동아리 모임 날짜를 바꾸려고 전화했어. 월요일에 의사 선생님을 만나러 가야 하거든.

W: 오, 저런. 너 괜찮아? 네가 걱정돼.

M: 감기에 걸렸을 뿐이야. 화요일 괜찮니? 정말 미안해.

W: 걱정하지 마. 정말 괜찮아.

해설 남자는 스터디 동아리 모임 날짜를 바꾸기 위해 전화했다.

어휘 totally 완전히

11 W: Have you decided what to order?

M: Yes, I'd like to have mango salad and beef steak. What about you, Lisa?

W: I feel like eating pasta.
M: What kind of pasta do you want?
W: I'd like shrimp pasta.
M: Anything to drink?
W: I'll have a glass of orange juice. And you?
M: I'm okay with drinks. I'm thinking of having ice cream for dessert.
W: Then I'll have ice cream, too.

해석 W: 무엇을 주문할지 결정했니?
M: 응, 나는 망고 샐러드와 소고기 스테이크를 먹을 거야. Lisa, 너는?
W: 나는 파스타를 먹고 싶어.
M: 어떤 파스타를 원하니?
W: 나는 새우 파스타를 먹을 거야.
M: 뭐 마실 것은?
W: 나는 오렌지 주스를 한 잔 마실 거야. 너는?
M: 나는 마실 것은 됐어. 나는 디저트로 아이스크림을 먹을까 해.
W: 그럼 나도 아이스크림을 먹을래.

해설 망고 샐러드($5) + 소고기 스테이크($10) + 새우 파스타($10) + 오렌지 주스($2) + 아이스크림 2개($8)를 주문할 예정이므로 총 $35를 지불해야 한다.

12 W: Do you have any ideas for today's topic?
M: We should turn off the lights when we're not using them.
W: Good point.
M: Also, we should recycle paper, cans, and plastics. And remember to use our own cups when we drink water.
W: Right. Your ideas will be helpful for saving the environment.
M: I'm glad you like them.

해석 W: 오늘의 주제에 관해 아이디어가 있니?
M: 우리는 사용하고 있지 않을 때 불을 꺼야 해.
W: 좋은 생각이야.
M: 또한 우리는 종이, 캔, 그리고 플라스틱을 재활용해야 해. 그리고 물을 마실 때 우리 자신의 컵을 쓸 것을 기억해.
W: 맞아. 네 아이디어가 환경을 보호하는 데 도움이 될 거야.
M: 내 생각들이 마음에 든다니 기뻐.

해설 불 끄기, 재활용하기, 자기 컵 사용하기 등은 환경을 보호하는 방법에 대한 아이디어이다.

13 M: Hi, Chaehyeon. How's everything?
W: Hi, Juwon. I'm so tired these days.
M: What's the problem?
W: For about two weeks, I have studied in the library until ten o'clock at night.
M: That's too bad. You should get some rest.
W: I know, but I'm so worried about the test next week.
M: Don't worry. You'll do well.

해석 M: 안녕, 채현아. 어떻게 지내?
W: 안녕, 주원아. 나는 요즘 매우 피곤해.
M: 뭐가 문제야?
W: 약 2주 동안 밤 10시까지 도서관에서 공부했어.
M: 그것 참 안됐구나. 너는 좀 쉬어야 해.
W: 알아, 하지만 나는 다음 주 시험이 걱정 돼.
M: 걱정하지 마. 너는 잘할 거야.

해설 여자는 다음 주에 있을 시험 때문에 도서관에서 늦게까지 공부해서 피곤하다고 했다.

14 M: You should think carefully before you do something. For example, when you want to buy a new computer, you should check if you really need it. And you should compare many models and their prices. Also, make sure you think one more time before saying things to others. Once you say something, you can't take it back. This way, you can avoid your regret and choose the best option for you.

해석 M: 당신은 무엇을 하기 전에 주의 깊게 생각해야 한다. 예를 들어, 당신이 새 컴퓨터를 사고 싶을 때, 당신이 정말 그것이 필요한 것인지 점검해야 한다. 그리고 당신은 많은 모델들과 그것의 가격을 비교해야 한다. 또한 다른 사람들에게 말하기 전에는 꼭 한 번 더 생각해야 한다. 일단 무언가를 말하면 당신은 그것을 다시 돌이킬 수 없다. 이렇게 하면 당신은 후회를 피할 수 있고 당신에게 최고의 선택을 할 수 있다.
① 사랑이 길을 찾아 줄 것이다.
② 뛰기 전에 잘 보아라. (돌다리도 두들겨 보고 건너라.)
③ 집처럼 좋은 곳은 없다. (집 떠나면 고생이다.)
④ 구르는 돌에는 이끼가 끼지 않는다.
⑤ 일찍 일어나는 새가 먹이를 잡는다.

해설 무엇을 하기 전에 잘 생각하고 결정해야 후회하지 않는다는 내용이다.

어휘 compare 비교하다 avoid 피하다 regret 후회

15 M: What are your plans for this weekend?
W: I'm planning to help my mom. She had a bad cold.
M: Oh, my. Is she okay now?
W: Yes, she's much better now. I washed the dishes and did the laundry for her.
M: Good girl. Why don't you cook a meal for her?
W: Great idea. I cleaned the kitchen and living room, but didn't think about cooking. Thanks for your advice.

해석 M: 이번 주말에 너의 계획이 뭐니?
W: 나는 엄마를 도와드리려고 해. 심한 감기에 걸리셨거든.
M: 오 이런. 지금은 괜찮으시니?
W: 응, 지금은 훨씬 나아지셨어. 나는 엄마를 위해 설거지도 하고 빨래도 했어.
M: 잘했다. 엄마를 위해 요리를 해 드리는 건 어떨까?
W: 좋은 생각이다. 부엌하고 거실 청소는 했는데 요리는 생각 못했어. 조언 고마워.

해설 여자는 엄마를 도와드리기 위해 설거지와 빨래를 했고 부엌과 거실 청소도 했다.

어휘 do the laundry 빨래하다

16 W: Where are we? I think we're lost our way.
M: Well, the bookstore is on our right. From here, we should go straight for one block.
W: And turn left, right?
M: No. You're looking at the map the wrong way.
W: Oh, I see. After going straight for one block, turn right and ....
M: It's opposite the police station.
W: Now I've got it. It's next to the flower shop. I'm glad we found it.

해석 W: 우리가 어디에 있지? 우리 길을 잃은 것 같아.
M: 음, 우리 오른쪽에 서점이 있어. 여기서부터 우리는 한 블록을 직진해야 해.
W: 그리고 왼쪽으로 도는 거지, 맞나?
M: 아니. 네가 잘못된 방향으로 지도를 보고 있어.
W: 오, 알겠어. 한 블록을 똑바로 간 후에 오른쪽으로 돌아 그리고 ⋯.
M: 그것은 경찰서 맞은편에 있어.
W: 이제 알겠다. 그것은 꽃집 옆에 있구나. 찾아서 기뻐.

해설 두 사람은 경찰서 맞은편에 있고 꽃집 옆에 있는 곳을 가려고 한다.

어휘 straight 똑바로, 곧장 opposite 맞은편의 next to ~ 옆에

17 W: I can't do this anymore. I'm too tired.
M: Yeah. You have run for almost two hours. You're like an athlete!
W: Thank you for saying that. What am I going to do next?
M: You will stretch and jump rope. But first, you should get some rest.
W: Oh, good idea. I'll get some water.

해석 W: 더 이상 못 하겠어요. 너무 지쳤어요.
M: 그래요. 당신은 거의 2시간 동안 달렸어요. 정말 운동선수 같아요!
W: 그렇게 말해 줘서 고마워요. 이제 저는 뭘 하나요?
M: 스트레칭과 줄넘기를 할 거예요. 하지만 먼저 좀 쉬어야 해요.
W: 좋은 생각이에요. 저 물 좀 마실게요.

해설 남자가 여자에게 운동선수 같다고 했으므로 여자는 운동선수가 아니며, 여자가 남자에게 휴식 후에 스트레칭과 줄넘기를 할 것이라고 말했으므로 헬스 트레이너와 고객의 관계이다.

18 W: You know something? My dad will buy me a puppy for my birthday.
M: Good for you. Happy birthday!
W: Thank you. Actually, my birthday was a month ago.
M: Oh, I didn't know that. Then, why is your dad giving you a birthday gift now?
W: Because he didn't want me to have a pet dog. He thinks having a dog means a lot of work.
M: He's right. It will take a lot of effort to take care of the dog.

해석 W: 너 그거 아니? 아빠가 나에게 생일 선물로 강아지를 사 주실 거래.
M: 잘됐다. 생일 축하해!
W: 고마워. 사실 내 생일은 한 달 전이었어.
M: 오, 몰랐네. 그러면 왜 아빠가 생일 선물을 이제 주시니?
W: 왜냐하면 아빠는 내가 애완견을 기르는 것을 원하지 않으셨거든. 개를 기르는 것은 일이 많다고 생각하셔.
M: 아빠 말씀이 맞아. 개를 돌보는 것은 많은 노력이 들어.
① 여자의 아빠는 여자에게 강아지를 사 주었다.
② 남자는 여자의 생일이 한 달 전이었다는 것을 알았다.
③ 여자는 생일 파티를 열 것이다.

④ 남자는 개를 돌보는 것은 일이 많다고 생각한다.
⑤ 남자는 애완견을 키운다.

해설 여자의 생일은 한 달 전이었으나 아버지가 개를 기르는 것을 반대했다가 이제야 생일 선물로 개를 사 주기로 했고, 개를 기르는 데 일이 많다는 여자의 아버지 의견에 남자가 동의하고 있다. 여자의 생일 파티에 대한 정보나 남자가 개를 키우는 지에 관해서는 언급되지 않았다.

어휘 puppy 강아지 pet 애완동물 effort 노력

19 W: I went camping with my family and had fun.
M: Sounds great. What did you do?
W: We ate delicious food my dad made and went hiking.
M: I want to go hiking, but I'm afraid I can't go for a while.
W: Why? Did something happen?
M: Yes, I got sunburn and the doctor told me not to do outdoor activities.
W: ______________________

해석 W: 나는 가족과 함께 캠핑을 가서 재미있는 시간을 보냈어.
M: 좋았겠다. 무엇을 했니?
W: 우리는 아빠가 만드신 맛있는 음식을 먹고 등산을 했어.
M: 나도 등산하고 싶은데 한동안 못 할 것 같아.
W: 왜? 무슨 일 있었니?
M: 응, 내가 햇볕에 심하게 타서 의사 선생님이 야외 활동을 하지 말라고 했어.
W: 그것 참 안됐구나.
① 좋아. 같이 가자.
③ 내가 너와 같이 캠핑을 가게 해 줘.
④ 나는 야외 활동을 하면 안 돼.
⑤ 대단하다. 나도 그것을 할 수 있으면 좋겠어.

해설 남자도 캠핑이나 등산 같은 야외 활동을 즐기고 싶지만 햇볕에 심하게 타서 그럴 수 없는 상황이므로, 여자의 적절한 응답은 '그것 참 안됐구나.'이다.

어휘 for a while 한동안 sunburn 햇볕에 심하게 탐 outdoor activity 야외 활동

20 W: I think I have eaten something bad. I have a stomachache.
M: Oh dear. Have you taken any medicine for it?
W: Yes. But it's not working.
M: I think you should go see a doctor.
W: Okay, I will.
M: Also, make sure not to eat anything else.
W: ______________________

해석 W: 나 무언가 상한 것을 먹었나 봐. 배가 아파.
M: 오 이런. 약을 먹었니?
W: 응. 그런데 효과가 없네.
M: 내 생각엔 네가 의사 선생님을 만나야 할 것 같아.
W: 알았어, 그럴게.
M: 또한 꼭 아무것도 먹지 않아야 해.
W: 명심할게. 고마워.
① 네가 좋았다니 기뻐.
② 초대해 줘서 고마워.
③ 나는 그것을 전에 먹어 보지 않았어.
⑤ 너는 차가운 것을 먹으면 안 돼.

해설 배탈 난 여자에게 남자가 조언을 하고 있으므로 적절한 응답은 '명심할게. 고마워.'이다.

Lesson 1 Words 리뷰노트 p. 106

A (1) 물다 (2) 손톱 (3) 개인적인 (4) 결정하다 (5) 교통 (6) 서로 (7) ~동안 (8) 손잡이 (9) 속상한 (10) 지혜 (11) 방학 (12) ~에 열중하다 (13) ~으로부터 소식을 듣다 (14) 하지만, 그러나 (15) 그리워하다 (16) ~없이 (17) 취미 (18) 더 이상 ~않다 (19) 요즈음 (20) 변화하다

B (1) maybe (2) cupcake (3) ever (4) match (5) jog (6) truth (7) break a bad habit (8) lie (9) homeroom teacher (10) early (11) grow (12) hold (13) own (14) little by little (15) come true (16) keep a diary (17) it's time to (18) best wishes (19) save money (20) You know what?

Lesson 1 Grammar 리뷰노트 pp. 107-108

A ① two ② 세 가지

Self-check 1. Another → The other 2. other → the other 3. others → the other 4. and other → and another 5. the others → the other 6. The another → Another

B ① 조건 ② if

Self-check 1. × 2. ○ 3. × 4. × 5. × 6. ○

A Self-check

1 해석 두 개의 질문이 있다. 하나는 쉽다. 그 나머지는 어렵다.
해설 두 가지 대상을 가리킬 때는 One ...., The other ... 구문을 이용한다. 따라서 Another를 The other로 고쳐야 한다.

2 해석 방에 두 사람이 있다. 한 명은 소년이고 그 나머지는 소녀이다.
해설 두 가지 대상을 가리킬 때는 One ...., The other ... 구문을 이용한다. 따라서 other를 the other로 고쳐야 한다. other는 형용사이므로 단독으로 쓸 수 없다.

3 해석 그녀는 두 마리의 개가 있다. 한 마리는 검은색이고 그 나머지는 흰색이다.
해설 두 가지 대상을 가리킬 때는 One ...., The other ... 구문을 이용한다. 따라서 others를 the other로 고쳐야 한다. others는 다른 사람들(것)이라는 뜻으로 복수 명사이다.

4 해석 나는 세 명의 여동생이 있다. 한 명은 간호사이고 다른 한 명은 선생님이다. 그 나머지는 의사이다.
해설 세 가지 대상을 가리킬 때는 One ...., Another ...., The other ... 구문을 이용한다. 따라서 other를 another로 고쳐야 한다. other는 형용사이므로 단독으로 쓸 수 없다.

5 해석 나는 두 개의 사과를 샀다. James는 한 개의 사과를 먹었다. Tom은 그 나머지를 먹었다.
해설 두 가지 대상을 가리킬 때는 One ...., The other ... 구문을 이용한다. 따라서 the others를 the other로 고쳐야 한다. the others는 '그 나머지 것(사람)들'이라는 뜻으로 복수이다.

6 해석 세 권의 책이 있다. 한 권은 소설이다. 다른 것은 만화책이다. 그 나머지는 사전이다.
해설 세 가지 대상을 가리킬 때는 One ...., Another ...., The other ... 구문을 이용한다. 따라서 The Another를 Another로 고쳐야 한다. other은 형용사이므로 단독으로 쓸 수 없다.

B Self-check

1 해석 그녀가 쇼핑을 가면 나는 그녀와 갈 것이다.
해설 「If 주어 + 동사 ~, 주어 will 동사원형」 구문에 따라 go를 will go로 고쳐야 한다.

2 해석 네가 따뜻한 옷을 입지 않으면 너는 감기에 걸릴 것이다.

3 해석 네가 공부를 더 열심히 하면 너는 성공할 것이다.
해설 「If 주어 + 동사 ~, 주어 will 동사원형」 구문에 따라 will study를 study로 고쳐야 한다. if 조건절에서는 현재 시제로 미래의 의미를 대신한다.

4 해석 그녀가 너를 초대하면 너는 파티에 갈 것이니?
해설 「If 주어 + 동사 ~, 주어 will 동사원형」 구문에 따라 invite를 invites로 고쳐야 한다.

5 해석 그가 중국에 가면 그는 만리장성을 볼 것이다.
해설 「If 주어 + 동사 ~, 주어 will 동사원형」 구문에 따라 will go를 goes로 고쳐야 한다.
어휘 the Great Wall 만리장성

6 해석 내가 내일 일찍 일어나면 나는 나의 숙제를 할 것이다.

Lesson 2 Words 리뷰노트 p. 109

A (1) 계단 (2) 상처, 부상 (3) 피하다, 방지하다 (4) 지진 (5) 보호하다 (6) 생존하다 (7) 젖은 (8) 깨다 (9) 재난 (10) 기둥, 장대 (11) 발생하다 (12) 떨어지다 (13) 안전 (14) 다치게 하다 (15) 잊어버리다 (16) 따르다 (17) 도움이 되는 (18) 꼭 잡다 (19) …에서 떨어져 있다 (20) 숨다

B (1) empty (2) late (3) slippery (4) sore (5) low (6) medicine (7) serious (8) might (9) example (10) wipe (11) prepare (12) program (13) flood (14) situation (15) shake (16) helmet (17) a little (18) get out of (19) life jacket (20) feel better

Lesson 2 Grammar 리뷰노트 pp. 110-111

A ① 무엇을 ② 어떻게

1. doing → do **2.** play → to play **3.** skating → skate **4.** do to → to do **5.** how → what **6.** doing → to do

B ① 주어 ② 선행사

1. who **2.** is **3.** that **4.** has **5.** who **6.** that

A Self-check

1 해석 나는 중간고사를 위해 무엇을 준비할지 모른다.
해설 「what to + 동사원형」 구문에 따라 doing을 to do로 고쳐야 한다.
어휘 midterm 중간(의)

2 해석 나는 테니스 하는 방법을 배우고 싶다.
해설 「how to + 동사원형」 구문에 따라 play을 to play로 고쳐야 한다.

3 해석 그녀는 아이들에게 스케이트를 잘 타는 방법을 가르쳤다.
해설 「how to + 동사원형」 구문에 따라 skating을 to skate로 고쳐야 한다.

4 해석 민수는 다음에 무엇을 할지 모른다.
해설 「what to + 동사원형」 구문에 따라 do to을 to do로 고쳐야 한다.

5 해석 Jane의 생일을 위해 무엇을 사야 할지 결정할 때이다.
해설 'Jane의 생일에 무엇을 살지'라는 의미가 되어야 하므로 how를 what으로 고쳐야 한다.

6 해석 그 수업은 지진 시 무엇을 해야 할지에 관한 것이다.
해설 「what to + 동사원형」 구문에 따라 doing을 to do로 고쳐야 한다.

B Self-check

1 해석 이 사람은 축구를 좋아하는 소년이다.
해설 선행사가 the boy로 사람이므로 관계대명사 who가 알맞다.

2 해석 뜨거운 물이 가득 찬 유리잔이 있다.
해설 선행사가 a glass로 단수 명사이기 때문에 관계대명사절의 동사는 단수 동사 is가 알맞다.

3 해석 나는 강아지를 산책시키고 있는 남자를 발견했다.
해설 선행사가 the man으로 사람이므로 관계대명사 that이 알맞다.

4 해석 수진이는 파란색 눈을 지닌 아이를 본다.
해설 선행사가 a child로 단수 명사이기 때문에 관계대명사절의 동사는 단수 동사로 has가 알맞다.

5 해석 나의 아빠는 많은 다양한 나라에서 온 학생을 가르친다.
해설 선행사가 students로 사람이므로 관계대명사 who가 알맞다. whom은 목적격 관계대명사이다.

6 해석 벤치 옆에 있는 그 차는 비싸다.
해설 선행사가 The car로 사물이므로 관계대명사 that이 알맞다.
어휘 expensive (값이) 비싼

Lesson 3 Words 리뷰노트 p. 112

A (1) 동전 (2) 아무도 …않다 (3) 신뢰하다 (4) 혼란스러운 (5) 비닐봉지 (6) 노력 (7) 충분한 (8) 표지판 (9) 멘토 (10) 학년 (11) 의미하다 (12) 정각에 (13) (책을) 대출하다 (14) 줄을 서다 (15) (생각이) 떠오르다 (16) 시도하다 (17) …을 설치하다 (18) …덕분에 (19) …을 줄이다 (20) …의 시간을 낭비하다

B (1) town (2) pay phone (3) plan (4) arrow (5) communication (6) easily (7) disappear (8) few (9) public (10) soap (11) secret (12) stick (13) return (14) mentee (15) success (16) massage (17) refrigerator (18) map (19) possible (20) give out

Lesson 3 Grammar 리뷰노트 pp. 113-114

A ① 목적어 ② 생략

Self-check 1. ○ 2. × 3. ○ 4. × 5. ○ 6. ×

B ① to부정사 ② 원하다 ③ to have[eat]

Self-check 1. he → him 2. he → him 3. do → to do 4. studying → to study 5. playing → play 6. be → to be

A Self-check

1 해석 축구는 내가 가장 즐기는 스포츠이다.

2 해석 나는 초등학교 때 존경했던 선생님을 만나러 갈 것이다.
해설 that절의 the teacher와 중복된 요소인 him은 관계대명사로 대체되었으므로 다시 쓰지 않는다. 따라서 him을 삭제해야 한다.
어휘 admire 존경하다

3 해석 이것은 내가 읽었던 것 중에서 가장 재미있는 책이다.

4 해석 내가 사고 싶어 했던 그 가방은 다 팔렸다.
해설 선행사가 The bag으로 사물이므로 관계대명사 whom을 which나 that으로 고쳐야 한다.

5 해석 네가 입고 있는 그 재킷은 너에게 잘 어울린다.

6 해석 시청으로 가는 버스를 어디서 탈 수 있나요?
해설 the bus와 goes 사이에는 주격 관계대명사 which나 that을 써야 한다. 주격 관계대명사는 생략할 수 없다.

B Self-check

1 해석 나는 그에게 나의 집으로 오라고 말했다.
해설 told의 목적어 자리이므로 주격인 he를 목적격 him으로 고쳐야 한다.

2 해석 그의 부모님은 그가 교사가 되기를 원하시니?
해설 want의 목적어 자리이므로 주격인 he를 목적격 him으로 고쳐야 한다.

3 해석 네게 설거지를 하라고 부탁해도 될까?
해설 ask는 목적격 보어로 to부정사를 취하므로 do를 to do로 고쳐야 한다.

4 해석 그녀는 나에게 매일 한 시간씩 공부하라고 충고하였다.
해설 advise는 목적격 보어로 to부정사를 취하므로 studying을 to study로 고쳐야 한다.

5 해석 그녀는 그가 컴퓨터 게임을 하는 것을 허락하지 않는다.
해설 allow는 목적격 보어로 to부정사를 취하므로 playing을 play로 고쳐야 한다.

6 해석 교장 선생님은 우리에게 학교에 늦지 말라고 말씀하셨다.
해설 tell은 목적격 보어로 to부정사를 취하고, to부정사의 부정형은 to 앞에 not을 쓰므로 not be를 not to be로 고쳐야 한다.
어휘 principal 교장 선생님

Lesson 4 Words 리뷰노트 p. 115

A (1) 혹 (2) 뾰족한 (3) 땀에 젖은 (4) 아주 작은 (5) 감지하다 (6) 소매 (7) 윙윙거리다 (8) 초파리 (9) 가렵다 (10) 가려움 (11) (알을) 낳다 (12) 막다, 예방하다 (13) 닦아내는 천 또는 솜 (14) 자외선 차단제 (15) …을 먹고살다 (16) 그때에 (17) …을 명심하다 (18) …으로 고통 받다 (19) 물 웅덩이 (20) …을 멀리하다

B (1) sweat (2) female (3) male (4) million (5) bite (6) food poisoning (7) itchy (8) brush (9) bug spray (10) mosquito (11) scratch (12) blood (13) sharp (14) protein (15) sunburn (16) stomach (17) come in (18) food waste (19) nearby (20) go for a walk

Lesson 4 Grammar 리뷰노트 pp. 116-117

A ① something ② special

Self-check 1. ○ 2. × → something cold to drink 3. × → anybody strong to carry 4. ○ 5. × → anything new 6. × → Anyone healthy

B ① 과거분사 ② have not/haven't

Self-check 1. haven't seen 2. has lived 3. have you 4. eaten 5. went 6. have known

A Self-check

1 해석 바닥에 기름진 무언가가 있다.

2 해석 나에게 마실 차가운 무언가를 주세요.
해설 'something + 형용사 + to부정사'의 어순으로 써야 하므로 something cold to drink로 고쳐야 한다.

3 해석 이 상자를 옮길 힘 센 사람이 있나요?
해설 anybody는 형용사가 뒤에서 수식해야 하므로 부사 strongly가 아닌 형용사 strong으로 고쳐야 한다.

4 해석 우리는 먹을 맛있는 것이 없다.

5 해석 나는 요즘 새로운 어떤 것이 없다.
해설 anything은 형용사가 뒤에서 수식해야 하므로 anything new로 고쳐야 한다.

6 해석 건강한 사람은 누구나 그것을 할 수 있다.
해설 '건강한 사람'의 의미가 되도록 명사 health를 형용사 healthy로 고쳐야 한다.

B Self-check

1 해석 나는 그런 것을 전에 본 적이 없다.
해설 경험에 대한 문장이므로 현재완료 시제인 haven't seen이 알맞다.

2 해석 우리 가족은 서울에서 5년 동안 살았다.
해설 현재완료 시제가 되어야 하므로 live의 과거분사 lived가 알맞다.

3 해석 너는 얼마나 오래 피아노를 쳤니?
해설 현재완료 시제의 의문문은 'have동사의 현재형 + 주어 + 동사의 과거분사'의 어순을 지니므로 have you가 알맞다.

4 해석 너는 이탈리아 음식을 먹어 본 적이 있니?
해설 경험에 대한 문장이므로 현재완료 시제의 의문문이 와야 한다. 따라서 eat의 과거분사 eaten이 알맞다.

5 해석 그녀는 2년 전에 파리에 갔다.
해설 two years ago라는 명백한 과거 시점을 나타내는 표현이 있으므로 과거 시제 went가 알맞다.

6 해석 나는 그를 어릴 때부터 알아 왔다.
해설 과거부터 현재까지 계속되는 내용에 대한 문장이므로 현재완료 시제인 have known이 알맞다.